FRANCOPHONIES
D'AMÉRIQUE

FRANCOPHONIES
D'AMÉRIQUE

Automne 2011   Numéro 32

Les Presses de l'Université d'Ottawa
Centre de recherche en civilisation canadienne-française

FRANCOPHONIES
D'AMÉRIQUE

Automne 2011 Numéro 32

Directeur :

FRANÇOIS PARÉ
Université de Waterloo
Courriel : fpare@uwaterloo.ca

Conseil d'administration :

GRATIEN ALLAIRE, président
Université Laurentienne, Sudbury

MOURAD ALI-KHODJA
Université de Moncton

PAUL DUBÉ
Université de l'Alberta, Edmonton

ANNE GILBERT
CRCCF, Université d'Ottawa

Comité éditorial :

MARIANNE CORMIER
Université de Moncton

SYLVIE DUBOIS
Louisiana State University

LUCIE HOTTE
Université d'Ottawa

CILAS KEMEDJIO
Université de Rochester

JEAN-PIERRE LE GLAUNEC
Université de Sherbrooke

JOHANNE MELANÇON
Université Laurentienne

PAMELA V. SING
Université de l'Alberta

Recensions :

DOMINIQUE LAPORTE
Université du Manitoba
Courriel : Dominique.Laporte@ad.umanitoba.ca

Révision linguistique :

JOSÉE THERRIEN

Correction d'épreuves et coordination :

COLETTE MICHAUD

Mise en page :

MONIQUE P.-LÉGARÉ et MARTIN ROY

Maquette de la couverture :

CHRISTIAN QUESNEL

En couverture : RoNdonatoptère, acrylique sur toile, 60 cm x 121 cm, avril 2012. Sandrine Coronat, Lethbridge (Alberta)

Francophonies d'Amérique est indexée dans :

Klapp, *Bibliographie d'histoire littéraire française* (Stuttgart, Allemagne)

International Bibliography of Periodical Literature (IBZ) et International Bibliography of Book Reviews (IBR) (Osnabrück, Allemagne)

International Bibliography of the Social Sciences (IBSS), The London School of Economics and Political Science (Londres, Grande-Bretagne)

MLA International Bibliography (New York)

REPÈRE – Services documentaires multimédia

Cette revue est publiée grâce à la contribution financière des universités suivantes :

UNIVERSITÉ D'OTTAWA
UNIVERSITÉ LAURENTIENNE DE SUDBURY
UNIVERSITÉ DE MONCTON
UNIVERSITÉ DE L'ALBERTA – CAMPUS SAINT-JEAN

ISBN : 978-2-7603-0776-6
ISSN : 1183-2487 (Imprimé)
ISSN : 1710-1158 (En ligne)
Dépôt légal – Bibliothèque et Archives nationales du Québec, 2012
Dépôt légal – Bibliothèque et Archives Canada, 2012
Les Presses de l'Université d'Ottawa/Centre de recherche en civilisation canadienne-française, 2012
Imprimé au Canada

Comment communiquer avec

FRANCOPHONIES
D'AMÉRIQUE

POUR LES QUESTIONS D'ABONNEMENT, DE DISTRIBUTION
OU DE PROMOTION :

Martin Roy
Centre de recherche
en civilisation canadienne-française
Université d'Ottawa
65, rue Université, bureau 040
Ottawa (Ontario) K1N 6N5
Téléphone : 613 562-5800, poste 4007
Télécopieur : 613 562-5143
Courriel : Roy.Martin@uOttawa.ca
Site Internet : http://www.crccf.uOttawa.ca/francophonies_amerique/index.html

POUR TOUTE QUESTION RELEVANT DU SECRÉTARIAT DE RÉDACTION :

Colette Michaud
Secrétariat de rédaction, *Francophonies d'Amérique*
Centre de recherche
en civilisation canadienne-française
Université d'Ottawa
65, rue Université, bureau 040
Ottawa (Ontario) K1N 6N5
Téléphone : 613 562-5800, poste 4001
Télécopieur : 613 562-5143
Courriel : cmichaud@uOttawa.ca

Francophonies d'Amérique est disponible sur la plateforme Érudit à l'adresse suivante :
http://www.erudit.org/revue/fa/apropos.html.

Table des matières

Recherches et réflexions sur les identités francophones dans l'Ouest canadien

RECENSIONS

Présentation

Recherches et réflexions
sur les identités francophones dans l'Ouest canadien

Carol J. Léonard
Université de l'Alberta
Campus Saint-Jean

> Au plan individuel comme collectif, il n'y a pas de rapport
> constructif avec autrui sans conscience de son identité
> personnelle, il n'y a pas dialogue interculturel positif sans
> que l'on ait assumé sa spécificité culturelle.
> JEAN-MARIE WOEHRLING

LE PRÉSENT NUMÉRO RASSEMBLE des contributeurs appartenant à un groupe de recherche formé dans le cadre d'une Alliance de recherche universités-communautés (ARUC) dont la vocation est d'établir une collaboration utile entre les établissements postsecondaires et les organismes communautaires. Créée en 2007, l'ARUC-IFO se penche sur la diversité des identités francophones de l'Ouest canadien (IFO). Elle rassemble neuf partenaires universitaires (28 chercheurs, de nombreux collaborateurs) et 42 partenaires communautaires. Aussi, les contributions rassemblées dans ce numéro de *Francophonies d'Amérique* ne représentent-elles pas une somme, mais plutôt un spicilège de résultats de recherches et de réflexions soumises par une quinzaine de représentants des équipes de chercheurs universitaires.

Dans cette introduction, la présentation des divers articles sera suivie d'un abrégé historique destiné avant tout aux lecteurs qui connaissent peu l'histoire de la francophonie de cette vaste région du Canada[1] et de l'évolution des étiquettes identitaires dans lesquelles cette francophonie

---

[1] Les francophones de l'Ouest canadien forment une minorité dispersée le long d'un large corridor couvrant la moitié méridionale de trois provinces dont la superficie totale est supérieure à celles de l'Allemagne, de l'Espagne, de la France et du Royaume-Uni réunies. La distance qui sépare la communauté francophone de Girouxville en Alberta de celle de Saint-Labre au Manitoba équivaut à celle qu'il faut franchir pour se rendre de Londres à Varsovie.

s'est successivement ou concomitamment reconnue. Nulle réalité n'étant affranchie de son passé, cet abrégé brossé à larges traits contribuera, espérons-nous, à une mise à plat du contexte historique général duquel émergent les identités nouvelles qui fournissent la matière des présentes contributions.

Les articles sont distribués conformément aux grands axes ou rubriques auxquels se rattachent les domaines de l'espace francophone étudiés dans le cadre de cette ARUC : éducation d'une part, *langue et culture* d'autre part. Il y a pourtant une exception. L'un des articles est le fruit d'une réflexion conjointe de chercheurs associés à chacun des deux axes. Il viendra clôturer ce corpus d'articles.

Éducation

Au Canada, les comportements linguistiques sont tributaires de phénomènes importants, au nombre desquels on place en tête de liste le vieillissement de la population, la baisse des taux de fécondité sous le seuil de remplacement des générations, la chute des taux de transmission de la langue maternelle, l'immigration interprovinciale et l'immigration internationale et, enfin, l'accroissement des unions exogames. Cet accroissement atteint des proportions telles que, dans l'Ouest canadien, plus de 80 % des enfants âgés de moins de dix-huit ans sont issus de telles unions. La langue maternelle anglaise est dominante au sein de la majorité de ces foyers. La présence d'un membre du groupe majoritaire au sein des couples ayant des enfants en âge de fréquenter l'école conditionne la nature de l'accompagnement et du soutien que l'école de langue française apporte aux couples en situation d'union mixte. Dans son étude, Jules Rocque présente une analyse qualitative et quantitative de l'information mise à la disposition des parents qui n'ont pas le français comme langue d'usage. Il accompagne son analyse de recommandations, particulièrement à l'endroit des conseils scolaires. Ces dernières portent principalement sur une mise à niveau des contenus de leurs sites Internet en regard des besoins en information chez les parents qui ne maîtrisent pas la langue française.

Dans l'Ouest canadien, les francophones en situation d'infériorité numérique évoluent en contexte de diglossie et, corollairement, de double, voire de multiples littératies. Un tel contexte influe fortement sur le vécu langagier et agit sur l'acquisition des compétences langagières orales communicatives et cognitivo-scolaires. Or, dans l'ensemble des provinces hors Québec, le rendement en compréhension de l'écrit des élèves des groupes minoritaires affiche un résultat inférieur à la moyenne observée dans les pays de l'Organisation de coopération et de développement économiques (Shipley, 2011). Autre observation, la préalphabétisation favorise le développement de meilleures aptitudes en lecture (Conseil canadien sur l'apprentissage, 2009). Des actions visant une alphabétisation précoce et encadrée se sont traduites par la création de programmes de littératie familiale. Intéressées à la mesure de l'efficacité des programmes de littératie destinés aux enfants d'âge préscolaire, Gestny Ewart et Janelle de Rocquigny nous présentent ici une étude sur le profil démolinguistique, langagier et motivationnel de parents participants à ces programmes. Ce profil traduit un engagement parental marqué par une volonté d'exposer l'enfant dès son bas âge à un vécu « enculturant » favorable à son développement psycholangagier.

Soucieuse de voir le nombre des membres de la francophonie s'accroître au Canada et devant des transformations démographiques qualifiées d'irréversibles, la Fédération des communautés francophones et acadienne adoptait, en 1990, une déclaration de principes dans laquelle elle exprimait son vœu de voir les communautés qu'elle fédère « s'engager sans plus tarder dans un processus d'ouverture face au pluralisme et, plus particulièrement, face aux immigrantes et immigrants désireux de s'intégrer aux communautés francophones et acadiennes » (Godbout, Duguay et Morin, 1993). Au cours des deux dernières décennies, des actions ont été menées, des gestes ont été posés en vue de faciliter l'inté-gration des nouveaux arrivants dans les communautés comme dans les établissements scolaires de la minorité. Laurie Carlson Berg nous présente ici son étude effectuée auprès de la direction des écoles fransaskoises de la minorité francophone de la Saskatchewan et nous fait un portrait suivi de recommandations portant sur les initiatives d'intégration qui y sont menées.

Au cours des récentes décennies, l'enseignement des sciences a connu une évolution marquée. La transmission des connaissances scienti-fiques ne peut désormais plus se faire en l'absence d'une formation à la recherche, même limitée, tant on reconnaît chez cette dernière de puissants atouts pédagogiques. Nonobstant les bienfaits qu'a pu apporter une telle transformation, les résultats obtenus par les étudiants canadiens en milieu minoritaire sont préoccupants, et les facteurs mis en cause sont nombreux (Cormier, Pruneau et Rivard, 2010). Or l'appropriation des savoirs scientifiques, particulièrement dans le cadre d'une recevabilité institutionnelle, est indissociable de leur formalisation « littératiée » (Kara, 2009). Dans son article, Léonard Rivard se penche sur le problème de l'identification des particularismes discursifs propres à la production des rapports de recherche et plus particulièrement sur leur appropriation par les formateurs. De son examen, il tire des recommandations à l'intention des éducateurs logés à la confluence de la didactique des sciences et de celle du français.

Langue et culture

À la manière des identités et consubstantiellement avec elles, les langues s'enracinent dans les lieux où on les pratique et où elles trouvent le siège de leur évolution. Les variations qui s'observent d'un milieu à un autre témoignent de la dynamique des langues propre à chaque contexte. Leur étude nourrit notre connaissance tant sur la manière dont s'opèrent les principes évolutifs que sur l'ampleur, les spécificités et la richesse scientifique et patrimoniale des corpus oraux constitués. Soucieuse de venir combler les lacunes qui s'observent dans le champ des recherches sur le français canadien et dans celui de la mesure du degré d'homogénéité des variétés de français de l'Ouest canadien, l'équipe de chercheurs formée de Sandrine Hallion, France Martineau, Davy Bigot, Moses Nyongwa, Robert A. Papen et Douglas Walker aborde sous plusieurs angles la question des particularités propres aux variétés de français de l'Ouest canadien et les zones géographiques où elles sont en usage. Elle dresse la table à des fins d'analyses plus poussées et concourt par ses contributions à la réalisation de projets de plus grande envergure.

La reconnaissance officielle des Métis francophones du Manitoba par le Metis National Council et la Manitoba Metis Federation ne remonte qu'à 2003 (Gagnon, 2008-2009). Aussi, ne faut-il pas s'étonner qu'on ait pu parler, il n'y a pas si longtemps encore et en référence à l'héritage métis francophone, d'une identité et d'une histoire métisse oubliée (Van Schendel, 1994). L'ethnographie de la communauté métisse francophone a donc encore beaucoup à livrer sur elle-même, qu'il s'agisse de ses pratiques, des valeurs du peuple métis et de l'évolution de son identité. Dans son étude sur les Métis francophones du Manitoba, Yves Labrèche se penche sur la préservation du patrimoine naturel et culturel métis en ce qu'il a de savoir-faire et de fidélité aux traditions. Il évoque également l'expression des volontés de rapprochement de la communauté métisse avec plusieurs milieux vers lesquels des ponts semblent pouvoir être jetés.

L'Ouest canadien abrite la troupe d'expression française la plus pérenne du Canada. C'est là un gage de fidélité et d'attachement à l'art théâtral chez les francophones des provinces des Prairies. Sensibles aux bénéfices que peuvent apporter les technologies dans la pratique de leur art, des créateurs ont de tout temps su intégrer les nouveaux procédés leur permettant de donner plus d'éclat à leurs productions, de mieux rejoindre leur auditoire et de toucher davantage les spectateurs. Dans cette optique, le surtitrage connaît, depuis quelques années, la faveur auprès de producteurs et de metteurs en scène de la francophonie canadienne en milieu minoritaire. Dans leur article, Louise Ladouceur et Shavaun Liss mettent en regard le recours au procédé et l'évolution des identités au cœur de la francophonie. Elles en infèrent un usage dont l'évolution s'accorde désormais aux multiples modes de réception qu'offrent les spectateurs eux-mêmes.

Enfin, l'interculturalité en opposition à la multiculturalité (la simple juxtaposition de cultures) appelle une remise en question du rapport à soi et à l'autre et à une prise de conscience du métissage qui s'observe dans toute culture vivante. Elle invite au rapprochement attentif et soutenu. Sensibles à cette démarche qui engage vers de nouveaux rapports, Yves Labrèche et Nathalie Piquemal postulent une parenté d'intérêts, de revers et de regards chez deux groupes marqués l'un comme l'autre dans leur histoire par une exposition à des idéologies ethnicistes. Ils anticipent, dans leur rapprochement (théorique et pratique), les effets d'une complémentarité canalisatrice d'enrichissements mutuels. Leur article se présente comme une réflexion à voix haute sur les vertus pressenties d'un rapprochement que laissent entrevoir les regards croisés d'anthropologues et d'éducateurs sur le vécu des Métis francophones, des familles néo-canadiennes constituées de réfugiés et la francophonie de souche.

Abrégé historique

C'est dans les confins septentrionaux du territoire qui porte aujourd'hui le nom de Manitoba, plus précisément à proximité de l'embouchure du fleuve Nelson, que le verbe français se fait entendre pour la première fois en 1694, lors de la prise du fort York, rebaptisé pour la circonstance fort Bourbon : symbole royal et pivot de l'identité française. Cette présence est fugace, car au bout de seize ans, le fort est rendu à l'Angleterre.

C'est dans la partie méridionale de cette même province que la pénétration française va connaître un plus vaste déploiement et parviendra, au fil du temps, à établir les assises d'une présence durable qui ne connaîtra qu'un intermède, la Conquête. Lancés sur les traces d'un Jacques de Noyon qui, en 1688, était parvenu jusqu'aux berges du lac La Pluie (Minnesota), Pierre Gaultier de Varennes et ses hommes sont les premiers Canadiens de souche française à atteindre, en 1731, le lac des Isles ou des Assinipoiles[2], aujourd'hui connu sous la double appellation de lac des Bois = Lake of the Woods. Cette vaste étendue d'eau est l'antichambre de la rivière Winnipeg qui devait, croyait-on alors, mener à la mer de l'Ouest, mais aussi et dans les faits à la création de nouveaux comptoirs de traite, premiers véritables pied-à-terre des Français dans cette partie du continent. Les activités de commerce et de découvertes connaissent une fin abrupte avec la Conquête. Toutefois, les Français du Canada, désormais sous un gouvernement britannique, réapparaissent sur les rives de la Winnipeg, de la Saskatchewan, puis s'infiltrent le long des rivières Churchill, Athabasca, la Paix et bien au-delà. Progressivement confinés à des rôles subalternes dans les activités de négoce dans les Pays d'en haut, les *Canadiens*, comme l'on désigne alors les francophones issus du pays, parviennent en revanche à imposer le français, toute première marque de leur identité (Vézina, 2000), dans les échanges avec leurs patrons de langues anglaise et galloise (Podruchny, 1999). La toponymie en usage en fait foi (Léonard, 2009). C'est l'âge d'or du français dans l'Ouest canadien.

---

[2]   Une telle polytypie ou parallélisme des désignations est chose fréquente à l'époque. Elle est parfois symptomatique d'une méconnaissance d'un pays dont on ne peut encore mesurer la pleine étendue. Elle évoque aussi la pluralité des groupes autochtones, sources auprès desquelles truchements et mandatés tirent leurs informations sur le pays qui s'étend au-delà de ce qui leur est connu.

La pénétration au cœur du continent et l'organisation de pratiques commerciales avantageuses sont toutes deux tributaires d'un savoir-faire indispensable à l'instauration et au maintien de relations cordiales avec les populations indigènes parfois brouillées entre elles. Au fil du temps, la fréquence comme l'intimité des rapports se révèlent le ferment d'identités francophones nouvelles issues du métissage.

Vers la fin de la seconde décennie du xixᵉ siècle, le progrès dans les pratiques du transport permet aux compagnies de traite des fourrures de licencier la majorité des *voyageurs*[3] qui, pour une large part, retournent vivre dans la vallée laurentienne. L'élément français demeuré dans l'Ouest, en majorité composé de Métis, se concentre alors le long de la rivière Rouge. C'est là que se forme bientôt le berceau de ce qui deviendra, quelques décennies plus tard, le Manitoba. Cette population à demi sédentarisée doit composer avec la présence auprès d'elle de noyaux de colons écossais établis de fraîche date.

Motivé par la croissance démographique, commerciale et géographique que connaît son voisin américain, le Canada, nouvellement confédéré en 1867, s'étend de l'Atlantique aux confins de l'Ontario. Il lorgne du côté du Pacifique et veut s'assurer l'annexion des terres qui l'en séparent. Le gouvernement fédéral passe à l'action et met en œuvre sa politique nationale, dont le peuplement rapide et massif de l'Ouest est l'un des fers de lance. Il s'approprie ce large pan de continent dont il fera, par le jeu de reconfiguration et de découpages successifs, le Manitoba (1870) puis les provinces de la Saskatchewan (1905) et de l'Alberta (1905) telles qu'on les connaît aujourd'hui.

Au cours de la décennie 1870, la population française et franco-métisse du Manitoba voit déferler autour d'elle des milliers de colons qui, partout, prennent possession des concessions accordées par le gouvernement canadien. Proprement soutenue par son clergé catholique, la population francophone, encore suffisamment nombreuse, parvient, dès la création du Manitoba, à voir ses droits linguistiques garantis.

Hostile aux éléments francophones et catholiques, inquiété par les velléités revendicatrices des milliers de ressortissants allemands et

---

[3]   Le terme *voyageurs* est employé ici pour désigner ceux qui, avant la Confédération canadienne, participèrent à la traite des fourrures : marchands (dits « bourgeois »), commis et engagés.

ukrainiens venus s'établir dans l'Ouest à l'invitation du gouvernement canadien, mais rassuré par le poids démographique qu'atteint la population de langue anglaise au fil des ans, le gouvernement manitobain abolit en 1890 le statut officiel de la langue française et met tout en œuvre pour compromettre l'enseignement de cette langue dans les écoles manitobaines. Les enjeux de survie culturelle et de reconnaissance sociale se trament et s'affrontent alors au détriment des Métis. Nombreux sont ceux parmi eux qui, offensés par l'esprit de contemption ambiant chez les francophones (Giraud, 1984), abandonnent progressivement la pratique de la langue française.

Les débuts de l'histoire de la présence française dans les provinces de la Saskatchewan et de l'Alberta suivent des *scénarii* presque en tout point semblables à celui observé au Manitoba. De premières agglomérations franco-métisses se forment le long d'anciennes pistes de traite ou sur des sites séculaires de fréquentation autochtone. Plus tardive qu'au Manitoba, la déferlante colonisatrice surgit au tournant du xxᵉ siècle et s'affermit au lendemain de la création des provinces dont les gouvernements s'empressent d'interdire au français le statut de langue officielle, statut pourtant acquis des décennies auparavant lors de la formation de l'ancien gouvernement des territoires.

La course des nouveaux arrivants de toutes provenances pour l'appropriation des meilleures terres conduit à un éparpillement des foyers de peuplement francophones en Saskatchewan comme en Alberta. Les difficultés de recrutement de colons français et belges, peu empressés à quitter l'Europe, le scepticisme des élites québécoises, réfractaires au soutien de l'effort de colonisation francophone dans l'Ouest, sont autant de revers qui, additionnés aux vexations de toutes sortes infligées par des gouvernements provinciaux, ont tôt fait de donner à la francophonie des provinces des Prairies canadiennes le profil d'une minorité lourdement entravée et freinée dans sa capacité d'action, de renforcement et de pérennisation. Tout au long du xxᵉ siècle, l'histoire de la francophonie de l'Ouest est marquée, sans y être résumée, par une lutte continue pour le recouvrement des droits linguistiques et scolaires dont elle a été spoliée.

À l'aube du siècle dernier, cette francophonie se dit « canadienne-française », épithète qu'elle partage en cause commune avec la majorité des francophones du pays. Au fil des générations, en raison des distances et de l'état des communications, les liens physiques, mnésiques et référentiels s'atténuent avec le Québec, province perçue de plus en plus par les générations nouvelles comme une terre ancestrale.

Dans la foulée, mais aussi en réaction à l'avènement de la Révolution tranquille et des velléités québécoises d'indépendance nationale, on voit naître dans l'Ouest canadien les premières formes d'expression d'un attachement au sol sur lequel on a vu le jour. Dans les années 1970 et 1980, elles se traduisent de manière symbolique, notamment dans la création de gentilés. On se dit Franco-Manitobain au Manitoba, Fransaskois en Saskatchewan et Franco-Albertain en Alberta. Concomitamment à l'appropriation progressive d'une nouvelle identité provinciale, aboutissent, au terme de longues poursuites judiciaires, le recouvrement de certains droits linguistiques et scolaires majeurs de même que la proclamation d'invalidité de lois attentatoires injustement promulguées, mais sitôt validées par une astuce juridique.

Après environ un siècle, la récupération du plein droit des francophones à un enseignement adéquat en langue française se traduit dans les années 1990 par la multiplication d'établissements scolaires leur étant destinés. Ce sont aussi les années au cours desquelles ces écoles commencent à accueillir de jeunes ressortissants en provenance du Maghreb et d'Afrique centrale, tout comme un nombre croissant de jeunes issus de couples exogames qui se perçoivent et se disent davantage bilingues et biculturels que francophones. La face de la francophonie désormais dite « plurielle » s'en trouve une fois de plus modifiée (Dallaire, 2006; Dalley, 2006). Les profils identitaires se démultiplient (Deveau, 2008).

Sans cesse minorée par les effets de l'assimilation, la francophonie de l'Ouest représente au début du présent siècle environ 3 % de l'ensemble des habitants des provinces concernées. Entraînée comme le sont toutes les populations du globe dans les tourbillons d'une mondialisation qui impose son dictat économique, précipite le rétrécissement planétaire et suscite les affirmations de spécificités régionales, cette francophonie continue de changer tout en persistant dans sa volonté de s'inscrire, selon divers modes d'être et de penser, dans la durée.

BIBLIOGRAPHIE

Conseil canadien sur l'apprentissage (2009). *Carnet du Savoir : l'éducation chez les minorités francophones du Canada*, [En ligne], [http://www.ccl-cca.ca/pdfs/LessonsInLearning/08_20_09-F.pdf] (9 décembre 2011).

Cormier, Marianne, Diane Pruneau et Léonard Rivard (2010). « Améliorer les apprentissages en sciences en milieu francophone minoritaire : résultats de l'expérimentation d'un modèle pédagogique », *Revue des sciences de l'éducation*, vol. 36, n° 2, p. 343-363.

Dallaire, Christine (2006). « I am English too: Francophone Youth Hybridities in Canada », dans Pam Nilan et Carles Feixa (dir.), *Global Youth? Hybrid Identities, Plural Worlds*, New York, Routledge, p. 32-52.

Dalley, Phillys (2006). « Héritiers des mariages mixtes : possibilités identitaires », *Éducation et francophonie*, vol. 34, n° 1 (printemps), p. 82-94.

Deveau, Kenneth (2008). « Construction identitaire francophone en milieu minoritaire canadien : "Qui suis-je?", "Que suis-je?", *Francophonies d'Amérique*, n° 26 (automne), p. 383-403.

Gagnon, Denis (2008-2009). « La création des "vrais Métis" : définition identitaire, assujettissement et résistances », *Port Acadie : revue interdisciplinaire en études acadiennes = Port Acadie: An Interdisciplinary Review in Acadian Studies*, n°s 13, 14, 15 (printemps-automne 2008, printemps 2009), p. 295-306.

Giraud, Marcel (1984). *Le Métis canadien : son rôle dans l'histoire des provinces de l'Ouest*, Paris, Institut d'ethnologie, vol. 2.

Godbout, Marc, Mireille Duguay et Sylvio Morin (1993). *Notes pour une présentation de la Fédération des communautés francophones et acadienne du Canada devant le Comité permanent des Affaires sociales, des Sciences et de la Technologie (Sénat du Canada) dans le cadre de son Étude sur la notion, le développement et la promotion de la citoyenneté canadienne*, Ottawa, Fédération des communautés francophones et acadienne du Canada.

Kara, Mohamed (2009). « Écrits et savoirs », *Pratiques*, n°s 143-144 (décembre), p. 3-10.

Léonard, Carol J. (2009). « Les noms de lieux des voyageurs sur la rivière Churchill : une toponymie signée à l'aviron », *Onomastica Canadiana: Journal of the Canadian Society for the Study of Names = Revue de la Société canadienne d'onomastique*, vol. 91, n° 2, p. 13-43.

Podruchny, Carolyn (1999). *"Sons of the Wilderness": Work, Culture and Identity Among Voyageurs in the Montreal Fur Trade, 1780-1821*, thèse de doctorat, Toronto, Université de Toronto.

SHIPLEY, Lisa (2011). *Profil des élèves et des écoles des groupes linguistiques minoritaires au Canada : résultats du Programme international pour le suivi des acquis des élèves (PISA), 2009*, Ottawa, Statistiques Canada.

Van SCHENDEL, Nicolas (1994). « L'identité métisse ou l'histoire oubliée de la canadianité », dans Jocelyn Létourneau (dir.), *La question identitaire au Canada francophone : récits, parcours, enjeux, hors-lieux*, avec la collaboration de Roger Bernard, Sainte-Foy, Les Presses de l'Université Laval, p. 101-121.

VÉZINA, Robert (2000). « La dynamique des langues dans la traite des fourrures : 1760-1850 », dans Danièle Latin et Claude Poirier (dir.), *Contacts de langues et identités culturelles : perspectives lexicographiques*, actes des quatrièmes Journées scientifiques du réseau « Étude du français en francophonie », Québec, Les Presses de l'Université Laval, p. 143-155.

WOEHRLING, Jean-Marie (1998). « Conclusions générales », dans Solange Wydmusch (dir.), *La toponymie, un patrimoine à préserver*, Paris, L'Harmattan, p. 159-169.

Les sites Internet des conseils scolaires francophones canadiens en milieu minoritaire : ressources indispensables pour les couples mixtes (interlinguistiques / interculturels)[1]

Jules Rocque
Université de Saint-Boniface

NOS HABITUDES DE CONSOMMATION d'aujourd'hui sont telles que notre premier réflexe, lorsque nous voulons nous renseigner sur un produit ou un service quelconque, consiste à nous brancher à Internet. En quelques secondes, nous nous trouvons devant de nombreux renseignements, certains plus pertinents que d'autres, sur toutes sortes de sujets : la fiabilité d'un appareil électronique, l'évaluation d'une voiture étrangère et les services de plomberie disponibles à proximité, à titre d'exemples. Le cyberespace nous offre une source inépuisable d'information.

> De nos jours, les technologies de l'information et des communications [TIC] exercent leur influence dans toutes les sphères de la vie. Au cours des deux dernières décennies, plus ou moins, les ordinateurs, les téléphones cellulaires et Internet ont modifié nos activités au quotidien et notre comportement, que ce soit au travail ou dans notre vie sociale (Sciadas, 2006 : 5).

Si nous imaginons le parent qui, dans son esprit de consommateur averti, soucieux d'une éducation de qualité pour son enfant, cherche à se renseigner sur les écoles de son quartier ou d'ailleurs, les programmes et services offerts, la mission et la vision du conseil scolaire, etc., nous pouvons conclure qu'Internet deviendra pour lui un outil de choix. Ajoutons maintenant la dimension langagière du parent consommateur, et plus précisément, de celui qui, ne parlant pas le français, désire se renseigner sur l'éducation de langue française en milieu francophone minoritaire. Dans le cas de cette clientèle, l'importance d'offrir de

---

[1] Dans cet article, le couple mixte (interlinguistique / interculturel), aussi appelé couple exogame dans la recherche, désigne un parent parlant français et l'autre, une autre langue, principalement l'anglais.

l'information en anglais dans le site Internet de la commission scolaire ou de l'école prend tout son sens.

La recherche nous confirme que l'utilisation du courrier électronique comme outil de communication « permet de favoriser une collaboration privilégiée entre l'école et la famille » (Karsenti, Larose et Garnier, 2002 : 385). En dépit des situations problématiques que la gestion des technologies de l'information et de la communication (TIC), entre l'école et les parents, peut parfois occasionner, le sain et judicieux emploi de ces outils technologiques, à l'ère numérique, demeure une réalité incontournable dont les bénéfices dépassent largement les inconvénients.

Un site Internet bien conçu, maintenu à jour, convivial, fonctionnel et contenant des renseignements utiles et pertinents pour la clientèle ciblée peut devenir un excellent outil de communication entre les concepteurs (le conseil scolaire et l'école) et ses destinataires (les parents, les élèves et les membres de la communauté) (Nicoll, 2001). Il peut aussi représenter un précieux véhicule qui facilite le partage de l'information sur les particularités d'un programme quelconque, les services disponibles, la mission et la vision de l'organisation, sans oublier la promotion auprès d'une clientèle potentielle, apte à fréquenter ses établissements (Hill, Tucker et Hannon, 2010). Dorit Tubin et Sarit Klein (2007), en citant les études de Brent Davies et Linda Ellison, de Izhar Oplatka et de Helen M. Marks et Jason P. Nance[2], soulignent combien le site Internet peut aller jusqu'à influencer le choix d'une école par les parents.

C'est précisément dans ce contexte que nous vous proposons l'article qui suit, fondé sur les résultats d'une cueillette de données virtuelles dans le cadre d'une recherche échelonnée sur trois ans (2008 à 2010)[3], soutenue par l'Alliance de recherche universités-communautés sur les identités

---

[2]   Brent Davies et Linda Ellison, *Strategic Marketing for Schools: How to Harmonise Marketing and Strategic Development for an Effective School,* London, Pitman, 1997 ; Izhar Oplatka, « The Characteristics of the School Organization and the Constraints on Market Ideology in Eduction: An Institutional View », *Journal of Education Policy,* vol. 19, n° 2 (mars 2004), p. 143-161 ; Helen M. Marks et Jason P. Nance, « Contexts of Accountability Under Systematic Reform: Implications for Principal Influence on Instruction and Supervision », *Educational Administration Quarterly,* vol. 43, n° 1 (février 2007), p. 3-37.

[3]   Les données ont été actualisées en juillet 2012. Si vous désirez en connaître davantage, communiquez avec l'auteur (jrocque@ustboniface.ca).

francophones de l'Ouest canadien (ARUC-IFO). Dans un premier temps, nous présenterons la problématique et la question à l'étude pour ensuite décrire la méthodologie. Suivront la présentation et la discussion des résultats, puis, dans la conclusion, la proposition de recommandations.

Problématique

Nous constatons la place qu'occupent les TIC dans la vie des citoyens et dans la relation avec leur milieu. Dans le cadre de cette étude, nous traiterons plus spécifiquement du rôle que les autorités scolaires en milieu francophone minoritaire au Canada donnent à l'espace virtuel (les sites Internet) comme moyen privilégié de communication entre le conseil scolaire et sa clientèle de couples mixtes.

La Fédération nationale des conseils scolaires francophones (FNCSF) regroupe les représentants de 31 conseils scolaires francophones et acadiens de partout au pays, à l'exception du Québec. En 2008-2009, elle comptait plus de 139 000 élèves regroupés dans 635 écoles. Elle est la voix politique des parents et, grâce à sa structure administrative, elle intervient tant sur le plan politique que pédagogique en matière d'éducation de langue française au Canada.

Parmi ces 139 000 élèves se trouve un nombre grandissant d'enfants issus de couples mixtes. En 2001, 63 % des enfants francophones d'âge scolaire (5 à 17 ans) venaient de couples mixtes. Dans l'Ouest canadien, ce pourcentage s'élevait à 82 %. Rodrigue Landry affirme que « le pourcentage d'enfants issus de couples exogames était de 66 % en 2006, ce qui confirme la tendance lourde d'une croissance graduelle du taux d'exogamie » (2010 : 32). À l'intérieur de ces familles, la langue anglaise devient également la langue dominante au foyer, freinant ainsi la transmission du français (Landry, 2010). Malgré cette réalité, si ces familles déploient d'importants efforts pour maintenir et favoriser un haut niveau de francité familioscolaire[4], elles peuvent espérer contribuer au bilinguisme additif[5] chez leurs enfants, tout en soutenant le mandat

---

[4] La francité familioscolaire se définit comme la présence et l'usage du français dans la famille et à l'école.

[5] Le bilinguisme additif est l'acquisition d'une langue seconde sans nuire à la connaissance ou au maintien de la langue première, ce qui permet de posséder des compétences langagières élevées dans les deux langues.

socioculturel et linguistique de l'école (Landry et Allard, 1997). En tenant compte de la réalité de ce profil familial particulier, de la dynamique langagière (anglais à la maison et français à l'école) et de l'appui nécessaire du milieu scolaire, nous avons choisi d'étudier la façon dont la FNCSF fait usage des sites Internet comme outils de communication avec cette clientèle.

Nous reconnaissons qu'il y a une certaine réticence à « angliciser » certaines pratiques dans les écoles de langue française en milieu minoritaire. Multiplier les occasions où l'anglais est présent (communications écrites, annonces publicitaires, mots de bienvenue, etc.) dans les écoles de langue française peut sembler aller à l'encontre du mandat de l'école. Cependant, si nous acceptons que la clientèle qui fréquente ces écoles a changé, nous accepterons aussi que certaines pratiques doivent changer. C'est ainsi que tous les parents deviendront des alliés et soutiendront la mission de l'école de langue française.

Contexte théorique

Les études antérieures de Howard Giles, Richard Bourhis et Donald Taylor (1977), traitant de la vitalité ethnolinguistique[6], ainsi que celle de Wallace E. Lambert (1975), portant sur le développement du bilinguisme additif, toutes deux reprises et redéfinies par Rodrigue Landry et Réal Allard (1990), servent de fondements théoriques à la présente étude. Si nous espérons soutenir les efforts de la communauté de langue minoritaire et la voir s'épanouir, il faut d'abord assurer une certaine organisation ou structure formelle :

> L'accès à des institutions, telles les écoles, gérées par la minorité contribue à cette organisation et à cette vie sociale et permet à la communauté de demeurer active et distincte dans ses nombreux contacts avec les autres groupes linguistiques qui l'entourent (Rocque, 2008 : 3).

Cependant, en plus des institutions, il faut un solide partenariat entre l'école et le foyer. La dominance réelle de la langue anglaise, tant dans les communautés de langue française en milieu minoritaire que dans

---

[6]   La vitalité ethnolinguistique se définit comme une approche conceptuelle qui cherche à identifier les facteurs structuraux (les caractéristiques démographiques, le statut social, le soutien institutionnel) qui déterminent si une communauté minoritaire (francophone) demeurera une entité distincte et active dans ses relations avec d'autres groupes dans la société (majorité anglophone).

les foyers francophones, exige que le milieu scolaire cherche par tous les moyens à solidifier le dialogue entre l'école et la maison. L'école doit jouer un rôle d'accompagnement en accueillant et en sensibilisant les parents sur leur rôle dans le maintien d'une forte francité familioscolaire. Le site Internet, entre autres, peut servir d'outil de communication privilégié, en rendant disponibles des renseignements pertinents pour les parents, dans leur langue, sur la mission de l'éducation de langue française et sur le rôle des parents dans le soutien du mandat de l'éducation de langue française. De telles initiatives peuvent faire la différence entre le maintien ou la perte de la langue minoritaire, passant ainsi d'un bilinguisme additif au bilinguisme soustractif.

Objectifs et question à l'étude

Nous proposons trois principaux objectifs dans le cadre de cette étude : 1) vérifier la présence d'hyperliens dans les sites Internet des conseils scolaires de la FNCSF qui mènent à de l'information ou à des ressources en anglais destinées aux parents ne parlant pas français dont les enfants fréquentent ou non l'école de langue française en milieu minoritaire ; 2) si l'hyperlien existe, vérifier si l'onglet est visible et accessible dès la page d'accueil du site, et s'il est affiché en anglais ; et 3) analyser le contenu des hyperliens disponibles dans les sites Internet des conseils s'adressant à la clientèle des couples mixtes et en faire un inventaire.

La principale question à l'étude se résume donc ainsi : en consultant le site Internet d'un conseil scolaire de la FNCSF, le parent ne parlant pas français du couple mixte peut-il trouver facilement des renseignements pertinents et utiles au sujet de l'éducation de langue française en milieu minoritaire au Canada et des ressources susceptibles de le soutenir dans son rôle de parent ?

Méthodologie

En faisant appel à l'analyse de contenu comme méthode de traitement de données qualitatives, en 2008 et en 2010, nous[7] avons utilisé une fiche

---

[7]   Nous remercions particulièrement Madina Coulibaly (2008) et Mélanie Dubois (2010), assistantes de recherche, qui ont contribué à la cueillette de données.

de cueillette documentaire (voir l'annexe) pour analyser le contenu des 31 sites Internet de la FNCSF. Après avoir recueilli des renseignements généraux (date d'accès au site, nom du conseil scolaire, nombre d'élèves et d'écoles, ville, etc.), nous avons porté le chapeau du parent non francophone afin de repérer toute information en anglais susceptible de nous renseigner sur l'éducation de langue française, les politiques et les pratiques du conseil ou tout autre document ou hyperlien présent qui pourrait nous éclairer sur le conseil scolaire (Rocque, 2011a).

Conscient des limites du présent article, nous avons choisi de présenter l'analyse de 10 des 31 conseils scolaires. Soucieux d'avoir une représentation de l'ensemble du territoire canadien, nous nous sommes penché sur des conseils scolaires de tailles variées, catholiques et publics, représentant 32 % de l'ensemble des conseils scolaires de la FNCSF et 28 % des élèves qui y sont inscrits. Tous les conseils retenus ont une composante urbaine et rurale.

1. Conseil scolaire francophone de la Colombie-Britannique (CSF)
2. Conseil scolaire du Centre-Nord n° 2 de l'Alberta (CSCN)
3. Conseil des écoles fransaskoises (Saskatchewan) (CEF)
4. Division scolaire franco-manitobaine (DSFM)
5. Conseil scolaire catholique du Nouvel-Ontario (CSCNO)
6. Conseil scolaire de district catholique des Aurores boréales de l'Ontario (CSDCAB)
7. Conseil scolaire de district Centre-Sud-Ouest (CSDCSO)[8]
8. Conseil scolaire public du Nord-Est de l'Ontario (CSDNE)
9. Conseil d'éducation du district scolaire 05 du Nouveau-Brunswick (CEDS05)
10. Conseil scolaire acadien provincial de la Nouvelle-Écosse (CSAP)

Profil des conseils scolaires

Le tableau 1 présente le profil de chaque conseil scolaire retenu pour l'analyse en fonction du nombre d'écoles et d'élèves qui s'y trouvent.

---

[8]   Maintenant Centre scolaire public Viamonde de l'Ontario.

Tableau 1
Profil des conseils scolaires (sites Internet analysés)

Conseils scolaires – province	Nombre d'écoles	Nombre d'élèves
1. CSF – CB	39	4 065
2. CSCN – AB	14	2 550
3. CEF– SK	13	1 131
4. DSFM – MB	21	4 771
5. CSCNO – ON	39	6 807
6. CSDCAB – ON	10	628
7. CSDCSO – ON	39	7 382
8. CSDNE – ON	12	1 625
9. CEDS05 – NB	20	5 550
10. CSAP – NE	20	4 242

Source : FNCSF 2008-2009 (dans Rocque, 2011b : 88).

Résultats

Reconnaissant le très grand volume de données recueillies dans le cadre de cette analyse de contenu virtuel, nous nous limiterons à une présentation partielle des résultats.

Hyperliens en anglais dans les sites Internet

En cours d'analyse, nous désirions savoir si les sites Internet des conseils scolaires avaient ou non un hyperlien destiné aux couples mixtes et menant à des renseignements en anglais. Le tableau 2 nous donne un aperçu des sites des conseils aux deux périodes d'analyse (2008 et 2010). Un crochet (« √ ») confirme la présence dans le site Internet d'un onglet / hyperlien destiné aux couples mixtes, tandis qu'un tiret (« – ») en signifie l'absence.

Pour les conseils scolaires où il y avait un onglet / hyperlien[9] en anglais « *English* », soit en 2008 ou 2010, nous nous sommes intéressés d'abord à la nature du lien (titre, visibilité, emplacement dans le site) et ensuite aux renseignements qui s'y trouvaient. Les sites qui répondaient aux critères

---

[9] Précisons que les sites Internet et les hyperliens cités dans l'article ont été consultés en 2008 et 2010. Certains ne sont peut-être plus disponibles aujourd'hui.

Tableau 2
Hyperlien dans le site Internet destiné aux couples mixtes

Conseils scolaires – province	Hyperlien 2008	Hyperlien 2010
1. CSF – CB	√	√
2. CSCN – AB	–	√
3. CEF– SK	–	–
4. DSFM – MB	–	–
5. CSCNO – ON	–	–
6. CSDCAB – ON	–	–
7. CSDCSO – ON	√	√
8. CSDNE – ON	√	√
9. CEDS05 – NB	–	√
10. CSAP – NE	√	√

Source : Sites Internet des conseils scolaires.

étaient : le CSF – CB, le CSCN – AB, le CSDCSO – ON, le CSDNE – ON, le CEDS05 – NB et le CSAP – NE. Examinons donc le premier site.

Le CSF (Colombie-Britannique) offrait une variété d'hyperliens, facilement identifiables et accessibles, avec divers renseignements destinés aux couples mixtes en 2008 et en 2010 : communiqués de presse invitant les parents à participer à des sessions d'information sur la façon d'inscrire leurs enfants à l'école de langue française, les avantages d'une éducation française et les critères d'admission ainsi que les numéros de téléphone à composer pour obtenir de l'information additionnelle.

Le CSCN (Alberta) n'avait pas d'hyperlien destiné aux couples mixtes en 2008. En 2010, cependant, dans le coin supérieur droit, se trouvait la fonction « *English* ». Quand nous cliquions sur ce lien, nous avions accès à d'autres hyperliens ainsi qu'à une page contenant de l'information générale sur le conseil scolaire (nombre d'écoles et d'élèves ; territoire géographique ; services), le financement et les programmes des écoles. On notait aussi un paragraphe sur les couples mixtes et l'admissibilité de leurs enfants aux écoles du conseil, et un lien vers une ressource disponible destinée à cette clientèle. Dans la colonne de gauche, sur la page destinée aux parents formant des couples mixtes, il y avait d'autres onglets / hyperliens en anglais offrant des renseignements divers sur l'admission, « *Registration* » ; le transport, « *Transportation* » et le calendrier scolaire, « *School calendars* ». Il y avait aussi un endroit où les parents pouvaient s'inscrire pour recevoir électroniquement un rapport sommaire des activités du conseil scolaire.

Le CSDCSO (Ontario) offrait aussi un hyperlien « *English Information* », visible sur sa page d'accueil de 2008 et 2010, et de l'information en anglais destinée aux couples mixtes. En 2010, le « *Message from the Director of Education* » ([http://www.csdcso.on.ca/indes.php?q=english]) mentionnait l'engagement et le travail de qualité du personnel ainsi que le soutien indispensable reçu des parents, des bénévoles et des élèves. Le message se terminait par la présentation de la vision (énoncé des valeurs) du conseil et des services offerts (ex. : centres de la petite enfance, maternelle à temps complet).

En choisissant l'hyperlien « Parents » à la page d'accueil du CSDCSO en 2008 et 2010, nous accédions à une page intitulée « Pourquoi une école de langue française ? », dans laquelle nous pouvions lire, sous la rubrique « Langue, apprentissage et société » : « En ce qui concerne, [*sic*] les parents, tuteurs ou tutrices qui ne parlent pas le français [le soulignement dans le texte représente un autre hyperlien], ils peuvent toujours obtenir de l'information en anglais en communiquant avec la direction d'école » ([http://www.csdcso.on.ca/csdcso/?q=pourquoi]). Si nous cliquions sur cet hyperlien, nous accédions à une page destinée aux couples mixtes, avec des renseignements en anglais. En voici les principales rubriques, sous lesquelles nous pouvions lire de l'information additionnelle en anglais : « *Why French-language schools?* » ; « *Interest in the French language: a matter of attitude and habit* » ; « *Who can attend a school in the* Conseil scolaire de district Centre-Sud-Ouest ? » ; « *French-language rights holders* » ; « *Those who are not French-language rights holders* » ; « *Registration Procedures* ». Le CSDNE (Ontario) comptait trois hyperliens principaux destinés aux couples mixtes : « *English* », « *Translate to English* » et « *PRESS RELEASES* ». Les deux premiers se retrouvaient sur la page d'accueil. En 2008, nous trouvions, bien visible, du côté gauche de la page, en liste avec d'autres rubriques (ex. : Conseil, Services, Nouvelles écoles, Transport scolaire, etc.), le premier hyperlien « *English* ». En 2010, l'hyperlien « *English* » se trouvait toujours sur la page d'accueil, mais cette fois-ci, disposé à l'horizontale avec les rubriques mentionnées ci-dessus.

En choisissant « *English* », nous accédions à une page intitulée « *Mixed families* ». Cette page définissait la notion d'exogamie, citait quelques statistiques sur le pourcentage de couples mixtes en Ontario et précisait que la famille qui favorise un haut niveau de francité familioscolaire contribue au bilinguisme additif : « *Studies show that parents also help [their children become fluently bilingual] when they encourage the use of French at home and enrol their children in a francophone school* » ([http://csdne.edu. on.ca/mixed_families.asp]). La dimension culturelle figurait également dans cette section : « *Children in culturally mixed families have the potential to become **fluently bilingual*** [en gras dans le texte original] *and identify with francophone and anglophone culture* » ([http://csdne.edu.on.ca/ mixed_families.asp]). Les couples mixtes pouvaient aussi poursuivre leur réflexion sur le choix de l'école, leurs habitudes langagières familiales, la dimension culturelle, etc., car il y avait des questions à leur intention sous la rubrique : « *What's best for my child?* », dont « *What language(s) should we speak to our children?* » et « *Do we want our children to be bilingual?* », à titre d'exemples. Le site fournissait aussi de l'information sur les liens entre la famille et la communauté francophone lorsque le couple mixte choisit l'école, la garderie ou la maternelle de langue française pour son enfant. « *Such institutions exist to fill a need among francophone and exogamous families for services **tailored*** [en gras dans le texte original] *to their situation.* »

De l'hyperlien « *Translate to English?* », situé dans le coin supérieur droit de la page d'accueil, les parents accédaient à une page qui offrait un outil de traduction ([www.translate.google.com]), tout en donnant les directives sur la façon de l'utiliser. Sous la rubrique « *English* », nous avions accès à l'hyperlien « *PRESS RELEASES* ». Ce dernier contenait plus d'une dizaine de communiqués de presse en anglais, en format PDF, donnant les nouvelles en bref des rencontres régulières du conseil scolaire ([http://www.csdne.edu.on.ca/pressreleases.asp]).

Le CEDS05 (Nouveau-Brunswick) n'avait dans son site Internet aucun hyperlien destiné spécifiquement aux couples mixtes en 2008. Cependant, en cliquant sur la rubrique « Francisation », on voyait apparaître la traduction d'une annonce de camp de francisation ([http://www. district5.nbed.nb.ca/francisation.htm]). En 2010, nous retrouvions la rubrique « *French School? Why not?* » donnant accès à d'autres hyperliens : « *General Information* », « *French Courses* », « *Family Nights* », « *Summer*

Camps », « *Movie Clubs* », « *Cultural Bins* », « *Family Activities* » et « *Internet Links* ».

Le premier hyperlien, « *General Information* », mentionnait brièvement les critères de l'article 23 de la *Charte canadienne des droits et libertés* et de la loi scolaire qui rendaient les familles (élèves) admissibles à l'éducation de langue française et les personnes-ressources qui offraient des services de francisation tant au niveau du district que dans 14 des 20 écoles. La deuxième rubrique, « *French Courses* », précisait s'il y avait ou non des cours offerts aux parents. « *Family Nights* » nous renseignait sur des soirées organisées deux ou trois fois par année, destinées aux familles de couples mixtes. Lors de ces soirées, les familles pouvaient rencontrer d'autres personnes, participer à des jeux et à des activités et partager un goûter. On y trouvait également des renseignements sur les personnes-ressources des écoles. En outre, les parents avaient accès à de l'information sur les camps d'été (francisation) destinés aux enfants qui s'inscriraient aux écoles du district scolaire, sur des soirées de cinéma, sur des trousses culturelles contenant plusieurs objets visant à rehausser la présence du français à la maison : magazine, jeux de société, CD, DVD, livres, etc. L'hyperlien « *Family Activities* » contenait des documents en format PDF (un par mois) présentant une activité (bricolage, vocabulaire, cuisine, etc.) selon un thème lié au temps de l'année. Chaque document était rédigé en français. Le dernier hyperlien destiné aux couples mixtes proposait une série d'hyperliens variés dont le contenu était en français : guide des langues ; jeux en français ; organismes (association et fédération) de soutien aux parents francophones.

Le CSAP (Nouvelle-Écosse) avait ajouté un hyperlien destiné aux couples mixtes en 2008. « *Welcome…* Bienvenue », placé à la page d'accueil, sous l'onglet « *English* », donnait accès à des renseignements variés sur l'éducation de langue française. On y trouvait les critères d'admissibilité, rédigés en anglais, selon l'article 23 de la *Charte*, ainsi que d'autres conditions qui pourraient donner accès à l'éducation de langue française, allant au-delà de l'article 23, la démarche pour faire une demande et la personne-ressource à contacter : « *Some children of non-entitled parents might be admitted to a CSAP school after approval by the local admission committee* » ([http://www.csap.ednet.ns.ca/info_pub/anglais.htm]). La mission du conseil scolaire s'y trouvait également, rédigée en anglais. En 2010, le CSAP remplace la fonction « *English* » de la page d'accueil par « *English Info* » et la place sous l'hyperlien « Élèves et parents » de la page d'accueil, la rendant ainsi moins visible.

Discussion : hyperliens en anglais dans les sites Internet

Nous constatons qu'entre 2008 et 2010 il y a eu un peu de changement en ce qui concerne la présence d'information en anglais destinée aux couples mixtes dans les sites Internet des dix conseils scolaires qui ont fait l'objet de l'analyse. De quatre conseils sur dix (40 %) qui offraient de l'information en anglais en 2008, ce nombre est passé à six sur dix (60 %) en 2010.

Parmi les conseils scolaires qui donnaient de l'information en anglais aux couples mixtes, nous cherchions à savoir si l'hyperlien, ou la rubrique y donnant accès, était placé de façon visible dans le site au même titre que les autres hyperliens / onglets du site. Nous avons constaté que cinq des six conseils avaient un hyperlien / onglet avec un titre en anglais, destiné aux couples mixtes sur la page d'accueil de leur site. Placés sur la première page du site, ces liens devenaient visibles et, par conséquent, plus accessibles aux parents ne parlant pas français qui désiraient se renseigner sur l'éducation de langue française sans être obligés de se livrer à une chasse au trésor dans tout le site Internet.

Le CSAP en Nouvelle-Écosse était la seule exception. Pour une raison que nous ignorons, la fonction « *English* », sur la page d'accueil du conseil en 2008, avait été déplacée sous l'onglet « Élèves et parents » en 2010, et avait été changée pour « *English Info* », la rendant ainsi invisible lorsque le parent non francophone accédait à la page d'accueil du site Internet du conseil scolaire. Nous sommes d'avis qu'un véritable accueil du couple mixte, et plus particulièrement du parent ne parlant pas français, commence par de petits gestes comme celui-ci : rendre visible et accessible un onglet / hyperlien en anglais sur la page d'accueil du site Internet du conseil scolaire ou de l'école, afin de donner au parent accès à de précieux renseignements et faciliter la compréhension du mandat, de la mission et de la raison d'être de l'éducation de langue française en milieu minoritaire. Cette information permet aussi aux responsables de l'école et du conseil scolaire d'offrir des outils d'accompagnement aux couples mixtes en leur faisant part de l'importance du partenariat école-foyer pour maintenir et soutenir un niveau élevé de francité familioscolaire. La place du français à la maison, les habitudes langagières de la famille et l'attitude de chacun envers la langue minoritaire peuvent toutes être soutenues grâce à ce dialogue virtuel entre les principaux acteurs.

Avant de passer à la nature du contenu disponible en anglais dans les sites Internet des conseils de la FNCSF qui ont fait l'objet de la présente analyse, nous tenons à présenter le potentiel d'Internet comme outil de communication entre un conseil scolaire et sa communauté de parents. Tout en reconnaissant qu'un conseil scolaire de langue majoritaire au Canada n'a pas le même mandat sur le plan socioculturel (maintenir la langue minoritaire et contribuer à son épanouissement), nous sommes d'avis que l'exemple retenu illustre très bien comment un conseil scolaire peut faire appel à la technologie pour communiquer avec une communauté scolaire présentant une très grande diversité culturelle et linguistique.

Le Peel District School Board ([http://www.peelschools.org/]) est un des plus grands conseils scolaires publics de langue anglaise au Canada. Situé au sud-ouest de Toronto, il couvre une superficie de 1 254 kilo-mètres carrés, compte 233 écoles et plus de 150 000 élèves. Quand nous accédons au site du conseil, nous voyons dans la colonne de droite de la page d'accueil la mention « *Links to other languages* ». Immédiatement en dessous, nous comptons huit langues en plus de l'hyperlien « *More languages* », qui donne accès à une trentaine de langues additionnelles. Fait intéressant, le français se situe à la toute fin de cette longue liste. Pour chaque langue, une page s'ouvre donnant accès à 17 autres hyperliens qui comportent de l'information variée destinée aux parents : « *Welcome* », « *Get the facts* », « *Welcome Centre* », « *Register* », « *Parents Boost Learning* », « *Parents Fact Sheets* », « *Parents Tip Sheets* », « *Student Stuff* », « *Schools* », « *Calendar* », etc. Chacun de ces onglets mène à une multitude d'autres renseignements dans autant de langues. Nous ne suggérons pas que les conseils scolaires de langue française en milieu minoritaire investissent de précieuses ressources, déjà limitées, pour traduire leur site Internet en tagalog, punjabi, hindi, vietnamien, mandarin, grec, espagnol, etc. L'idée serait plutôt de s'assurer d'avoir, au minimum, un onglet/hyperlien en anglais, visible et accessible de la page d'accueil, qui serait facilement repérable par le parent non francophone du couple mixte. Derrière cet hyperlien se trouverait une quantité limitée, mais bien choisie, de rensei-gnements pertinents susceptibles d'intéresser et d'aider ces parents. Cela dit, souhaitons qu'un jour les parents immigrants, qui contribuent aussi à maintenir et à élargir l'espace francophone partout au Canada, puissent lire un message d'accueil dans leur langue dans le site Internet, qui les renseignerait en même temps sur l'éducation de langue française en milieu minoritaire et sur l'importance de soutenir la deuxième langue officielle du pays, fragilisée par la domination de la langue majoritaire.

Si nous nous arrêtons maintenant sur la nature de l'information placée dans les sites Internet, nous remarquons qu'il y a des ressemblances d'un site à l'autre ainsi que quelques différences. Le tableau 3 donne le sommaire des sites Internet ainsi que le type d'information que nous y trouvons. Les résultats sont placés en ordre de fréquence selon la nature de l'information présente dans chaque site (indiquée par un crochet (« √ »)).

L'ensemble des six conseils scolaires ayant un hyperlien offre aux couples mixtes de l'information en anglais sur l'éducation de langue française, tout en soulignant certains services disponibles ou diverses autres données : la francisation, le transport, le financement, le territoire géographique, la dynamique langagière au foyer, etc. Ces renseignements permettent aux parents d'avoir une meilleure connaissance de l'éducation de langue française en milieu minoritaire. Dans le but de choisir une école ou un programme pour leurs enfants, les parents font appel aux ressources disponibles en ligne. En 2010, le site Internet du CSCN (Alberta) proposait une référence avec hyperlien à une ressource, publiée spécifiquement pour les couples mixtes évoluant en milieu minoritaire (Taylor, 2007). Nous avons visité le site le 18 juin 2011 pour constater que cet hyperlien n'y était plus. Nous ne pouvons pas offrir d'explication. Nous croyons que chaque site Internet de la FNCSF devrait avoir ce type d'information destinée aux couples mixtes, permettant ainsi un meilleur dialogue entre les principaux acteurs en présence.

Cinq des six conseils scolaires affichent de l'information en anglais sur la clientèle admissible à l'éducation de langue française. Si certains détails varient d'un site à l'autre (ex. : référence ou non à l'article 23 de la *Charte*), tous en traitent. Encore ici, si l'on considère les particularités de la clientèle admissible à l'école de langue française, ces renseignements doivent être accessibles et visibles dans l'affichage du site.

Tableau 3

Nature de l'information dans le site Internet des conseils scolaires analysés (2008 et 2010)

Nature de l'information dans le site	Conseils scolaires – province					
	CSF – CB	CSCN – AB	CSDCSO – ON	CSDNE – ON	CEDS05 – NB	CSAP – NÉ
Info générale sur l'éducation de langue française (francisation, transport, calendrier, petite enfance, langue au foyer, culture)	✓	✓	✓	✓	✓	✓
Info sur les critères et procédures d'admission, l'article 23 de la *Charte*, ayants droit	✓	✓	✓		✓	✓
Info sur les ressources et services offerts aux couples mixtes (familles, enfants) : jeux, cours de français, activités, liens Internet, nouvelles, etc.		✓	✓	✓	✓	
Numéro de téléphone et coordonnées de la personne-ressource responsable des couples mixtes ou de la francisation	✓				✓	
Info sur la mission, la vision et les valeurs			✓			✓
Définition et pourcentage de couples mixtes et info sur le bilinguisme (francité)	✓			✓		
Communiqués de presse – info sur le conseil scolaire	✓		✓	✓		
Message de la direction générale				✓		
Outil de traduction						

Quatre des six conseils mentionnent de nombreux services offerts aux couples mixtes pour les aider dans le choix d'une école de langue française, allant des activités de rassemblement des familles aux cours de français pour les parents, en passant par des liens en ligne offrant différents moyens d'encourager l'apprentissage de la langue française. Nous voulons souligner l'importance, voire la nécessité, de soutenir les couples mixtes, particulièrement en ce qui concerne le maintien d'un haut niveau de francité familioscolaire. Landry et Allard (1997) nous rappellent d'ailleurs que ce n'est pas le phénomène de l'exogamie en soi qui contribue à l'assimilation des francophones en milieu minoritaire, mais plutôt les efforts que mettent ces familles à faire une plus grande place à la langue minoritaire à la maison, contribuant ainsi à un plus haut taux de transfert linguistique de la langue minoritaire.

Deux des six conseils présentaient les personnes responsables des services de soutien en francisation aux enfants issus de couples mixtes. De cette manière, les conseils scolaires manifestaient leur désir d'accueillir et d'accompagner cette clientèle au sein de leur organisation. Landry (2003), dans une étude pour la Commission nationale des parents francophones, soulignait l'importance de ne pas négliger cette clientèle, admissible à l'école de langue française selon les critères de l'article 23 de la *Charte* et dont le nombre ne cesse de croître partout au pays.

La mission, la vision et les valeurs de l'éducation de langue française ont été abordées dans deux des six sites Internet. Seulement deux conseils ont explicitement défini et présenté le phénomène d'« *exogamy* », tout en fournissant des statistiques sur le pourcentage de familles mixtes dans leur province, les habitudes langagières de ces familles et l'importance de soutenir la langue et la culture francophones dans un milieu majoritairement anglais. Lorsqu'un parent se penche sur le choix d'une école pour son enfant, il cherche un établissement qui reflète ses valeurs et sa philosophie. Le mandat de l'école (sa mission et sa vision) devrait être clairement exposé en anglais dans le site Internet, si le conseil scolaire espère le rendre accessible aux couples mixtes.

Le communiqué de presse (« *Press Releases* ») est un outil de communication disponible dans deux sites Internet qui s'adressent aux couples mixtes. Dans l'un des conseils (CSF – CB), on l'utilise pour inviter les parents aux sessions d'information en vue de l'admission de leurs enfants à l'école de langue française tandis que dans l'autre (CEDS05 – NB), on offre un sommaire en anglais des principales activités du conseil.

Encore ici, nous avons d'excellents exemples d'outils qui tissent un lien entre la structure formelle de l'organisation et sa clientèle. Sans aller jusqu'à dire que l'on doit tout traduire dans le site Internet et reproduire ainsi un système parallèle à celui de l'immersion, qui s'adresse à une clientèle autre que celle décrite dans l'article 23 de la *Charte*, les sites Internet des conseils scolaires de la FNCSF et ceux de ses quelque 600 établissements scolaires partout au pays doivent, au minimum, être en mesure de communiquer en anglais aux couples mixtes les grandes lignes de ce qui se passe dans les écoles et les conseils scolaires.

Une direction générale place un « *Message from the Director of Education* » dans le site Internet du conseil destiné spécifiquement aux couples mixtes, dans lequel se trouvent des renseignements variés (voir les détails ci-dessus dans l'analyse du CSDNE – ON). Nous sommes d'avis qu'un « *Message from the Director of Education* » et un « *Message from the Chairperson of the Board* » doivent figurer à la page d'accueil, sous un onglet bien visible, de chaque site Internet de l'ensemble des conseils scolaires de la FNCSF. Selon les données présentées dans la problématique au début de notre article, l'accueil d'un très grand nombre de couples mixtes et de leurs enfants dans le système scolaire francophone demeure essentiel si nous espérons contribuer à la survie de nos écoles. Il est impossible d'ignorer cette clientèle, qui est à la hausse dans l'ensemble des écoles de la FNCSF (Landry, 2010).

D'ailleurs, bien que ce ne soit pas l'objet de la présente étude, il faudrait considérer sérieusement et dans un avenir très rapproché, l'ajout d'autres langues dans les sites Internet des conseils scolaires de la FNCSF (particulièrement les conseils qui accueillent un grand nombre d'immigrants francophones sur leur territoire). En s'inspirant du Peel District School Board, mentionné ci-dessus, et sans avoir à investir d'énormes sommes d'argent, les conseils scolaires pourraient montrer concrètement leur désir d'accueillir ces membres de plus en plus nombreux dans la communauté francophone canadienne, tout en leur offrant des outils et des suggestions sur la façon de soutenir les mandats de l'école de langue française. Rappelons-nous que l'immigration change le visage et la dynamique langagière et sociale du Canada et que cette réalité est là pour rester. « En 2006, les allophones[10] formaient 20,1 % de la population, en hausse par rapport à 2001 (18,0 %). Le poids des

---

[10]   Allophones : personnes dont la langue maternelle n'est ni le français ni l'anglais.

francophones (y compris au Québec) a diminué, passant de 22,9 % à 22,1 %, tout comme celui des anglophones, qui est passé de 59,1 % en 2001 à 57,8 % en 2006 » (Statistique Canada, 2007).

Finalement, un seul site Internet oriente les couples mixtes vers un outil de traduction en ligne, espérant faciliter la compréhension de documents et de textes exclusivement disponibles en français. L'hyperlien « *Translate to English?* », disponible sur la page d'accueil du conseil, nous oriente vers les étapes à suivre pour utiliser l'outil de traduction Google ([www.translate.google.com]). Après un essai à partir d'un extrait de « Devise / Mission / Vision » et du « Message du DG » du site Internet du CSDNE – ON, il faut reconnaître, malgré certaines limites, que l'outil est convivial et donne des résultats tout de même intéressants. Le parent non francophone du couple mixte aurait une très bonne compréhension du message véhiculé en faisant appel à cet outil. Il faut donc conclure qu'un tel hyperlien / onglet devrait figurer à la page d'accueil de chaque conseil scolaire de la FNCSF.

Conclusion

L'ère numérique et l'avènement d'Internet et de ses nombreux outils virtuels, dont le courriel, les réseaux sociaux et les sites, ont redéfini les habitudes de communication et de recherche d'information chez les parents, les élèves et les membres du personnel du domaine de l'éducation. Il n'est plus possible d'ignorer l'importance d'un site Internet comme moyen de communication entre un conseil scolaire (et ses écoles) et sa clientèle, les parents et les élèves. Nous avons voulu poser un regard critique sur la situation actuelle des sites Internet de la FNCSF en analysant plus spécifiquement la place réservée au contenu anglais destiné à la clientèle des couples mixtes.

Ces couples mixtes, ciblés par l'article 23 de la *Charte* et dont l'anglais est la principale langue d'usage au foyer (Landry, 2010), sont de plus en plus nombreux. La recherche a bien montré l'importance de maintenir un niveau élevé de francité familioscolaire, de maximiser la place de la langue minoritaire tant à l'école qu'au foyer, d'accueillir et d'accompagner[11] les couples mixtes, si nous espérons soutenir nos communautés de langue

---

[11]   Pour en connaître davantage sur l'importance de l'accueil et de l'accompagnement des couples mixtes dans le système scolaire de langue française en milieu minoritaire, voir Jules Rocque (2011c).

française en milieu minoritaire et contribuer à leur épanouissement (Landry et Allard, 1997 ; Rocque, 2006a). Les couples mixtes deviennent donc des alliés incontournables de l'école dans sa lutte pour freiner les tendances du transfert linguistique du français vers l'anglais, qui sont à la hausse au Canada depuis les années 1971 (Louise Marmen et Jean-Pierre Corbeil[12], cités dans Landry, 2010 ; Statistique Canada, 2007).

Dans les dix sites Internet analysés ici, nous avons constaté une légère augmentation de l'offre d'information destinée aux couples mixtes. En effet, quatre sites sur dix (40 %) offraient une telle information en 2008 et ce nombre est passé à six sur dix (60 %) en 2010. Nous jugeons cet accroissement insuffisant, particulièrement lorsque nous considérons la place que doit occuper le site Internet d'un conseil scolaire comme outil privilégié de communication avec les parents de ses élèves, sans oublier son potentiel en tant qu'outil de promotion auprès d'une clientèle admissible à l'école de langue française. Izhar Oplatka et Jane Hemsley-Brown[13], cités dans Tubin et Klein (2007), ont constaté que parmi toutes les initiatives et tous les moyens utilisés pour informer les parents au sujet des nombreuses activités de l'école et pour en faire la promotion, on trouve les soirées portes ouvertes, les assemblées publiques avec les parents, les médias, les brochures et prospectus. Or le site Internet demeure le grand absent. Bien que, dans le présent article, nous nous soyons intéressé aux sites Internet des <u>conseils</u> scolaires de la FNCSF, il faudrait se pencher sur la place qu'occupent les sites Internet des <u>écoles</u> de ces conseils scolaires et la façon dont celles-ci utilisent Internet comme outil de communication, d'accompagnement et de promotion auprès de leur clientèle de couples mixtes.

En analysant la nature de l'information disponible dans les sites destinés aux couples mixtes, nous observons que tous les conseils offrent des renseignements sur l'éducation de langue française aux parents, tout en faisant connaître les différents services qui leur sont offerts ainsi qu'à leurs enfants. Les critères d'admission, selon la *Charte*, et les procédures à suivre figurent dans le site de cinq des six conseils (83 %), tandis que des

---

[12]   *Les langues au Canada : recensement de 2001*, Ottawa, Ministre des Travaux publics et Services gouvernementaux Canada, Patrimoine canadien et Statistique Canada, 2004.

[13]   Izhar Oplatka et Jane Hemsley-Brown, « The Research on School Marketing: Current Issues and Future Directions, *Journal of Educational Administration*, vol. 42, n° 3, p. 375-400.

idées de soutien aux couples mixtes et à leurs enfants se trouvent dans le site de quatre des six conseils (66 %). D'autres types d'information (voir le tableau 3) témoignent de la diversité des renseignements pouvant être mis dans un site Internet.

La FNCSF, dans sa réflexion collective, doit se rappeler les nombreux avantages d'une meilleure exploitation des sites Internet comme outils de communication, d'accompagnement et de promotion : l'espace d'entreposage virtuel, presque illimité ; la variété des modes de présentation de l'information (texte, images, vidéo, musique, animation) ; la facilité de la correction et de la mise à jour des données, sans oublier l'accessibilité partout sur la planète, entre autres. Quand un conseil scolaire se penche sur ses efforts de planification stratégique, il ne devrait pas négliger l'importance d'avoir un site Internet bien conçu, car il viendra compléter les stratégies de communication et de marketing plus traditionnelles (Davies et Ellison, cités dans Tubin et Klein, 2007).

Recommandations

Lorsque nous naviguerons dans le monde virtuel dans un avenir très rapproché, nous espérons voir se multiplier, un peu partout dans les sites Internet de la FNCSF et de ses écoles, les renseignements en anglais destinés spécifiquement à la clientèle présente et potentielle des écoles. Sans vouloir imposer le contenu ni le limiter, il serait important de pouvoir y repérer facilement ces éléments clés (en anglais) :

- un onglet « *For our English-speaking parents/guardians* », « *Welcome* », visible à la page d'accueil ;
- un mot d'accueil et de bienvenue de la direction générale et de la présidence du conseil scolaire ;
- les formulaires d'inscription et les étapes à franchir pour s'inscrire à l'école (en précisant les critères d'admission) ;
- l'énoncé de mission et de vision ainsi que les principaux buts du conseil et de ses écoles ;
- un sommaire historique de l'éducation de langue française (tant sur les plans national et provincial que local) ;
- un mot sur ses programmes et les ressources à la disposition des couples mixtes ainsi que des renseignements sur les personnes-ressources capables d'aider cette clientèle ;

- un sommaire du rôle et des responsabilités de chaque acteur (école, famille et communauté) en vue de soutenir, maintenir et rehausser le niveau de francité familioscolaire en milieu minoritaire;
- un calendrier des événements spéciaux (réunions du conseil, activités de rassemblement, etc.) qui serait mis à jour régulièrement;
- les grandes lignes de la planification stratégique;
- des hyperliens donnant accès aux politiques[14], aux règlements et aux procédures administratives s'adressant spécifiquement aux couples mixtes;
- une composante interactive, invitant les parents à entrer en communication avec les membres du personnel du conseil et de ses écoles (en s'assurant d'avoir une personne-ressource désignée spécifiquement pour le maintien et la gestion au quotidien d'un tel outil virtuel, sans quoi les internautes, parents d'élèves déjà inscrits, tout comme ceux qui cherchent à se renseigner, abandonneront rapidement le site si personne ne répond à leurs questions).

Nous terminons en reconnaissant que le site Internet d'un conseil scolaire ou d'une école comporte des limites en ce qui concerne son potentiel de communication – tout comme un dépliant publicitaire ou une rencontre publique avec un groupe de parents. Cela dit, la FNCSF pourrait fournir des ressources limitées pour préparer l'esquisse des renseignements jugés essentiels, destinés à la clientèle des couples mixtes, à afficher dans les sites Internet (évitant ainsi que tous reprennent le même travail). Il reviendrait à chaque conseil par la suite d'y insérer des particularités régionales.

Nous espérons que cette réflexion initiale, à la suite d'une analyse partielle des 31 sites Internet de la FNCSF, suscitera un dialogue qui se transformera ensuite en actions, afin de multiplier les efforts pour accueillir et accompagner ces couples mixtes qui constituent une proportion importante de l'ensemble de la clientèle dont les enfants fréquentent les écoles de langue française en milieu francophone minoritaire au Canada.

---

[14] Pour consulter une politique « exemplaire », voir Rocque (2006b).

Annexe
Fiche de cueillette documentaire dans les sites Internet

Alliance de recherche universités-communautés (ARUC)
« Le phénomène de l'exogamie et la gestion scolaire francophone
en milieu minoritaire »

1) Date d'accès au site :

2) Nom du conseil scolaire :

3) Nombre d'élèves (M-12e) et nombre d'écoles :

4) Ville et province (territoire) :

5) Personne responsable du dossier (titre / fonction et courriel) :

6) Adresse Internet du conseil : http://www.cscfsa.ab.ca/

7) Lien en anglais destiné aux foyers non francophones : oui
   ou non

   7a) Autres liens ou documents disponibles en anglais : oui
       ou non

   7b) Si oui, quels sont la nature des liens et des informations
       retrouvées, les destinataires, et l'adresse [http://…]

8) Y a-t-il une politique qui parle de l'exogamie, des foyers
   interlinguistiques, interculturels, de l'accueil des nouveaux
   venus, linguistique, communication qui énonce les pratiques sur la langue d'usage à l'intérieur du conseil? Si oui,
   donne la référence (numéro et titre de la politique ; identifie
   le numéro du paragraphe spécifique et le numéro de la page)
   et l'adresse [http://…]. Si moins de 3 pages, l'imprimer et
   surligner paragraphes pertinents. Sinon, copier et coller
   texte pertinent et insérer l'adresse [http://…] comme référence dans le document Word.

9) Y a-t-il d'autres documents pertinents qui traitent du sujet?
   Si oui, donne la référence (numéro et titre de la politique,
   document, n° du paragraphe spécifique) et l'adresse
   [http://…].

10) Documents consultés sans preuve d'usage de l'anglais :

11) Imprime la page d'accueil du site consulté.

BIBLIOGRAPHIE

GILES, Howard, Richard BOURHIS et Donald TAYLOR (1977). « Towards a Theory of Language in Ethnic Group Relations », dans Howard Giles (dir.), *Language, Ethnicity and Intergroup Relations*, Londres, Academic Press, p. 307-348.

HILL, Grant M., Michael TUCKER et James HANNON (2010). « An Evaluation of Secondary School Physical Education Websites », *Physical Educator*, vol. LXVII, n° 3 (automne), p. 114-127.

KARSENTI, Thierry, François LAROSE et Yves Daniel GARNIER (2002). « Optimiser la communication famille-école par l'utilisation du courriel », *Revue des sciences de l'éducation*, vol. XXVIII, n° 2, p. 367-390.

LAMBERT, Wallace E. (1975). « Culture and Language as Factors in Learning and Education », dans Aaron Wolfang (dir.), *Education of Immigrant Students*, Toronto, OISE Press, p. 55-83.

LANDRY, Rodrigue (2003). *Libérer le potentiel caché de l'exogamie : profil démolinguistique des enfants des ayants droit francophones selon la structure familiale*, étude réalisée pour le compte de la Commission nationale des parents francophones, Moncton, Institut canadien de recherche sur les minorités linguistiques ; Ottawa, Commission nationale des parents francophones.

LANDRY, Rodrigue (2010). *Petite enfance et autonomie culturelle : là où le nombre le justifie... V*, rapport de recherche préparé pour la Commission nationale des parents francophones, Moncton, Institut canadien de recherche sur les minorités linguistiques.

LANDRY, Rodrigue, et Réal ALLARD (1990). « Contact des langues et développement bilingue : un modèle macroscopique », *La revue canadienne des langues vivantes = The Canadian Modern Language Review*, vol. 46, n° 3, p. 527-553.

LANDRY, Rodrigue, et Réal ALLARD (1997). « L'exogamie et le maintien de deux langues et de deux cultures : le rôle de la francité familioscolaire », *Revue des sciences de l'éducation*, vol. XXIII, n° 3, p. 561-592.

NICOLL, Leslie H. (2001). « Quick and Effective Website Evaluation », *Lippincott's Case management*, vol. VI, n° 4 (septembre-octobre), p. 220-221.

ROCQUE, Jules (2006a). *L'éducation en français langue première : étude sur le phénomène de l'exogamie et la gestion scolaire en milieu minoritaire – une étude de cas du Conseil scolaire Centre-Est de l'Alberta*, thèse de doctorat, Québec, Université Laval.

ROCQUE, Jules (2006b). « Vers l'élaboration d'une politique de l'exogamie dans le cadre de la gestion scolaire francophone en milieu minoritaire », *Revue de la common law en français*, vol. 8, p. 121-153.

ROCQUE, Jules (2008). « Évolution des clientèles scolaires et défis de la direction d'école en milieu francophone minoritaire de l'Ouest canadien », dans Normand Pettersen, Jean-Sébastien Boudrias et André Savoie (dir.), *Entre tradition et innovation, comment transformons-nous l'univers du travail?*, actes du 15ᵉ Congrès de l'Association internationale de psychologie du travail de langue française, Québec, Presses de l'Université du Québec, p. 1-11.

ROCQUE, Jules (2011a). *Validation des sondages auprès des directions d'école; cueillette de données auprès des groupes de parents et des sites Internet des autorités scolaires de langue française de l'Ouest canadien sur la thématique des couples mixtes et la gestion scolaire francophone en milieu minoritaire*, deuxième rapport de recherche présenté aux partenaires scolaires et communautaires dans le cadre de l'Alliance de recherche universités-communautés sur les identités francophones de l'Ouest canadien (ARUC-IFO), Winnipeg, Collège universitaire de Saint-Boniface et ARUC-IFO, [En ligne], [http://www2.ustboniface.ca/cusb/jrocque/Rapport_2_Rocque_validation_directions_parents_Internet_ARUC_version_definitive_revision_000.pdf].

ROCQUE, Jules (2011b). « La francophonie de l'Ouest canadien : aperçu démographique », dans Jules Rocque (dir.), *La direction d'école et le leadership pédagogique en milieu francophone minoritaire : considérations théoriques pour une pratique éclairée*, Winnipeg, Presses universitaires de Saint-Boniface, p. 71-98.

ROCQUE, Jules (2011c). « La participation de couples mixtes à la gestion scolaire franco-phone », dans Jules Rocque (dir.), *La direction d'école et le leadership pédagogique en milieu francophone minoritaire : considérations théoriques pour une pratique éclairée*, Winnipeg, Presses universitaires de Saint-Boniface, p. 191-218.

SCIADAS, George (2006). « La vie à l'ère numérique », Série sur la connectivité, Division des sciences de l'innovation et de l'information électronique (DSIIE), Ottawa, Statistique Canada, [En ligne], [http://www.statcan.gc.ca/pub/56f0004m/56f0004m2006014-fra.pdf] (12 juin 2012).

STATISTIQUE CANADA (2007). *Le portrait linguistique en évolution, recensement de 2006*, Ottawa, Statistique Canada, No 97-555-XIF.

TAYLOR, Glen (2007). *Fusion: I'm with you 2: Raising a Bilingual Child in a Two-Language Household*, Calgary, K. J. Millar Production.

TUBIN, Dorit, et Sarit KLEIN (2007). « Designing a School Website: Contents, Structure and Responsiveness », *Planning and Changing*, vol. XXXVIII, nᵒˢ 3-4, p. 191-207.

L'impact des programmes de littératie préscolaire offerts dans les communautés franco-manitobaines en contexte linguistique minoritaire

Gestny Ewart et Janelle de Rocquigny
Université de Saint-Boniface

L'IMPORTANCE DE LA LITTÉRATIE préscolaire et le rôle de l'environnement francophone dans le développement des compétences langagières en français chez les enfants en milieu minoritaire sont désormais reconnus. Le but de cette recherche est de déterminer si les programmes de littératie préscolaire ont un effet positif sur les pratiques de littératie chez les parents et les enfants qui y ont participé.

Cette étude repose sur deux cadres conceptuels : la littératie familiale et le modèle du balancier compensateur. La littératie familiale (Tracey, 1995) postule que la famille qui montre une attitude positive et fait vivre des activités de littératie variées aux jeunes enfants joue un rôle crucial dans le développement de la littératie chez ces derniers. Le concept de littératie familiale a été initialement proposé par Denny Taylor (1983) et a été repris par des chercheurs qui s'intéressent principalement à trois dimensions du problème : 1) la conception, l'implantation et l'évaluation des programmes qui ont pour but le développement de la littératie de chacun des membres de la famille ; 2) la relation entre la littératie au foyer et la réussite scolaire ; et 3) les manifestations naturelles de la littératie au foyer (Tracey et Young, 2002). Cette étude s'inscrit dans la première de ces dimensions en visant plus particulièrement l'évaluation des programmes de littératie préscolaire.

Le modèle du balancier compensateur (Landry et Allard, 1990) s'intéresse aux conditions qui favorisent le développement d'un bilinguisme additif chez les enfants vivant en contexte linguistique minoritaire, c'est-à-dire un bilinguisme qui ne met pas en péril l'acquisition ou le maintien de la langue première minoritaire au profit de la langue majoritaire, mais qui, au contraire, produit un renforcement des compétences dans les deux langues. Le modèle tient compte de trois milieux de vie qui offrent des occasions de socialisation langagière : le milieu familial, le milieu scolaire et le milieu socioinstitutionnel. Pour un enfant en situation minoritaire francophone, les occasions de socialisation langagière dans sa langue première peuvent souvent être limitées au milieu scolaire ou au milieu familial, le milieu socioinstitutionnel étant dominé par la langue de la majorité. Le modèle stipule que l'augmentation des occasions de stimulation langagière en français dans l'un ou l'autre de ces milieux peut compenser pour le manque de stimulation dans un autre milieu. Afin de favoriser le développement d'un bilinguisme additif, deux actions sont proposées : renforcer le développement de la langue minoritaire dans le milieu familial et le milieu scolaire, et augmenter les occasions de contact avec la langue minoritaire dans le milieu socioinstitutionnel. Les programmes de littératie préscolaire en situation minoritaire fournissent une occasion de socialisation langagière en français dans un cadre socioinstitutionnel.

Recension des écrits

La recherche dans le domaine de la littératie familiale montre que les parents sont des éducateurs essentiels au développement du langage chez les jeunes enfants et que les pratiques de littératie en milieu familial jouent un rôle déterminant dans la réussite de l'apprentissage de la lecture (Hart et Risley, 1999 ; Holdaway, 1979 ; Purcell-Gates, 1996 ; Sulzby et Teale, 1991). Les compétences orales des enfants d'âge préscolaire sont indicatrices de leur succès par rapport à l'apprentissage de la lecture, les enfants ayant des compétences langagières moins élevées étant plus à risque de connaître des difficultés lors de cet apprentissage (Lonigan et Whitehurst, 1998 ; Snow, Burns et Griffin, 1998). La méta-analyse réalisée par Linnea Ehri et ses collaborateurs (2001) souligne l'importance de la conscience phonologique et, plus particulièrement, des jeux de rimes dans l'apprentissage de la lecture. Le niveau de vocabulaire de l'enfant à la maternelle est une des variables qui permet de prédire le plus efficacement le niveau de compréhension de la lecture atteint par l'enfant au primaire (Masny, 2006 ; Sénéchal, Ouellette et Rodney, 2006 ; Storch et Whitehurst, 2002). Lire des livres est donc une activité très importante. Les enfants qui sont exposés à un plus grand nombre de livres développent un meilleur vocabulaire et deviennent de meilleurs lecteurs, particulièrement au cours des dernières années du primaire (Bus, van IJzendoorn et Pellegrini, 1995 ; Sénéchal, 2006 ; Sénéchal et LeFevre, 2002). Patton Tabors et Catherine Snow (2001) discutent du rôle des parents dans l'émergence de la littératie et, surtout, dans le cas des enfants qui sont exposés à plus d'une langue. Ils insistent sur l'importance pour les parents de maintenir l'usage de la langue première à la maison.

Puisque les francophones en milieu minoritaire ont subi les effets de l'assimilation au cours du dernier siècle, les parents francophones d'aujourd'hui doivent demeurer vigilants face à la création d'un environnement qui donnera à leurs enfants les meilleures conditions de réussite possibles en français. Rodrigue Landry (2010) souligne l'importance d'aider les milieux familiaux, scolaires et socioinstitutionnels afin de promouvoir la vitalité ethnolinguistique des milieux minoritaires. Les programmes de littératie préscolaire mis en place par le milieu socio-institutionnel jouent un rôle complémentaire et viennent renforcer la littératie familiale en milieu minoritaire francophone. Par le truchement de la sensibilisation à la littératie, l'enfant est non seulement éveillé à la lecture et à l'écriture dès un jeune âge, mais il est aussi entouré de la langue française. Des études confirment qu'il y a une relation positive entre la qualité des programmes de littératie préscolaire et le développement du langage (Maltais, 2005).

D'après Jay Cellan (2003), il y a quatre types de programmes de littératie préscolaire qui servent d'appui à la littératie familiale : 1) des programmes intergénérationnels (qui soutiennent l'éveil à la littératie chez les enfants et, parallèlement, offrent un soutien au développement de la littératie familiale, aux habiletés parentales et au développement de la littératie adulte) ; 2) des programmes ciblant les parents (en leur offrant des stratégies pour favoriser le développement de la littératie chez leurs enfants) ; 3) des programmes conjoints pour les parents et leurs enfants (les enfants et les parents participent ensemble aux activités de littératie telles que les rimes, les chansons et le partage d'histoires) ; et 4) des programmes qui visent la distribution des ressources de littératie familiale (le développement et la distribution aux familles de trousses de littératie qui pourraient inclure des jeux, des livres ou du matériel de bricolage). Les programmes de littératie évalués dans le cadre de cette étude correspondent au troisième type, c'est-à-dire ceux qui sont destinés à la fois aux parents et aux enfants.

Contexte de l'étude

La Coalition francophone de la petite enfance du Manitoba regroupe quatre organismes, dont la Fédération des parents du Manitoba (FPM)[1], la Division scolaire franco-manitobaine (DSFM), la Société franco-manitobaine (SFM) et Enfants en santé Manitoba (ESM). Le but de cette coalition est d'encourager et de soutenir les activités et les programmes socioinstitutionnels ou communautaires en français. À la suite d'une consultation auprès de trois partenaires de la Coalition, c'est-à-dire la DSFM, la FPM et la SFM, le besoin d'évaluer l'impact des deux programmes de littératie préscolaire destinés aux parents et aux enfants francophones du Manitoba, *Toi, moi et la Mère l'Oie* et *L'heure du conte*[2], a été soulevé afin de déterminer leur viabilité.

Description des programmes de littératie préscolaire au Manitoba

Toi, moi et la Mère l'Oie (*TMMO*) s'adresse aux familles francophones ainsi qu'aux familles de mariages mixtes qui veulent améliorer la communication orale de leurs enfants âgés de 0 à 4 ans. Le programme a comme objectif de permettre à l'enfant « d'interagir avec d'autres enfants, [...] d'améliorer son langage et de développer ses habiletés de lecture et d'écrit, [...] de développer son estime de soi et de développer ses habiletés sociales » (FPCP et CREE, sd.a : 5). Pour les parents, il s'agit d'« une occasion hebdomadaire de socialiser avec d'autres parents, [...] d'enrichir son répertoire de comptines, de chansons et de contes, [...] de voir la façon dont son enfant apprend, [...] d'éprouver la joie de s'amuser avec son enfant par l'intermédiaire des comptines, [...] de fortifier des liens communautaires » (FPCP et CREE, sd.a : 5). Le programme est structuré en séances d'une heure, chacune dirigée par une animatrice. Celle-ci commence d'abord par réciter deux ou trois comptines familières, puis elle présente trois à cinq nouvelles comptines. Après la pause-collation, l'animatrice invite les participants à chanter une chanson et elle termine la séance en racontant une histoire. Les comptines sont récitées avec des gestes qui renforcent leur signification. Sept séries de dix séances de *Toi,*

---

[1]   Anciennement la Fédération provinciale des comités de parents du Manitoba (FPCP).

[2]   *L'heure du conte* a récemment été renommée « ABC... Viens t'amuser », pour éviter la confusion entre le programme offert par la FPM et celui offert par la Bibliothèque de Saint-Boniface.

moi et la Mère l'Oie sont offertes chaque année dans divers quartiers de Winnipeg. Ce même programme est aussi offert en région rurale dans six régions différentes[3].

L'heure du conte (*HDC*), pour sa part, se veut une occasion de rencontre et de rassemblement à l'intention des parents et de leurs enfants âgés de 0 à 6 ans pour découvrir l'univers des livres. Le programme, qui s'adresse aux familles francophones ainsi qu'aux familles de mariages mixtes, est organisé en séances hebdomadaires. L'animatrice suit le déroulement suivant : une mise en situation basée sur le thème du livre choisi pour la séance, la récitation d'une comptine ou d'une chanson, la lecture du livre, une discussion sur le thème du livre, une activité de motricité et la présentation d'autres livres à lire. Ce programme a comme objectif de développer le désir d'apprendre à lire ainsi que de soutenir ceux qui lisent déjà. Pour les parents, c'est aussi une occasion de découvrir la littérature pour enfants (FPCP et CREE, sd.b). Chaque session dure de 30 à 60 minutes. Normalement, le programme urbain est offert pour une période de huit semaines – une période à l'automne et une à l'hiver. En moyenne, cinq séries de séances sont offertes au cours de l'année. Dans les communautés rurales, le programme est normalement offert une fois par mois d'octobre à mai, et ce, dans cinq régions différentes[4]. Les animatrices des deux programmes sont recrutées dans la communauté et suivent une formation d'une journée.

Objectifs de la recherche

Afin de soutenir les familles dans le développement de la littératie, des programmes de littératie préscolaire ont été développés. Margaret Caspé (2003) argumente en faveur d'un plus grand nombre de recherches pour guider la programmation et mieux répondre aux besoins des parents, des enfants et des familles. Pour sa part, Patricia Edwards (2003) est d'avis qu'il faut demander aux participants des programmes de littératie préscolaire leur appréciation de ces programmes et leur perception des effets de ceux-ci sur leurs pratiques. C'est précisément dans ce sens que s'oriente la présente recherche.

---

[3]   Basé sur la moyenne de séries offertes entre 2004-2005 et 2008-2009.
[4]   Basé sur la moyenne de séries offertes entre 2004-2005 et 2008-2009.

Le but de cette recherche est de déterminer l'impact des programmes *TMMO* et *HDC*, offerts en milieu minoritaire francophone au Manitoba, sur les pratiques de littératie familiale. Plus spécifiquement, cette recherche vise à décrire le profil démolinguistique des parents participants, y compris certaines caractéristiques personnelles des parents, leurs habitudes langagières avec leurs enfants et leur motivation à suivre un programme de littératie préscolaire. Elle veut aussi déterminer les répercussions de la participation des enfants et des parents sur les activités de littératie familiale et sonder le niveau de satisfaction des parents et des animatrices quant au déroulement des programmes.

Méthodologie

Échantillon

La population visée par cette recherche comprend les 635 parents qui ont participé avec leurs enfants à un des deux programmes de littératie préscolaire au Manitoba entre 2004-2005 et 2008-2009 ainsi que les 76 animatrices de ces programmes. Pour les parents, un questionnaire a été posté à 439 familles dont l'adresse a pu être retrouvée. Soixante et un questionnaires ont été retournés « non livrables », trois ont été éliminés faute d'exclusion et deux parents n'ont pas voulu participer à l'étude. Le taux de participation global est donc de 24 % (90 répondants sur 375 questionnaires valides) ce qui, selon Marie-Fabienne Fortin, Josée Côté et Françoise Filion (2005), est un taux de retour acceptable (de 10 % à 30 %) pour ce type d'enquête. Sur les 90 parents participants, 32 ont assisté aux deux programmes, les autres à un seul. Ainsi, 82 parents ont participé à *TMMO* et 40 à *HDC*.

Pour ce qui est des animatrices, on a pu retracer l'adresse de 74 d'entre elles. Quatre questionnaires ont été retournés « non livrables », un a été éliminé faute d'exclusion et deux animatrices n'ont pas voulu participer à l'enquête. Le taux de participation s'élève à 26 % (18 répondantes sur 69 questionnaires valides). Sur les 18 animatrices participantes, deux ont animé les deux programmes. Quinze animatrices de *TMMO* et cinq de *HDC* ont donc participé au sondage.

Un test chi-carré (X^2 = ns) montre que l'échantillon de répondants est représentatif de l'ensemble de l'échantillon selon le lieu de résidence (Winnipeg et régions rurales). Il en va de même pour l'échantillon des animatrices (X^2 = ns) (voir le tableau 1).

Tableau 1
Tableau de contingence pour les animatrices et les parents
selon le lieu de résidence

	Animatrices			Parents		
	Partici-pantes (O)	Avec une adresse (E)	Total	Partici-pants (O)	Avec une adresse (E)	Total
Winnipeg	9	32	41	62	228	290
Régions rurales	9	37	46	28	147	175
Total	18	69	87	90	375	465

Collecte des données

Deux questionnaires ont été utilisés pour la collecte des données, l'un destiné aux parents, l'autre aux animatrices. Le but du questionnaire envoyé aux parents était de cerner leur profil démolinguistique, de sonder l'impact de leur participation au programme sur les activités de littératie familiale et d'évaluer leur niveau de satisfaction par rapport au programme de littératie. Le questionnaire comprenait des questions avec réponses sur une échelle de type Likert ainsi que des questions à développement. Le deuxième questionnaire, destiné aux animatrices, avait pour but de recueillir de l'information sur le déroulement du programme, d'évaluer le niveau de satisfaction et de se renseigner sur les répercussions du programme sur les familles participantes. Les questionnaires ont été conçus et validés en Ontario par le Centre interdisciplinaire de recherche sur la citoyenneté et les minorités (CIRCEM) dans le cadre du projet *Pour mon enfant d'abord*, un projet visant à mesurer les retombées des programmes d'alphabétisation familiale sur les parents et les enfants francophones vivant en milieu minoritaire (LeTouzé, 2007). Les questionnaires ont été étudiés par la FPM afin de s'assurer qu'ils reflétaient les programmes de littératie préscolaire offerts au Manitoba et certaines questions ont été éliminées parce qu'elles n'étaient pas pertinentes au contexte franco-manitobain. La chercheure principale du projet *Pour mon enfant d'abord* a approuvé les modifications apportées aux questionnaires. Il a été décidé qu'un test pilote spécifique pour la population du Manitoba n'était pas nécessaire.

Analyse des données

Étant donné la nature des questions incluses dans le questionnaire, les données sont à la fois quantitatives et qualitatives. L'analyse des données quantitatives est descriptive et se limite au calcul de la fréquence, en pourcentage, à laquelle chaque réponse a été choisie, à l'aide du logiciel SPSS 15.0. Pour les données qualitatives, les réponses à développement ont été catégorisées par thème à l'aide du logiciel d'analyse QSR N6. L'analyse a été réalisée de façon récursive selon la méthode de comparaison constante. Les thèmes ont ensuite été mis en parallèle avec les données quantitatives afin de faire ressortir les similarités et les différences entre les commentaires et les statistiques descriptives.

Résultats

Profil démolinguistique des parents

Au moment de l'enquête, 88 % des parents participants sont âgés entre 31 et 45 ans, et la grande majorité (93 %) sont des femmes. Quatre-vingt-un pour cent sont nés au Manitoba et 93 % ont fait des études universitaires ou collégiales. On remarque que 42 % des répondants ont reçu une formation dans le domaine de la pédagogie. Quatre-vingt-seize pour cent des familles envoient déjà leurs enfants à une école française ou ont l'intention d'envoyer leurs enfants à une école française une fois que ceux-ci auront atteint l'âge scolaire. La première langue apprise et encore parlée par le parent répondant est le français (81 %) ou le français et l'anglais (9 %). Trente-huit pour cent des répondants ont un conjoint ou une conjointe anglophone et 10 % un conjoint ou une conjointe allophone. Bien qu'il y ait un taux élevé de couples mixtes, la vaste majorité (82 %) des répondants parlent toujours ou surtout en français avec leurs enfants. Quatre-vingt-quatre pour cent des répondants se disent mariés. Ce profil décrit donc une population instruite, native du Manitoba et engagée dans l'éducation française de ses enfants.

Parmi les activités langagières proposées dans le questionnaire (voir le tableau 2), certaines sont pratiquées plus souvent que d'autres. Les activités pratiquées le plus fréquemment par les parents répondants (n = 90) sont : parler avec leurs enfants de ce qui les intéresse (92 %), lire ou regarder les images dans un livre avec eux (90 %), choisir des livres avec eux (86 %) et chanter avec eux (70 %). Plus de 80 % des répondants déclarent qu'ils exercent ces activités en français ou surtout en français. On peut donc constater que les pratiques langagières de ces parents soutiennent le développement langagier de leurs enfants, et ce, en français.

Lorsqu'ils ont été sondés sur leur motivation à suivre l'un ou l'autre des programmes de littératie préscolaire, 57 % des répondants de *TMMO* et 40 % de *HDC* ont indiqué qu'ils désiraient participer à une activité en français. Il s'agit de la motivation la plus fréquente. Pour le programme *TMMO*, 37 % ont précisé qu'ils voulaient apprendre des comptines et des chansons ou bien enrichir leur répertoire. Vingt-trois pour cent des participants à *HDC* voulaient développer la lecture chez leurs enfants. L'occasion de rencontrer d'autres parents ou enfants motivait 35 % des parents de *TMMO* et 28 % de *HDC*. Voici quelques exemples de motivation, formulés par les parents eux-mêmes :

> Je voulais exposer mes enfants à plus de chants/comptines francophones. Je voulais les intégrer et m'intégrer dans la communauté francophone. Je voulais aider à développer le français parlé de mes enfants (#6, *TMMO*).

> Je cherchais à m'impliquer dans la communauté de parents francophones (#399, *TMMO*).

> Créer des liens dans la communauté francophone pour moi et pour les enfants (# 289, *HDC*).

> Exposer mes enfants à différents types de livre. Me familiariser à différentes séries de livres (# 165, *HDC*).

> Avoir du « un-à-un » avec mon enfant même si on était en groupe. Un temps spécial avec mon enfant (# 310, *TMMO*).

Il est donc évident que la motivation des parents à suivre l'un ou l'autre des programmes rejoint les objectifs fixés par les concepteurs des programmes, c'est-à-dire développer l'éveil à la littératie et fortifier les liens communautaires.

L'impact de la participation des parents et des enfants sur les activités de littératie familiale

Quel que soit le programme suivi, la vaste majorité des parents répondants, soit 93 % de *TMMO* et 80 % de *HDC*, disent que le programme a été une

Tableau 2

Taux de fréquence des activités de littératie familiale

n = 90	Fréquence des activités familiales				Langue utilisée lors des activités familiales				
	Très souvent ou souvent	Parfois ou jamais	Trop jeune	n manquant	Français ou surtout français	Surtout anglais ou anglais	NSP	Autre langue	n manquant
Plus fréquent									
Parler avec enfants de leurs intérêts	92 %	8 %	0 %	0	90 %	9 %	0 %	1 %	2
Lire ou regarder les images d'un livre	90 %	10 %	0 %	1	93 %	5 %	0 %	0 %	5
Choisir des livres	87 %	13 %	0 %	1	95 %	3 %	1 %	0 %	3
Chanter avec enfants	70 %	30 %	0 %	0	94 %	6 %	0 %	0 %	3
Moyennement fréquent									
Lire instructions d'une recette, d'un jeu, etc.	59 %	34 %	7 %	0	62 %	26 %	12 %	0 %	3
Écrire/rédiger des courts messages, des listes, etc.	57 %	33 %	10 %	1	76 %	10 %	14 %	0 %	2
Regarder la télé/DVD	46 %	53 %	1 %	1	59 %	38 %	2 %	0 %	4
Lire les panneaux de circulation, le nom des rues, etc.	41 %	50 %	9 %	0	66 %	17 %	17 %	0 %	2

expérience positive pour leurs enfants. Toutefois, à peine la moitié des parents (42 % et 44 % respectivement pour *TMMO* et *HDC*) rapportent que leurs enfants s'expriment davantage en français. Vingt-quatre pour cent des répondants de *TMMO* et 40 % des répondants de *HDC* constatent une amélioration dans l'acquisition de la lecture en français chez leurs enfants. Trente et un pour cent des parents de *TMMO* et 42 % de *HDC* affirment que leurs enfants choisissent de pratiquer plus d'activités en français.

Quatre-vingt-quinze pour cent des animatrices ont répondu à la question portant sur les effets des programmes sur le développement du français oral des enfants. La plus grande amélioration qu'elles ont constatée était le développement langagier des enfants (45 % des répondantes en ont fait mention). Certaines ont noté des développements dans la conscience phonologique, l'habileté à écouter et le vocabulaire. Pour ce qui est du développement de la lecture, seulement 50 % des animatrices de *TMMO* ont répondu à cette question, et la majorité d'entre elles ont rapporté qu'elles n'avaient pas observé d'effets positifs sur l'éveil à la lecture. Par contre, les cinq animatrices de *HDC* ont toutes constaté des améliorations dans ce domaine.

En somme, malgré le fait que la grande majorité des parents affirment que la participation aux programmes a été une expérience positive pour leurs enfants, une telle participation semble avoir un effet sur la moitié des enfants seulement, et ce, dans le domaine du français oral.

Les parents ont été sondés sur leurs pratiques de littératie à la suite de leur participation à *TMMO* ou à *HDC*. Soixante-treize pour cent et soixante pour cent des répondants de *TMMO* et de *HDC* respectivement ont indiqué qu'ils avaient mis en pratique les apprentissages acquis dans le cadre du programme. Presque la moitié des participants ont souligné qu'ils parlaient plus souvent le français avec leurs enfants. Une importance accrue accordée à la lecture a été rapportée par 62 % des répondants de *TMMO* et 75 % de *HDC*. L'importance accrue accordée à la langue française a été rapportée par près des trois quarts des répondants de *TMMO* et de *HDC*, soit 73 % et 71 % respectivement. Près de la moitié (48 %) des répondants de *TMMO* ont indiqué qu'ils ont davantage confiance dans les pratiques de littératie en français qu'ils utilisent avec leurs enfants ; ce pourcentage augmente à 57 % pour les répondants de *HDC*. Quel que soit le programme, presque la moitié des participants (48 %) se sentent mieux outillés face au développement de la littératie.

De plus, 62 % et 70 % des parents de *TMMO* et de *HDC* respectivement affirment que leur participation a fortifié leurs liens avec la communauté francophone et qu'ils sont plus au courant des ressources francophones disponibles dans leur communauté.

Des questions à développement ont été posées afin de déterminer si les parents ont adopté de nouvelles stratégies par rapport à la littératie préscolaire. Pour le programme *TMMO*, 31 % des répondants ont indiqué qu'ils ont adopté de nouvelles façons de lire avec leurs enfants. Ils ont surtout mentionné qu'ils lisaient avec plus d'animation, qu'ils utilisaient davantage les illustrations et qu'ils avaient développé une conscience phonologique. Pour le programme de *HDC*, 38 % des répondants ont indiqué qu'ils avaient adopté de nouvelles façons de lire. Ils ont, à leur tour, mentionné qu'ils lisaient avec plus d'animation et qu'ils encourageaient davantage leur enfant à participer à la lecture des livres, comme en témoignent les extraits suivants :

> Au lieu de toujours suivre un livre, j'essaie de faire plus d'animation et inclure les idées de mon enfant et créer nos propres histoires (# 109, *TMMO*).

> Je trace mes doigts sur les mots quand je les lis. J'épelle les mots. On reconnaît les lettres dans notre nom (#6, *TMMO*).

> [Je lis avec] expression et [je demande à mon enfant] qu'est-ce qui se passe dans l'histoire. [Je] laisse mon enfant deviner la fin de l'histoire (# 201, *HDC*).

Malgré les améliorations rapportées jusqu'à maintenant, 95 % des parents de *TMMO* et 89 % des parents de *HDC* ont indiqué qu'ils avaient déjà adopté des pratiques qui développent la littératie avec leurs enfants avant leur participation aux programmes et que, par conséquent, ces programmes n'avaient pas eu d'effets considérables sur eux. Les commentaires suivants reflètent cette réalité :

> Nous avons beaucoup de livres et d'endroits où il peut faire des dessins. L'alphabet est présent dans beaucoup d'activités quotidiennes, ex. [se] laver les mains le temps de l'alphabet (#179, *HDC*).

> On n'a pas vu de grands effets parce que, oui, on fait déjà beaucoup avec et pour nos enfants… On fait tout en français à la maison – aucune augmentation ou amélioration – aucun changement (#47, *TMMO*).

Quatre-vingt-quinze pour cent des animatrices ont répondu à la question qui portait sur les effets des programmes chez les parents. D'après elles, le commentaire qui a été mentionné le plus souvent (36 %) est que les parents se sentaient de plus en plus à l'aise de participer au programme en français.

En somme, la plupart des parents ont renforcé leurs liens avec la communauté, ils accordent plus d'importance au français et mettent en pratique les stratégies qu'ils ont apprises grâce à leur participation. Cependant, ces stratégies ne semblent pas être nouvelles pour eux. En effet, la vaste majorité les utilisait déjà avant de participer à l'un ou l'autre des programmes, ce qui indique de nouveau l'engagement de ces parents à l'éveil à la littératie.

Niveau de satisfaction des parents et des animatrices

Presque tous les parents se disent très satisfaits ou satisfaits du programme de littératie préscolaire auquel ils ont participé, soit 94 % pour *TMMO* et 92 % pour *HDC*, et sont prêts à le recommander. Parmi les raisons évoquées, ils notent que ceux-ci offrent une occasion aux parents et aux enfants non seulement de pratiquer une activité ensemble, mais aussi de faire la connaissance d'autres parents et enfants de la communauté en parlant français.

> C'est une bonne occasion pour faire quelque chose d'amusant avec ton enfant. Tu rencontres d'autres jeunes parents, tu apprends plein de choses que tu peux appliquer à la maison, c'est gratuit et, bien sûr, c'est en français (# 356, *TMMO*).

> Oui, [je le recommande] – pour établir des liens avec d'autres familles francophones – entendre le français ailleurs qu'à la maison (#324, *HDC*).

L'apprentissage le plus important ou le plus utile pour les parents ayant assisté au programme *TMMO* était d'apprendre ou de réapprendre des chansons et des comptines (75 %) et d'avoir l'occasion de rencontrer d'autres parents ou enfants et de leur parler en français (28 %). Pour le programme de *HDC*, 58 % des participants ont souligné l'importance d'apprendre des stratégies de lecture et 21 % ont mentionné l'importance de rencontrer d'autres parents ou enfants et de leur parler en français.

Les parents sont donc satisfaits. Un retour sur leur motivation confirme le bien-fondé des objectifs principaux des deux programmes : développer l'éveil à la littératie et fortifier les liens communautaires. Le haut niveau de satisfaction des parents semble indiquer que ces objectifs ont été atteints.

Les animatrices étaient, en grande majorité (94 %), très satisfaites des programmes. Elles (82 %) se sentaient bien encadrées et soutenues par des collègues, des bénévoles et des gestionnaires avant et pendant le déroulement du programme et 14 sur 15 d'entre elles étaient d'avis que le matériel pédagogique adapté pour offrir le programme était adéquat. Certaines ont indiqué qu'elles avaient apprécié le contact avec les parents et les enfants et qu'elles ont aimé voir le progrès des enfants quant à leur participation aux activités en français et à l'apprentissage des chansons et des comptines. Personne n'a recommandé de changements pour améliorer les programmes, si ce n'est en ce qui concerne le recrutement. En effet, les animatrices ont proposé plus de publicité auprès des organismes qui desservent la population francophone. Cependant, plusieurs se sont dites satisfaites du mode de transmission actuel de l'information concernant les programmes, qui s'effectue de bouche à oreille. Ces suggestions confirment les données recueillies auprès des parents sur la façon dont ils avaient entendu parler des programmes de littératie préscolaire.

Discussion

Le but de cette recherche était, d'une part, d'évaluer l'impact des deux programmes de littératie préscolaire offerts en milieu linguistique minoritaire au Manitoba et, d'autre part, de sonder la satisfaction des participants à l'égard de ces programmes. Les objectifs des programmes *TMMO* et *HDC* sont de développer l'éveil à la littératie par l'intermédiaire de comptines et de livres, et de renforcer les liens communautaires. Les résultats de l'enquête indiquent que ces deux objectifs ont été atteints.

En ce qui concerne l'éveil à la littératie, nos résultats rejoignent ceux d'études antérieures. En particulier, les jeux de rimes qu'offre le programme *TMMO* contribuent d'une manière importante à l'apprentissage de la lecture, comme l'ont déjà noté Ehri et ses collaborateurs (2001). La participation des adultes dans la lecture de livres aux enfants, la principale activité pratiquée dans *HDC*, favorise le développement du vocabulaire, ce qui correspond aux résultats rapportés par Sénéchal (2006). En outre, les deux programmes offrent des occasions accrues d'améliorer l'expression orale. Or les compétences orales des enfants préscolaires sont indicatrices de la réussite de l'enfant en lecture (Hart et Risley, 1999 ; Holdaway, 1979 ; Purcell-Gates, 1996 ; Sulzby et Teale, 1991). D'après les résultats de la présente étude, deux tiers des répondants ont mis en pratique les stratégies qu'ils ont apprises en participant aux programmes. Pour eux, les plus grands bénéfices étaient le renforcement de l'importance accordée à la langue française et à la lecture aux enfants. Il est donc clair que les deux programmes renforcent les pratiques qui entourent l'éveil à la littératie en langue française.

Pour ce qui est du resserrement des liens communautaires, les programmes de littératie préscolaire offrent des occasions supplémentaires de socialisation langagière en français en milieu minoritaire. En effet, les deux tiers des répondants ont affirmé que leur participation a renforcé leurs liens avec la communauté francophone, et la moitié ont mentionné qu'ils sont davantage informés sur les ressources disponibles en français. Plus d'un tiers des parents ont indiqué que tisser des liens avec la communauté était la raison principale pour laquelle ils recommanderaient le programme. La moitié des participants cherchaient une activité en français. Alors, le deuxième objectif, celui de renforcer les liens communautaires francophones, semble avoir été atteint. Ces résultats vont dans le sens des recommandations de Landry (2003), qui souligne l'importance d'augmenter les occasions de contact avec la langue minoritaire dans le milieu socioinstitutionnel.

L'importance du rôle des parents dans le développement du langage des enfants et l'apprentissage de la lecture est incontestable. Tabors et Snow (2001) traitent du rôle crucial des parents dans le maintien de la langue première à la maison, surtout dans le cas où l'enfant est exposé à plus d'une langue. Les résultats de cette recherche reflètent les perceptions de parents déjà engagés à créer un environnement linguistique riche permettant autant à leurs enfants qu'à eux-mêmes de vivre pleinement leur francophonie; en effet, 89 % des parents interrogés dans le cadre de la présente étude rapportent qu'ils favorisent déjà des pratiques qui développent la littératie en français. Donc, ces enfants se trouvent dans un environnement linguistique riche qui favorise l'acquisition de la littératie en contexte linguistique minoritaire.

Limites et pistes futures

L'une des limites de cette étude demeure l'impossibilité de déterminer si le développement du langage oral des enfants est attribuable au programme ou au développement naturel des enfants. Cependant, le but de cette étude était d'obtenir la perception des parents concernant l'impact du programme sur leurs enfants.

Bien que le désir de tisser des liens avec la communauté francophone ait constitué la principale motivation des parents à suivre un des deux programmes, il serait important de proposer une plus grande variété d'activités pour que les parents puissent enrichir l'éventail des stratégies qu'ils utilisent à la maison. De plus, le besoin de plus de publicité ou la création de programmes spécifiques pour attirer des parents de familles ayant un profil démolinguistique plus varié se font sentir. Un profil plus diversifié pourrait inclure les familles de nouveaux arrivants pour qui la langue française est une deuxième ou une troisième langue, les parents et les enfants de mariages mixtes et les familles qui vivent dans des milieux où le soutien à l'éveil à la littératie est moins valorisé. *Parents as Literacy Supporters* (Anderson, Friedrich et Kim, 2011) et *Literacy for Life* (Anderson *et al.*, 2010) sont des exemples de programmes de littératie qui offrent un soutien au développement de la littératie familiale et de la littératie adulte pour les familles qui ont un profil plus diversifié. Il faut reconnaître que la FPM a déjà mis en place deux programmes de « francisation » pour les familles issues d'un couple mixte, mais dans un contexte qui favorise l'apprentissage par le jeu. Toutefois, il va sans dire que la programmation pourrait être élargie pour mettre l'accent sur des techniques de littératie familiale. Il faut aussi noter que l'Accueil francophone[5] s'est associé avec la FPM pour augmenter l'intégration et la participation des immigrants et des réfugiés francophones à la programmation offerte par la FPM.

Malgré le fait que l'approche méthodologique ne permette pas de contacter tous les enfants qui ont participé à *TMMO* ou à *HDC* entre 2004-2005 et 2008-2009, la Coalition de la petite enfance du Manitoba et la FPM même reconnaissent l'importance de faire une collecte de données plus rigoureuse à la suite de cette étude. Le plan stratégique 2009-2012 de la Coalition relève le besoin d'implanter un système de collecte uniforme permettant de contacter chaque enfant qui passe par un Centre de la petite enfance et de la famille (CPEF) (Consultation Deroche Consulting, 2009). Une fois en marche, cette collecte permettra, entre autres, de faire des études longitudinales ou des comparaisons entre les sites.

---

[5]   L'Accueil francophone, une initiative de la Société franco-manitobaine (SFM) mise sur pied en décembre 2003, facilite l'établissement des nouveaux arrivants francophones au Manitoba.

Conclusion

Les deux programmes de littératie préscolaire *TMMO* et *HDC* desservent une population déjà très engagée dans l'éveil à la littératie en français. Les participants vivant en milieu minoritaire francophone veulent renforcer leurs pratiques de littératie auprès de leurs enfants, mais surtout augmenter les occasions de contact avec la communauté francophone. Les deux programmes en question répondent aux besoins de ces parents, et les répercussions des programmes sont très positives pour les parents ainsi que pour les enfants.

Cependant, non seulement est-ce nécessaire de diversifier les activités de littératie offertes aux parents déjà très engagés, mais il est aussi important de développer des stratégies pour recruter une population plus diversifiée. Landry (2010) fait un diagnostic qui montre que la clientèle admissible à l'école française est à la baisse et que cette même clientèle est de plus en plus multiculturelle et issue de couples mixtes. Le recrutement dans les programmes de littératie préscolaire doit viser cette clientèle afin de donner des occasions de socialisation langagière en français en milieu socioinstitutionnel et de contribuer au succès des enfants dans l'apprentissage de la lecture.

Remerciements

Cette étude a été possible grâce à une subvention du Conseil de recherches en sciences humaines dans le cadre du programme Alliance de recherche universités-communautés. Nous tenons à remercier Hermann Duchesne qui a contribué à cette étude.

BIBLIOGRAPHIE

ANDERSON, Jim, Nicola FRIEDRICH et Ji Eun KIM (2011). *Implementing a Bilingual Family Literacy Program with Immigrant and Refugee Families: The Case of Parents as Literacy Supporters (PALS),* Vancouver, Department of Language and Literacy Education, The University of British Columbia.

ANDERSON, Jim, *et al.* (2010). *Implementing an Intergenerational Literacy Program with Authentic Literacy Instruction: Challenges, Responses, and Results,* Ottawa, Conseil canadien sur l'apprentissage, [En ligne], [http://www.ccl-cca.ca/pdfs/FundedResear ch/201009AndersonPurcell-GatesFullReport.pdf] (14 novembre 2011).

BUS, Adriana, Marinus van IJZENDOORN et Anthony PELLEGRINI (1995). « Joint Reading Makes for Success in Learning to Read: A Meta-Analysis on Intergenerational Transmission of Literacy », *Review of Educational Research*, vol. 65, n° 1, p. 1-21.

CASPÉ, Margaret (2003). « Family Literacy: A Review of Programs and Critical Perspectives », *Harvard Family Research Project,* Cambridge, MA.

CELLAN, Jay (2003). *Making the Connections: Family Literacy, Adult Literacy, and Early Childhood Development,* Toronto, OLC and Kingston Literacy.

CONSULTATION DEROCHE CONSULTING (2009). *Plan stratégique 2009-2012 de la Coalition francophone de la petite enfance du Manitoba,* Winnipeg, Consultation Deroche Consulting.

EDWARDS, Patricia (2003). « The Impact of Family on Literacy Development: Convergence, Controversy and Instructional Implications », dans Colleen Fairbanks *et al.* (dir.), *52nd Yearbook of the National Reading Conference,* Oak Street, WI, National Reading Conference.

EHRI, Linnea, *et al.* (2001). « Phonemic Awareness Instruction Helps Children Learn to read: Evidence from the National Reading Panels's Meta-Analysis », *Read Research Quarterly*, vol. 36, n° 3, p. 250-287.

FÉDÉRATION PROVINCIALE DES COMITÉS DE PARENTS et le CENTRE DE RESSOURCES ÉDUCATIVES À L'ENFANCE (sd.a). *Toi, moi et la Mère l'Oie : un programme de comptines et de chansons pour parents et enfants. Livret de formation,* Winnipeg, Fédération provinciale des comités de parents et le Centre de ressources éducatives à l'enfance.

FÉDÉRATION PROVINCIALE DES COMITÉS DE PARENTS et le CENTRE DE RESSOURCES ÉDUCATIVES À L'ENFANCE (sd.b). *L'heure du conte familiale : un programme d'animation du livre pour parents et enfants. Cartable de formation,* Winnipeg, Fédération provinciale des comités de parents et le Centre de ressources éducatives à l'enfance.

FORTIN, Marie-Fabienne, Josée CÔTÉ et Françoise FILION (2005). *Fondements et étapes du processus de recherche,* Montréal, Chenelière Éducation.

HART, Betty, et Todd RISLEY (1995). *Meaningful Differences in the Everyday Experience of Young American Children*, Baltimore, Brookes.

HART, Betty, et Todd RISLEY (1999). *The Social World of Children: Learning to Talk*, Baltimore, Brookes.

HOLDAWAY, Don (1979). *The Foundations of Literacy*, Sydney (NZ), Ashton Scholastic.

LANDRY, Rodrigue (2003). *Libérer le potentiel caché de l'exogamie : profil démolinguistique des enfants des ayants droit francophones selon la structure familiale*, étude réalisée pour le compte de la Commission nationale des parents francophones, Moncton, Institut canadien de recherche sur les minorités linguistiques ; Ottawa, Commission nationale des parents francophones.

LANDRY, Rodrigue (2010). *Petite enfance et autonomie culturelle : là où le nombre le justifie... V*, rapport de recherche préparé pour la Commission nationale des parents francophones, Moncton, Institut canadien de recherche sur les minorités linguistiques.

LANDRY, Rodrigue, et Réal ALLARD (1990). « Contact des langues et développement bilingue : un modèle macroscopique », *La revue canadienne des langues vivantes = The Canadian Modern Language Review*, vol. 46, n° 3, p. 527-553.

LE TOUZÉ, Sophie (2007). *Pour mon enfant d'abord : étude de l'impact de l'alphabétisation familiale sur les familles vivant en milieu minoritaire. Étape 3 : 2006-2007*, Ottawa, CIRCEM, Université d'Ottawa, [En ligne], [http://www.bdaa.ca/biblio/recherche/CFAFBO/enfant3/enfant3.pdf] (1er juin 2008).

LONIGAN, Christopher J., et Grover J. WHITEHURST (1998). « Relative Efficacy of Parent and Teacher Involvement in a Shared-Reading Intervention for Preschool Children from Low-Income Backgrounds », *Early Childhood Research Quarterly*, vol. 13, n° 2, p. 263-290.

MALTAIS, Claire (2005). « Relation entre les types de services de garde et le développement du langage chez les enfants du préscolaire », *Éducation et francophonie*, vol. 33, n° 2, p. 207-223.

MASNY, Diana (2006). « Le développement de l'écrit en milieu de langue minoritaire : l'apport de la communication orale et des habiletés métalinguistiques », *Éducation et francophonie*, vol. 24, n° 2, p. 125-148.

PURCELL-GATES, Victoria (1996). « Stories, Coupons and the TV Guide: Relationship Between Home Literacy Experiences Emergent Literacy Knowledge », *Reading Research Quarterly*, vol. 31, n° 4, p. 406-428.

SÉNÉCHAL, Monique (2006). « Testing the Home Literacy Model; Parent Involvement in Kindergarten is Differentially Related to Grade 4 Reading Comprehension, Fluency, Spelling, and Reading for Pleasure », *Scientific Studies of Reading*, vol. 10, n° 1, p. 59-87.

SÉNÉCHAL, Monique, et Jo-Anne LEFEVRE (2002). « Parental Involvement in the Development of Children's Reading Skill: A Five-Year Longitudinal Study », *Child Development*, vol. 73, n° 2, p. 445-460.

Sénéchal, Monique, Gene Ouellette et Donna Rodney (2006). « The Misunderstood Giant: On the Predictive Role of Early Vocabulary in Future Reading », dans David Dickinson et Susan Neuman (dir.), *Handbook of Early Literacy Research*, New York, Guilford Press, vol. 2, p. 173-184.

Snow, Catherine, M. Susan Burns et Peg Griffin (dir.) (1998). *Preventing Reading Difficulties in Young Children*, Washington (DC), National Academy Press.

Storch, Stacey, et Grover Whitehurst (2002). « Oral Language and Code-Related Precursors to Reading: Evidence from a Longitudinal Structural Model », *Developmental Psychology*, vol. 38, n° 6, p. 934-947.

Sulzby, Elizabeth, et William Teale (1991). « Emergent Literacy », dans Rebecca Barr *et al.,* (dir.), *Handbook of Reading Research*, New York, Longman, vol. II, p. 727-757.

Tabors, Patton, et Catherine Snow (2001). « Young Bilingual Children and Early Literacy Development », dans David Dickinson et Susan Neuman (dir.), *Handbook of Early Literacy Research*, New York, The Guilford Press, p. 159-179.

Taylor, Denny (1983). *Family Literacy: Young Children Learning to Read and Write*, Portsmouth (NH), Heinemann Educational Books.

Tracey, Diane (1995). « Family Literacy: Overview and Synthesis of an ERIC Search », dans Kathleen A. Hinchman, Donald J. Leu et Charles K. Kinzer (dir.), *Perspectives on Literacy Research and Practice: Forty-fourth Yearbook on the National Reading Conference*, Chicago, National Reading Conference, p. 280-288.

Tracey, Diane, et John Young (2002). « Mothers' Helping Behaviors During Children's At-Home Oral Reading Practice: Effects of Children's Reading Ability, Children's Gender, and Mothers' Educational Level », *Journal of Educational Psychology*, vol. 94, n° 4, p. 729-737.

Un regard critique sur les initiatives d'éducation inclusive des élèves immigrants en milieu scolaire fransaskois

Laurie Carlson Berg[1]
Université de Regina

A vec l'arrivée d'un nombre important d'élèves issus de l'immi-gration, la population étudiante fransaskoise est en voie de chan-gement rapide. Selon Wilfrid Denis (2010-2011), il existe des divergences de vue entre les membres de la communauté fransaskoise au sujet de l'inclusion des jeunes immigrants au réseau scolaire. En milieu minoritaire, l'école est un lieu de rencontre privilégié et un espace de négociation des tensions dialectiques. Dans toute communauté, certaines voix ont tendance à avoir plus de poids que d'autres, et souvent les perspectives des directeurs d'école influent non seulement sur leur établissement scolaire, mais aussi sur la communauté au sens large. Il importe donc d'examiner ces perspectives. Le présent article expose le sommaire analytique des points de vue de trois directeurs d'école sur l'inclusion scolaire des élèves issus de l'immigration dans des communautés francophones minoritaires. Ce sommaire est le fruit d'entretiens effectués au cours d'une recherche à volets multiples. L'étude avait pour objectif d'identifier les principales caractéristiques des nouveaux immigrants, les défis auxquels ils sont confrontés ainsi que les principaux écueils qui entravent leur participation, notamment en éducation, à la communauté en situation linguistique minoritaire en Saskatchewan.

---

[1] L'auteure tient à remercier les directions des écoles participantes, ses assistantes de recherche, Brigitte Périllat, Cami Malbeuf et Cara Sander, et ses partenaires communautaires : le Conseil des écoles fransaskoises et le ministère de l'Éducation de la Saskatchewan. Sincères remerciements au Conseil de recherches en sciences humaines (Alliance de recherche universités-communautés), au Humanities Research Institute, et au Centre canadien de recherche sur les francophonies en milieu mino-ritaire (CFRM) à l'Université de Regina pour leur soutien financier dans le cadre de la présente étude. Cette dernière constitue un volet du projet de recherche sur les Identités francophones de l'Ouest canadien, subventionné par le CRSH (Alliance de recherche universités-communautés).

Méthodologie

Dans un premier temps, des entretiens ont eu lieu avec des familles d'immigrants afin d'explorer leurs expériences scolaires antérieures et actuelles ainsi que leurs contributions et les défis rencontrés à l'école et dans la communauté francophone. Par la suite, nous avons effectué un sondage portant sur la nature des cercles d'amis auprès des élèves fréquentant des écoles fransaskoises. Parallèlement, nous avons mené des entretiens individuels auprès d'enseignants et de directeurs d'école sur la population changeante de leurs établissements. Ces entretiens semi-structurés ont porté sur les transformations démographiques, la réussite et les besoins des immigrants en situation d'inclusion scolaire (Carlson Berg, Piquemal et Bolivar, 2008). Les entretiens menés auprès des directions des écoles visaient à mettre en lumière leur conception de l'école francophone en contexte pluriethnique et les approches mises en place pour améliorer le climat scolaire dans un contexte de diversité. Les entretiens, d'une durée d'environ 90 minutes, ont été enregistrés et transcrits. Un pseudonyme a été attribué à chaque participant. Depuis ces entretiens, certains d'entre eux se sont vu attribuer de nouveaux rôles au sein du conseil scolaire. En raison des rapports de force en présence et afin d'assurer la confidentialité des participants, les pseudonymes ne sont pas indiqués à la fin des citations qui apparaissent dans le présent article. Nous nous sommes assurée que les extraits cités sont représentatifs des opinions exprimées par les trois directions scolaires. Bien que chaque répondant ait adopté une perspective qui lui soit propre, l'ensemble des participants a relevé les mêmes lignes de force et les mêmes enjeux.

Pour l'analyse des transcriptions, nous avons eu recours à l'analyse critique du discours selon l'approche de Norman Fairclough (2010). Ensuite, une liste des initiatives scolaires décrites par les participants a été dressée, puis ces dernières ont été classées selon les quatre types d'éducation qui s'opposent à l'oppression, tels que présentés par Kevin Kumashiro (2000). La présente étude se situe dans ce cadre critique. Selon Peter McLaren (2009), les théories critiques abordent les problématiques sous l'angle d'une dialectique surgissant d'un contexte interactif et constant entre l'individu et la société. Avant d'aborder plus en détail la typologie de Kumashiro ainsi que la nature des perspectives et des initiatives des directions scolaires, une brève description du contexte fransaskois s'impose.

Contexte fransaskois… fierté et fragilité

Comme bien des communautés francophones au Canada, celle de la Saskatchewan doit affronter les défis qu'entraîne le déclin démographique (Belkhodja, 2008 ; Commission sur l'inclusion dans la communauté fransaskoise, 2008). Depuis que le gouvernement fédéral a instauré un programme pour promouvoir l'immigration francophone dans les communautés francophones en situation minoritaire (Citoyenneté et Immigration Canada, 2006), au milieu de la décennie précédente, la Fransaskoisie assiste à l'arrivée d'un nombre important d'immigrants. Bien que de 2006 à 2010, seulement 0,3 % des nouveaux résidents permanents en Saskatchewan aient déclaré le français comme langue maternelle, 0,6 % d'entre eux ont affirmé parler le français, et 1,9 % se sont dits capables de parler les deux langues officielles du Canada (Citoyenneté et Immigration Canada, 2010). Ce dernier chiffre correspond au pourcentage de francophones en Saskatchewan selon le recensement fédéral de 2006, ce qui semble confirmer le maintien de leur poids démographique. Le contexte fransaskois est fragile non seulement sur le plan démographique, mais aussi sur le plan identitaire. En effet, chez certains, la question de savoir qui est Fransaskois prête à débat (Commission sur l'inclusion dans la communauté fransaskoise, 2008) et pourrait renforcer les discours qui promouvaient, que ce soit intentionnel ou non, des distinctions précises et inflexibles sur qui fait partie du « nous les Fransaskois » et qui en est exclu. Ces discours pourraient donc accroître la distance entre les individus qui s'identifient comme Fransaskois au lieu de les rapprocher. Ces distances, ou bris, pourraient également affaiblir une Fransaskoisie déjà fragile sur les plans démographique et identitaire, tandis qu'une conceptualisation plus large et mouvante pourrait servir de force unificatrice. La Commission sur l'inclusion dans la communauté fransaskoise nous rappelle que l'hétérogénéité démographique chez les Fransaskois a toujours été présente au cours de leur histoire : « […] la présence française dans l'Ouest canadien, depuis ses origines lors de la colonisation française en Nouvelle-France, a su se renouveler grâce aux contacts avec d'autres groupes culturels » (2008 : 11). La Commission souligne :

Le paysage social se transforme à un rythme de plus en plus accéléré. Une « culture-monde » émerge et les identités locales soit se renforcent en s'ouvrant à des réseaux internationaux, soit se sentent menacées et se retranchent derrière un comportement défensif souvent isolationniste (2008 : 11).

Une Fransaskoisie qui songe à conserver sa vitalité doit donc, selon la Commission (2008), s'ouvrir aux autres et être prête à se redéfinir pour se renforcer.

Une étude en partenariat

Nous travaillons en partenariat avec le Conseil des écoles fransaskoises (CEF) depuis 2008. Pour ce projet de recherche université-communauté, on a commencé par identifier les principales préoccupations des participants. En outre, le conseil scolaire voulait non seulement savoir comment s'y prendre pour réserver un accueil solide aux immigrants et assurer un environnement éducatif inclusif, mais il voulait aussi étudier les enjeux liés au racisme. Le racisme, comme d'autres questions de pouvoir relatif, risque non seulement de marginaliser certains individus et certains groupes, mais aussi de favoriser le maintien de certains discours dominants qui préservent le *statu quo*.

Il importe de mentionner que l'emploi du terme « race » comme marqueur est critiqué. Il est vrai qu'il n'existe aucune preuve scientifique attestant que des groupes dits raciaux diffèrent les uns des autres sur le plan biologique ou génétique. Or il est maintenant généralement admis que le concept de race est une construction sociale. Toutefois, au cours de l'histoire humaine, le concept de race a été employé dans le but d'oppresser des groupes d'individus à cause de différences présumées, ou même construites, par un groupe dominant (Nieto et Bode, 2012). Cela dit, le racisme n'est pas seulement une construction sociale. En effet, il prend de nombreuses formes (Earick, 2009 ; Trepagnier, 2006). Nous avons choisi de nous servir du terme « racisme », car nous craignons que l'utilisation des termes privilégiant les aspects ethniques ou culturels ne masque la nature du déséquilibre entre les groupes face au pouvoir dans un contexte systémique inéquitable au Canada et ailleurs (Earick, 2009 ; Trepagnier, 2006 ; St. Denis, 2011). Dans un tel contexte, il est important d'examiner les points de vue des directeurs d'école afin de cerner leurs discours sur l'inclusion, car ceux-ci peuvent avoir une incidence sur les enseignants, le climat des établissements et la communauté.

Cadre théorique

La présente étude se situe à la frontière de la pédagogie critique et du constructionnisme social. Selon Kenneth J. Gergen (1999, 2003), nos connaissances sont construites au contact avec les autres. Dans un contexte de changement, les écoles fransaskoises sont actuellement contraintes de se redéfinir. Ce sont les idées et les perceptions de tous ceux qui entrent en contact avec la communauté de l'école qui créent de nouvelles réalités scolaires. Néanmoins, si l'on considère ces interactions et ces cocréations de réalité du point de vue de la pédagogie critique, on peut discerner des rapports de force inégaux entre les acteurs en présence.

Selon Peter McLaren (2009), les tenants de la pédagogie critique reconnaissent que les problèmes d'une société ne sont pas le simple résultat d'événements de la vie ou les conséquences de déficiences sociales d'ordre structurel. Les problèmes sont plutôt créés par une dialectique dans laquelle l'individu est à la fois acteur et objet de l'univers social auquel il appartient. Les tenants des approches critiques tentent de déchiffrer les histoires et les discours, et même de retracer l'interaction entre le milieu et l'individu.

Dans la présente étude, l'école inclusive est définie comme un lieu où chaque élève occupe une place significative au sein de la communauté et où la culture scolaire est le produit conscient de l'effort collectif. L'inclusion est alors définie comme un rassemblement d'individus, chacun ayant une identité complexe et dynamique, autour d'une vision collective inspirant la manière de faciliter la participation positive de chacun des membres. L'exclusion existerait si certains individus, mais pas tous, avaient connaissance d'être, ou bien de devenir, des participants actifs à leur apprentissage. L'inclusion scolaire n'est pas un but fixe à atteindre, mais plutôt un processus de conscientisation où les enjeux relatifs à l'inclusion et à l'exclusion deviennent plus transparents et où il y a place pour le questionnement des idées et des pratiques.

Dans le présent article, nous discuterons des idées qui, en éducation, s'opposent à l'oppression (Kumashiro, 2000). Une école où l'on condamne l'oppression n'est pas nécessairement une école inclusive. Néanmoins, c'est un lieu où la remise en question est de rigueur et encouragée, et où se pratique un effort de conscientisation aux rapports de pouvoir. L'oppression, telle que définie par Kumashiro, est une situation ou encore une dynamique au sein de laquelle certaines manières d'être (ex. : posséder certaines identités) sont privilégiées par la société tandis que d'autres sont réprimées ou marginalisées (2000 : 25). L'équité consiste à reconnaître la présence d'identités multiples et fluides sans valoriser une manière d'être plus qu'une autre. Toutefois, il faut distinguer entre une approche dite d'équité et une approche égalitariste. Dans le dernier cas, on prodigue un enseignement identique à chaque élève alors que dans le premier cas, on préconise une approche centrée sur un enseignement adapté aux besoins et à l'environnement de l'apprenant. Cela dit, une approche équitable et efficiente doit se traduire par la réussite scolaire et sociale des élèves (Saskatchewan Ministry of Education, 2010).

Résultats : initiatives qui facilitent l'inclusion

En 2000, Kumashiro a développé un cadre regroupant les différents types d'éducation qui s'opposent à l'oppression. Selon ce chercheur, il y a quatre formes d'éducation qui s'opposent à l'oppression : « L'éducation pour l'autre » ; « L'éducation au sujet de l'autre » ; « L'éducation qui se montre critique des privilèges et de l'altérité » ; et « L'éducation qui transforme les élèves et la société ». L'« Autre », selon Kumashiro, est l'élève qui ne correspond pas à la norme présumée d'une personne de sexe masculin, de race blanche, chrétienne et appartenant à la classe moyenne.

Les initiatives de cette *éducation pour l'autre* visent à rendre l'espace scolaire plus sécuritaire pour l'« Autre », en abordant les torts du passé qui ont marginalisé certains groupes (voir Earick, 2009, entre autres) et en examinant les dispositions prises envers cet « Autre » ainsi que la façon dont on le traite. Les stratégies de la pédagogie différenciée et des programmes de sensibilisation à l'intimidation sont deux exemples génériques de l'*éducation pour l'autre.* Quand les participants de cette étude ont parlé de l'inclusion des élèves issus de l'immigration, il était évident que les trois directions scolaires s'inspiraient beaucoup de la méthode de l'*éducation pour l'autre,* comme les extraits des entretiens des directeurs le montrent : « [Nous enseignons] la théorie du choix, les différentes façons de gérer les conflits, et les différentes façons d'approcher les habilités sociales » et « on établit tout de suite un système de [copain] » ou encore « le fait d'assurer leur bien-être, leur adaptation à la culture canadienne [...] puis aussi la question de trouver des points de repère » et on développe l'« estime de soi » chez tous les élèves. Dans les extraits qui suivent, les directeurs d'école précisent la nature des actions posées :

> Ce sera un genre de communauté d'apprentissage avec ces gens-là [...] On fait des formations sur la différenciation pédagogique, c'est une autre façon d'adaptation, continuer là-dedans pour que les enseignants ne voient pas le nouvel arrivant qui est perdu et [n'a] pas de potentiel, qu'ils le voient comme élève ayant justement un potentiel, puis aller le chercher là où il est et l'amener à cheminer (Extrait 1).

> Une chose avant qu'on commence même la scolarité, c'est d'aller voir le besoin de survie ; on rencontre les parents si on le peut, ce n'est pas toujours facile au tout début, et on parle des routines de l'école : l'habillement pour l'hiver, le dîner, le midi, c'est quoi des devoirs le soir si les parents ne sont pas au courant, ce serait quoi le rôle du parent, sans en mettre trop. C'est juste un aperçu de qu'est-ce qui se passe. Autre chose, on s'établit des objectifs [...] c'est juste l'adaptation à l'environnement, si on peut trouver quelqu'un qui parle leur langue, soit on va chercher que ce soit des éducatrices au préscolaire, parce qu'il y en a là qui parlent la langue des nouveaux arrivants ici, des immigrants. On a des professeurs, quand même, qui sont très dévoués et puis ils vont apprendre une petite base [de la langue maternelle de l'élève], mais on essaie de voir si la francisation [avec] des aides pédagogiques va donner un coup de main (Extrait 2).

En suivant des sessions de développement professionnel, les enseignants peuvent être mis au fait de la multiplicité des identités et des expériences de leurs élèves, et des conséquences pédagogiques fâcheuses qui peuvent résulter de l'ignorance de la diversité de ces élèves ou de l'indifférence à leur endroit. En effet, certains enseignants pourraient penser que tous les élèves correspondent à la norme dominante, ou encore qu'ils sont neutres, sans marqueurs de race, de genre ou de classe sociale, comme le laissent entendre certains discours dominants. Pendant nos recherches, nous avons constaté qu'il y avait beaucoup d'initiatives mises en place pour les immigrants, mais qu'il en existait très peu pour former les enseignants qui accueillaient les élèves immigrants dans leur salle de classe. Il existe maintenant un programme de formation continue plus équilibré qui a pour but d'aider les enseignants à comprendre l'« Autre » ; mais, même aujourd'hui, on trouve peu d'information sur l'expérience de discrimination que peut vivre l'élève immigrant.

Le principal atout des initiatives de l'*éducation pour l'autre* consiste à reconnaître implicitement la diversité au sein de la population étudiante et à sensibiliser les enseignants aux diverses formes d'oppression scolaire.

On y fait valoir la responsabilité des enseignants de s'engager dans l'accompagnement de chaque élève et de travailler contre l'oppression : ne pas le faire implique une complicité même involontaire avec le *statu quo*. Les difficultés que l'on rencontre avec la méthode de l'*éducation pour l'autre* découlent de l'importance que l'on accorde à l'« Autre » et à ses expériences négatives, ce qui peut avoir pour effet de le stigmatiser en l'associant à la source du problème. Autrement dit, il peut y avoir des individus qui pensent que si l'« Autre » ne fréquentait pas son école, l'oppression n'existerait pas. Or l'oppression prend de nombreuses formes (Earick, 2009 ; Trepagnier, 2006). Un autre désavantage de l'approche de l'*éducation pour l'autre,* c'est que les définitions risquent de créer des stéréotypes de l'« Autre » en dépit du fait que son identité, comme tout autre identité, soit fluide, multiple, contextualisée et en constante évolution. Par exemple, dans le but de rendre l'espace scolaire plus inclusif pour une variété de croyances spirituelles, on peut décider de créer une salle de prière pour les musulmans. Mais un musulman homosexuel ne se sentirait peut-être pas en sécurité dans un tel endroit. Ainsi, étant donné la multiplicité des traits identitaires que l'on trouve dans n'importe quel groupe, on ne peut présumer qu'une initiative va convenir à tous.

Le deuxième type d'éducation qui s'oppose à l'oppression est l'*éducation au sujet de l'autre* (Kumashiro, 2000 : 31). Ce dernier type vise à diminuer les effets néfastes que peuvent entraîner les programmes d'études dans lesquels ne sont présentes que des connaissances liées au groupe normatif, qui n'offrent aux élèves que des connaissances partielles ou encore qui présentent un contenu au sujet de l'« Autre », mais parsemé de stéréotypes ou inspiré des discours dominants sur l'« Autre ». L'*éducation au sujet de l'autre* peut consister, par exemple, à faire une présentation aux élèves au sujet des Premières Nations, ou bien à inviter un membre d'un groupe marginalisé à prendre la parole, ou encore à donner des cours sur les privilèges des personnes de race blanche appartenant à la classe moyenne. Ce genre d'initiative est plutôt orienté vers ce que tous les élèves devraient savoir sur l'« Autre » de manière non stéréotypée (unité et intégration des perspectives de l'« Autre » à travers toutes les matières). L'accent est donc mis sur la connaissance de l'« Autre » L'*éducation au sujet de l'autre* peut prendre la forme du développement de *programmes d'études* qui incluent des perspectives sur l'« Autre ». Voici quelques exemples de la façon dont l'*éducation au sujet de l'autre* se manifeste dans les trois écoles participantes :

C'est important pour leur adaptation que nous allions nous intéresser à leur culture [...] Par rapport aux nouveaux arrivants, c'est la connaissance d'une nouvelle culture chez nous. C'est la culture africaine, c'est plus d'Africains qui nous arrivent ; donc les impacts dans le travail, c'est de connaître une nouvelle culture, d'essayer de comprendre eux comment ils pensent, comment ils vivent (Extrait 3).

Pour moi, l'inclusion c'est de voir la population étudiante se connaître, connaître les différences, les accepter ! [...] on a différentes cultures, on vit parmi nous [...] on est acceptés différents. Puis à partir de la voix les élèves, partager davantage ! S'ouvrir l'un à l'autre et puis ce n'est pas parce qu'ils ne veulent pas, des fois je dis c'est parce qu'ils ne se connaissent pas (Extrait 4).

Ils arrivaient avec différentes expériences au niveau de la scolarité et du vécu. Donc quand les élèves nous arrivent avec différentes expériences, à quelque part il faut s'informer [...] Au niveau du vécu, les expériences d'école sont très différentes, donc il faut montrer comment, et même au niveau de la langue. Certains sont arrivés sans français sans anglais alors leur propre langue, donc c'est sûr quelque part on s'informe plus, on s'en va chercher comment répondre à ce besoin. Je pense qu'il faudrait dire qu'il y a un peu plus de charge, il faut qu'on laisse tomber d'autres besoins pour répondre aux besoins de survie plus pressants. Pour moi, dans mon rôle, ça a définitivement initié des conversations avec la communauté, ces gens-là [...]. [On a maintenant] une communauté beaucoup plus large que juste la communauté francophone blanche. J'ai choisi de m'impliquer même si c'est comme spectateur ou participant dans des activités africaines francophones, donc quand je suis invitée, je fais l'effort pour y être pour apprendre plus au niveau de la communauté francophone immigrante africaine (Extrait 5).

Eux ils arrivent, ils subissent, si vous voulez, la culture canadienne, mais il faut aller s'intéresser à la leur, c'est fort important pour leur adaptation. Eux ils arrivent dans un milieu scolaire complètement différent. Ça prend un temps d'adaptation pour ces gens-là. Ça prend, supposons que ce soit un élève qui nous arrive en décembre, mais je lui dis de décembre à juin, on va prendre un temps d'adaptation, puis l'année prochaine, on va prendre des décisions ; où on va te placer vraiment, sérieusement, parce qu'en ce moment même, on n'est pas certain (Extrait 6).

Les directions scolaires ont aussi fait mention des formes d'adaptation qui ont lieu dans les salles de classe de leur école. Certains enseignants tiennent compte des marqueurs de race, de la personnalité et de l'origine des élèves lorsqu'ils créent des groupes de travail. Ils mentionnent aussi la façon dont les enseignants doivent travailler avec les élèves non issus de l'immigration pour que ces derniers intègrent les nouveaux arrivants dans leur groupe. Les enseignants encouragent les élèves nés au Canada à apprendre des mots et des expressions tirés des langues maternelles des nouveaux arrivants.

Les contributions de l'*éducation au sujet de l'autre* tiennent compte des attentes implicites propres à chaque culture, par exemple, dans les diverses conceptions du comportement que devrait avoir un « bon citoyen ». Selon Kumashiro, il y a aussi de possibles désavantages (2000 : 33-34). Par exemple, l'« Autre » peut devenir un objet, différent de la norme, à examiner. Dans ce dernier cas, on risque de normaliser le groupe dominant et de renforcer ce qui est différent, voire anormal, chez l'« Autre ». En conséquence, l'« Autre » demeurerait dans un espace d'altérité (Gallant, 2008) et les familles immigrantes seraient perçues surtout selon leurs « différences » (Farmer, 2008).

Les élèves risquent aussi de se faire une fausse idée tenace de l'« Autre » et d'en venir à croire que tous les gens d'un groupe marginalisé pensent et agissent d'une certaine manière. Ainsi, au lieu de considérer les identités de soi et de l'« Autre » comme multiples, fluides et contextualisées, on peut remplacer un vieux stéréotype par un nouveau. Plutôt que de faciliter une meilleure compréhension des uns et des autres et de tisser des liens étroits entre élèves, on risque d'élargir l'écart entre le « Moi » et l'« Autre ». Les citations précédentes illustrent bien ce phénomène, car on y remarque beaucoup de nous/eux.

Un autre effet pervers dont il faut se méfier est la certitude que peuvent avoir un enseignant et ses élèves de tout savoir sur un groupe donné, une attitude qui ne favorise pas l'apprentissage continu. Ainsi, même si les initiatives portent sur l'*éducation au sujet de l'autre* et incorporent des discussions et des remises en question des privilèges des Blancs de classe moyenne, on risque de continuer à ne miser que sur le groupe dominant. Évidemment, il est essentiel de prendre en considération ces écueils potentiels lorsqu'on entame le travail important d'*éducation au sujet de l'autre*.

On constate alors que les deux premiers types d'initiatives ont le pouvoir de contribuer, d'une part, à une meilleure sécurité dans l'espace scolaire pour une clientèle diversifiée et, d'autre part, à la mise en pratique d'un programme qui incorpore une plus grande variété de perspectives et qui valorise des savoirs non traditionnels. Toutefois, ces types d'éducation qui s'opposent à l'oppression ignorent souvent les enjeux de pouvoir et de privilège, à l'école comme en société, ainsi que le rôle que ces enjeux peuvent jouer dans une situation d'oppression (Kumashiro, 2000 : 29-30).

Racisme, discours et consultation

Au cours de cette étude à volets multiples, les enjeux liés à la race ont été identifiés comme des obstacles à l'inclusion scolaire et communautaire des immigrants (Carlson Berg, 2010). L'analyse des réseaux sociaux des élèves à l'élémentaire et au secondaire indique que les membres des minorités visibles, qu'ils soient nouveaux arrivants ou non, sont peu choisis et restent en marge des réseaux, tandis que les élèves immigrants n'appartenant pas à une minorité visible ont une plus grande chance que la moyenne d'être acceptés dans un réseau social ou à l'école (Carlson Berg, 2011). Des initiatives d'éducation pour régler ce problème s'imposent donc.

Les directions scolaires mentionnent le malaise et parfois l'intimidation que peuvent connaître les élèves immigrants et se demandent si cette situation provient de la peur de l'inconnu, d'un manque de compréhension, de la couleur de la peau ou des habitudes alimentaires. Dans notre cheminement avec nos partenaires scolaires, y compris, bien sûr, les directions scolaires, il nous a semblé utile de leur parler d'autres formes d'éducation qui s'opposent à l'oppression afin de les aider à considérer autrement les enjeux actuels et à envisager d'autres manières de les aborder. Le troisième type d'initiative, selon Kumashiro, est l'*éducation qui se montre critique des privilèges et de l'altérité* (2000 : 36). Ce genre d'initiative aborde non seulement l'« Autre » comme une personne ou un groupe qui n'a pu historiquement avoir de pouvoir, *mais aussi* la normalisation et les privilèges de certains groupes et la façon dont ces deux derniers états sont créés et maintenus par des structures et des systèmes sociétaux. Autrement dit, il examine le lien entre les écoles et les autres institutions sociales, et la culture (Kumashiro, 2000).

Au cours de la rétroaction avec nos partenaires scolaires, nous leur avons indiqué que, lors des entretiens avec les membres du personnel scolaire, on ne mentionnait pratiquement pas l'importance d'une préparation pour ceux qui songent à accueillir des immigrants et des membres des minorités visibles. Si l'on tente de créer et de maintenir un climat d'équité, l'adaptation doit être réciproque. Afin de faciliter de tels échanges, il faut que les Fransaskois de longue date prennent conscience de ce qu'ils apportent à une rencontre avec un nouveau membre de la communauté. Il y aura des changements à apporter afin de s'adapter à un contexte changeant. L'un des enseignants résume la situation ainsi :

> Ça a un impact d'apprentissage, un apprentissage supplémentaire je dirais, pour ceux qui étaient ici avant, pour les nouveaux aussi séparément et pour les deux ensemble [...] et entre les enseignants aussi (Extrait 7).

Un questionnement sur les normes fransaskoises et les privilèges que connaissent certains membres du groupe pourrait constituer un point de départ. Le dialogue entre Fransaskois et Métis[2], qui a été établi au cours des dernières années au sein de la Fransaskoisie, est un exemple d'un processus de prise de conscience de vécus différents ainsi que des privilèges et de la place qu'on occupe au sein de la communauté francophone en contexte anglo-dominant. L'une des directions scolaires mentionne une nouvelle politique du conseil scolaire qui pourrait avoir comme conséquence d'en privilégier certains et d'en marginaliser d'autres :

> Notre nouvelle politique d'admission du conseil maintenant, lorsqu'il s'agit d'une famille qui demande une admission, il y a une période de probation [d']un an où les familles nouvelles sont accueillies, et un an plus tard, on réévalue le cheminement culturel de l'élève, mais aussi de la famille. Et si la famille n'a pas cheminé tel que prévu, on réévalue si vraiment l'école francophone répond à leurs besoins. Il y a des risques d'échec si l'école ne fournit pas à ces familles les appuis nécessaires pour permettre ce cheminement culturel. Alors, c'est tant pour les francophones que les nouveaux arrivants. Pour nos francophones générations perdues assimilés[3], si on s'attend à ce qu'ils fassent un cheminement culturel, mais on ne leur donne pas les moyens d'y arriver, on va y perdre, et là c'est notre réputation qui va être atteinte, et tous les progrès qu'on a faits récemment vont être détruits (Extrait 8).

En référant à la citation précédente, on pourrait demander aux décideurs ce qu'ils entendent par « cheminement culturel ».

Il serait aussi important d'examiner les normes et les discours présents dans les contenus et les approches pédagogiques des écoles

---

[2] Le dialogue entre Fransaskois et Métis s'est déroulé au cours d'une série de tables rondes. Ces dernières étaient une initiative de l'Institut français de l'Université de Regina et de l'Assemblée communautaire fransaskoise, en collaboration avec les communautés francophones et métisses de plusieurs régions de la Saskatchewan. Les tables rondes avaient pour but d'établir « une meilleure communication et compréhension entre les deux peuples qui se sont éloignés l'un de l'autre au cours du siècle dernier » (Institut français, 2010 : 10).

[3] Francophones générations perdues est un terme employé pour les ayant droits, d'origine francophone, qui ne parlent pas le français et donc choisissent d'inscrire leurs enfants à une école francophone afin de réintroduire la langue et la culture française dans leur famille.

fransaskoises. Laura A. Thompson (2011) constate que la transformation rapide à laquelle les populations francophones en situation linguistique minoritaire sont soumises est telle qu'elle constitue une occasion idéale pour réévaluer les pédagogies et développer des contenus postcoloniaux. En même temps, on pourrait s'assurer que l'on discute du rôle des empires et du colonialisme en les considérant comme des forces actuelles et pas seulement passées. Dans un contexte de fragilité démographique et d'instabilité identitaire en Saskatchewan, les écoles fransaskoises peuvent être perçues comme des lieux de dialogue et de réflexion sur le développement d'une Fransaskoisie pluriculturelle. Les directions d'école peuvent jouer un rôle important dans l'introduction de discours plus inclusifs et dans l'interruption, et même l'abandon, des discours qui nuisent à l'inclusion des immigrants au sein de la communauté.

Ce que les participants ont dit est important, mais tout aussi important est ce qu'ils n'ont pas dit. Comme je l'ai mentionné plus haut, on a fait beaucoup d'efforts pour comprendre l'« Autre », mais les participants ne soulignent pas souvent l'importance de connaître sa propre culture afin de se préparer à l'arrivée de l'« Autre ». On a vu amplement de preuves de bonne volonté de la part du personnel scolaire. Par exemple :

> On a la chance d'avoir deux enseignants cette année qui ont créé le comité d'Accueil des Nouveaux Arrivants [CANA], qui ont mis sur pied des soirées pour les parents afin de connaître leurs droits, les lois en Saskatchewan, pour être fonctionnels en Saskatchewan. Ils ont parlé d'un peu de tout. Et puis ça, ça permet l'inclusion avec des structures de la sorte [...] Le comité CANA a invité des associations fransaskoises, il y a eu des présentations de ce qu'ils pouvaient leur offrir, de quel appui ils pouvaient apporter aux familles [...] La volonté. La volonté d'accueillir est là, ça c'est clair (Extrait 9).

> Les membres du personnel scolaire, ils comprennent, ils acceptent, ils s'adaptent. La volonté de vouloir garder l'élève comme préoccupation centrale de l'école. Ils ne sont pas axés sur eux-mêmes. Le personnel de l'école, c'est soit le personnel de soutien ou le personnel enseignant, j'en suis convaincu, je le vois, la première préoccupation c'est l'élève. C'est là que tu sais que tu as une équipe de succès qui va répondre aux besoins des élèves (Extrait 10).

Mais, étant donné les enjeux raciaux existants, le fait d'être gentil n'est pas suffisant. Il faut aussi être conscient de ce qui attend l'« Autre » en Saskatchewan, en ce qui a trait à la langue et à son identité raciale. Pour ce qui est des défis qui persistent, les directions d'école rapportent ce qui suit :

[Il y a des] élèves qui vont venir nous voir, « On fait ça, c'est-tu correct ça ? » Au moins ça se dit, les plus jeunes c'était un peu plus difficile, la référence à la couleur des fois comme « toi tu es chocolat », des choses comme ça. Alors ça, c'est une éducation, on a besoin d'une éducation dans les classes (Extrait 11).

C'est arrivé dans les autobus où il y a eu des commentaires [racistes] que j'ai adressés le lendemain, m'asseoir avec les élèves et d'en discuter, leur faire reconnaître ce que ça veut dire, quels sont les impacts de ça (Extrait 12).

R : La situation que j'ai mentionnée avec l'élève qui se moquait de la couleur de peau d'un de ses camarades de classe, dans une salle de classe on a des défis de cliques, mais je vois ça limité à une salle de classe et ça, il faudrait plus de gestion de ce groupe-là. [...] Avant on avait un cas isolé avec un petit noyau d'élèves. Mais je pense que de façon générale dans l'école je sais que tout le monde se sent uni si on veut et accepté. Il reste un défi dans une salle de classe.

Q : Comment faire face à ce qui se passe avec ce groupe d'élèves ?

R : Un, aller individuellement auprès des élèves qui sont les suiveurs si on veut, dissoudre le réseau, eux autres en premier pour que la leader de cette clique-là se sente isolée, elle. Pour l'instant c'est les autres qui sont isolés. On pourrait aller chercher ceux qui la suivent. Je suis certain qu'ils vont comprendre qu'est-ce qu'ils font est pas nécessairement la façon d'agir, et qu'ils vont changer leurs habitudes, surtout s'ils sont appuyés. Et après ça, c'est l'élève qui est responsable de la marginalisation qui va se sentir seule, et là on travaille avec elle, pour penser ses habitudes aussi. Mais je pense qu'en premier il faut briser le lot [...] Lui enlever son pouvoir et son pouvoir vient des autres élèves [...] pour l'instant, c'est la première fois, c'est pourquoi ça m'a tellement choqué, j'ai suspendu l'élève. Je n'accepte pas ça, et puis je voulais être certain que c'était clair pour tout le monde qu'on n'accepte pas ça ! (Extrait 13)

Pour moi un grand défi c'est de créer le cadre pour que chacun se connaisse. S'il y a un défi là, c'est d'amener les enseignants et les enseignantes, moi-même, la structure d'école, amener les gens à se connaître (Extrait 14).

Enfin, d'autres possibilités relèvent du quatrième type d'éducation qui s'oppose à l'oppression : *l'éducation qui transforme les élèves et la société*. Cette option se situe dans un cadre poststructuraliste et a pour but d'utiliser les discours pour encadrer la façon dont on pense, dont on se sent, dont on agit et interagit. En effet, l'oppression se manifeste dans ce qui est dit (citer des discours blessants et répéter des histoires nocives) et dans le non-dit (l'oppression se produit dans les discours nocifs dominants). Quels sont ces discours ? Il importe de souligner que les extraits qui suivent ne sont pas nécessairement représentatifs de toutes les directions scolaires. Dans l'extrait suivant, on entend deux discours, soit celui de « nous les gens qui aidons; eux les gens qui reçoivent de l'aide » qui laisse sous-entendre un déséquilibre entre les groupes face au pouvoir, et un deuxième discours commun en Amérique du Nord : « Si tu travailles fort, tu réussiras », qui découle du mythe de la méritocratie (McNamee et Miller, 2004) :

> On s'adapte à ces enfants-là, on prend le temps de mieux les connaître, on les prend avec ce qu'ils ont, avec la francisation et notre enseignement modifié adapté, c'est juste une question de patience, de persévérance. Si l'élève à la fin a bonne attitude, on est gagnant! Ça va marcher parce que les professionnels eux aussi, ils veulent le succès de l'élève puis ils vont faire ce qu'il faut. Alors l'élément clé là-dedans c'est la volonté de l'élève. Surtout quand l'élève nous arrive plus âgé, on l'a déjà eu en sixième année, alors que ce soit des nouveaux arrivants francophones ou non, c'est la même chose. Si l'élève le veut, on va réussir. Si l'élève ne veut pas, on ne réussira pas! Et puis ça, il faut que je sois très clair avec les parents des nouveaux arrivants et n'importe quel nouvel élève, il faut que l'élève le veuille. Si l'élève ne le veut pas, on ne pourra pas (Extrait 15).

Il y a un autre discours qui peut contribuer à maintenir l'idée que le déséquilibre entre les groupes est normal : « Ils sont venus ici faire une meilleure vie, pour offrir une meilleure vie à leurs enfants. Ils nous en sont reconnaissants. » Et voici un extrait, à titre d'exemple :

> La règle générale c'est qu'ils s'investissent un peu plus. Il y a quelques exceptions à la règle, mais j'ai observé que les nouveaux arrivants s'investissent plus parce qu'ils ont une grande appréciation justement de ce cadeau-là. Et puis ils ont les yeux grands ouverts, ils sont impressionnés, ils sont toujours très reconnaissants aussi. C'est toujours les premiers qui vont venir vous remercier, qui s'assurent qu'on est conscient de leur appréciation, et ça, ils ne le prennent pas pour acquis (Extrait 16).

Il existe aussi des discours sur l'équité, au sens de similitude ou d'égalité, qui encouragent un traitement identique pour tous les élèves, peu importe les circonstances :

> Il faut axer la pédagogie sur l'interaction entre élèves, pour moi c'est la plus grande clé du succès. Puis après ça, pas de traitement spécial sans être justifié. Il y a des élèves qui ont des modifications dans leur programme pédagogique et la classe le reconnaît et c'est commun. Et dans ce cas-là, de voir qu'un élève est chouchou du professeur ou des choses comme ça, ça brise toute la partie inclusion [...] si on peut amener les élèves à agir de façon homogène, on va favoriser l'inclusion aussi. Chacun a son individualité, je pars de ça [...] et aussi je fais très attention à comment j'interagis avec toute la classe, et s'assurer que c'est pareil pour tout le monde. Mais je pense que la clé c'est l'équité (Extrait 17).

Dans le but d'identifier les forces des participants afin qu'elles servent de base à de futures initiatives, il faut tout d'abord cerner les forces existantes dans les communautés scolaires participantes. Même si les interventions effectuées à ce jour se sont déroulées dans un seul sens, c'est-à-dire orientées de « nous » vers « eux », les directions scolaires conçoivent l'intégration comme un partenariat :

> Je pense qu'être intégré, pour moi c'est un partenariat communautaire, mais pour répondre aux besoins de ces familles-là il faut, un, assumer nos responsabilités et il ne faut pas brimer les enseignants et les directions d'école qui ont à assumer ces responsabilités-là. Il faut les amener à mieux connaître les partenaires sur lesquels ils peuvent eux autres aussi s'appuyer. Si on ne fait pas ça, les gens vont, oui s'investir au début, mais après un *burnout*, ils ne le font plus. Et cela va avoir un impact négatif et on va avoir des méchants défis si on ne réussit pas à harmoniser les efforts communautaires (Extrait 18).

> Il y a déjà OPEN DOOR [un organisme d'accueil], mais si on pouvait avoir une aile francophone à OPEN DOOR, ça aiderait ces gens. Puis, dernièrement, ils ont engagé une francophone pour ça. Quand je dis tranquillement, on fait du chemin ; au départ, OPEN DOOR n'aurait jamais dirigé les nouveaux arrivants chez nous. Ils ont même embauché une francophone, bon ! [...] l'année prochaine, ça va être beaucoup plus facile d'établir la relation avec les familles francophones (Extrait 19).

Les enseignants indiquent également à l'unanimité qu'ils appuient la direction de leur école. L'extrait suivant résume bien les constats de tous les enseignants interviewés :

> Je pense qu'on a une direction qui a la volonté et l'intelligence [...] [et] veut vraiment l'inclusion. Quand je pense que l'inclusion c'est la réussite de tous, notre directeur est assez courageux pour mettre beaucoup de nouvelles idées en pratique, et assez intelligent pour penser à de bonnes idées (Extrait 1, enseignant).

Enfin, toutes les directions croient qu'une intégration réussie doit avoir pour base les relations interpersonnelles :

> Les relations interpersonnelles, je pense c'est ça qui est la clé. J'accorde beaucoup d'importance dans comment tu te sens dans ton école. Pour moi l'apprentissage se fait par le biais d'une bonne relation. Alors vaut mieux développer les relations en premier, l'apprentissage va suivre après. Je ne voudrais pas que l'école devienne axée uniquement sur des résultats sans regarder la qualité des relations au sein de l'école. Mon plus grand succès c'est de développer avec mon personnel, avec la communauté, et avec mes élèves, cette relation de confiance, de collaboration, de partage, une vision commune pour l'école, pour que tout le monde accepte d'y rester et s'engager (Extrait 20).

Parce que je vois tout le côté affectif humain là. Ce côté, et je vois le côté de la scolarité et on embarque là-dedans. Puis comment souvent il faut aller prendre soin de ce côté affectif avant qu'on embarque dans la scolarité? [...] c'est d'établir une réassurance si on veut chez les parents et d'établir le sens de confiance dans l'école, que les parents aient confiance que l'école va s'occuper de leurs jeunes et tout ça, et d'établir ce rapport de collaboration (Extrait 21).

Les relations avec les nouveaux arrivants j'adore ça ; ils m'amènent une ouverture sur un autre peuple, sur une autre culture. Je trouve ça fort intéressant. J'ai plus de relations avec les élèves qu'avec les familles. Je te dirais que pour moi des fois c'est encore nébuleux ! Comment fonctionne le noyau familial, des fois, ils vivent avec leurs oncles, des fois avec leurs cousins. Pour toute la compréhension du noyau familial des familles africaines, c'est encore pour moi quelque chose que j'ai besoin de clarifier. Des fois, on a des problèmes de langue aussi, ou ils ont des difficultés à nous comprendre. [...] si j'ai un conseil à donner à tout le monde, c'est les nouveaux arrivants, de par leur culture, sont ouverts à en parler [...] Je ne me suis jamais gêné. Je leur ai posé des questions pointues. Ils y ont répondu. Moi, je trouve que c'est juste un plus pour l'école de les avoir parmi nous (Extrait 22).

Aussi importante que soit l'identification des forces actuelles, il importe de continuer à cerner les discours dominants et les points à améliorer. Selon l'une des directions scolaires, une école équipée d'un poste de liaison communautaire serait utile :

Je pense au modèle des écoles communautaires un peu le modèle de *community liaison person* qui a le mandat d'aller dans les domiciles, l'école-communauté, s'assurer que les familles aient les appuis nécessaires. Si on avait une ressource comme ça, je pense qu'on pourrait mieux faire le suivi avec les nouveaux arrivants. Parce qu'on n'est pas une école communautaire avec une clientèle à risque telle que définie, mais la communauté est à risque ; les nouveaux arrivants risquent de tomber, sont en danger si on ne les appuie pas, ne les épaule pas comme il faut. Les écoles francophones sont une clientèle à risque, le taux d'assimilation est de 72 %. Une ressource comme ça, communautaire-scolaire, qui peut assurer une liaison avec les familles ciblées, peut limiter les trébuches plus tard (Extrait 23).

Conclusion

Cet article donne un aperçu des perspectives qu'ont les directions d'écoles fransaskoises sur l'inclusion des élèves immigrants. À l'aide d'un cadre d'analyse basé sur les quatre types d'éducation qui s'opposent à l'oppression (Kumashiro, 2000), nous avons identifié les succès relatifs ainsi que des pistes à suivre pour aboutir à une meilleure inclusion scolaire et mettre en lumière les enjeux relatifs à l'identité raciale. L'analyse des entretiens avec les trois directions d'école indique que ces dernières reconnaissent la diversité au sein de la population étudiante, mettent l'accent sur l'accueil et sur les initiatives scolaires (ex. : programmes pour développer l'estime de soi et pour contrer l'intimidation) destinées à sensibiliser les élèves et le personnel à l'oppression et à leur responsabilité pour arriver à contrer cette dernière. Ces initiatives rendent l'espace scolaire plus sécuritaire. La bonne volonté manifestée envers les immigrants ne peut être mise en doute. On détecte aussi les signes tangibles d'une volonté de remettre en question les approches pédagogiques en usage. L'une des directions l'a expliqué ainsi :

> On va remettre des choses en question. J'ai été clair là-dessus, on va remettre nos pratiques pédagogiques en question. Ça se peut que nous ayons à faire des deuils. Ça se peut qu'il y a eu des pratiques qu'on écarte, ça fonctionne pas dans tel domaine – on le met de côté.

Pourtant, les directions scolaires ne semblent pas encore tout à fait prêtes à s'interroger sur la nature des systèmes scolaires et sur le rôle qu'elles jouent dans la dynamique des enjeux de pouvoir et de privilège omniprésents tant dans les écoles que dans la société qui les entoure. Cela est, à notre avis, lié de manière paradoxale à la bonne volonté, ou même à la bienveillance dont font preuve les directions d'écoles qui ont participé à la présente étude. S'identifier comme gentils pourrait nous empêcher de nous regarder dans le miroir et d'examiner nos propres discours et les discours communs qui nous entourent, discours que nous risquons de ne voir que comme du bons sens. Voilà donc le paradoxe de la gentillesse et de la bonne volonté. Nous croyant être gentils, il ne nous vient peut-être pas à l'esprit de nous pencher sur nos paroles quotidiennes, lesquelles pourraient créer et maintenir des déséquilibres de pouvoir et nous empêcher même de voir comment nos paroles et nos actions quotidiennes pourraient constituer des écueils à l'inclusion de l'« Autre ». Comme le dit Tim Wise (2010), les personnes ayant du pouvoir relatif dans un groupe pourraient être en train de vivre dans un climat de « *privilege of obliviousness* » (privilège qui nous empêche de voir des défis de l'« Autre »). Selon lui, c'est ce privilège qui permet aux personnes dites gentilles de continuer à travailler au sein d'institutions inéquitables. L'absence de reconnaissance des expériences des gens qui diffèrent de la norme dominante nous empêche de reconnaître non seulement l'iniquité, mais aussi l'humanité et la valeur de tous et chacun.

Les élèves qui grandissent dans un milieu scolaire qui fonctionne d'une certaine manière vont, selon Wise, adopter les discours dominants par défaut et conclure que ces façons de faire et de penser sont naturelles et normales. Dans cet article, nous avons examiné et mis en question les discours qui risquent d'influer sur le milieu scolaire, soit ceux des directions d'école.

Dans la présente étude, l'adoption d'une approche critique a facilité le repérage des discours à l'origine des contradictions sociales. L'intention des directions d'école est de favoriser l'accueil des élèves immigrants et de rendre leur établissement scolaire inclusif pour tous les élèves. Toutefois, l'analyse critique de leurs constats lors des entretiens fait ressortir des discours qui risquent de renforcer un état d'altérité et d'empêcher une participation équitable de tous les membres des communautés scolaires participantes.

Aujourd'hui, dans notre collaboration avec la communauté, nos partenaires scolaires et nous poursuivons, d'une part, les discussions afin de mettre en évidence les discours dominants, tant chez le personnel que dans les programmes scolaires et, d'autre part, l'identification de stratégies permettant d'améliorer les initiatives d'éducation inclusive. McLaren nous rappelle que l'individu et la société sont inextricablement liés à un point tel qu'on ne peut référer à l'un sans impliquer l'autre (2009 : 61). Aussi, les dialogues vont-ils s'élargir pour que soient entendues les multiples voix, qu'elles soient valorisées au sein des communautés scolaires fransaskoises et, enfin, qu'émerge une prise de conscience des discours prédominants au cœur de la société fransaskoise et de la société anglophone qui l'entoure.

Nous espérons que cette étude contribuera à l'analyse des perspectives sur l'inclusion des élèves immigrants ainsi que sur la négociation d'un espace scolaire en évolution en milieu minoritaire francophone canadien. Elle offre des réponses aux questions suivantes : quels sont les principaux discours des dirigeants scolaires sur l'éducation en contexte pluriethnique ? Comment les initiatives d'inclusion des élèves issus de l'immigration correspondent-elles aux quatre formes d'éducation qui s'opposent à l'oppression telles que définies par Kumashiro (2000) ? Cette analyse ajoute une nouvelle perspective aux discussions sur l'inclusion qui ont cours au Canada et présente quelques discours qui sont problématiques si l'on désire créer une communauté scolaire qui encourage une dialectique entre tous les participants.

Certains discours pourraient avoir tendance à normaliser un déséquilibre entre les membres de longue date et les nouveaux arrivants de la communauté fransaskoise face au pouvoir. D'autres semblent inspirés du système de méritocratie, qui trouve sa justification dans les déséquilibres apparents expliqués par la présence présumée d'inégalités dans l'intelligence, les aptitudes, la volonté et les efforts de chacun. D'autres encore présentent l'équité comme s'il s'agissait d'un synonyme d'égalité et découragent ainsi la poursuite d'un apprentissage différencié respectueux de la situation particulière de chaque élève. De telles perspectives n'étaient toutefois pas présentes chez tous les dirigeants scolaires. Les discours les plus communs étaient ceux qui faisaient appel au « nous/eux » (Fransaskois et Autres), que l'on considère comme problématiques dans la mesure où l'« Autre » est placé dans un espace d'altérité défini surtout par les différences présumées entre l'« Autre » et le « nous Fransaskois » dominant. Une première analyse des entretiens avec les enseignants des trois écoles participantes indique une adhésion solide à l'approche d'inclusion de leur directeur d'école. Ce résultat initial souligne l'importance de s'intéresser à ces discours qui, s'ils n'étaient pas remis en question, risqueraient d'être perçus comme découlant d'une norme présumée. Ces discours pourraient avoir un impact sur les perspectives des enseignants et, par un effet de domino, avoir aussi un impact sur les élèves. Nous poursuivons nos analyses des perspectives des enseignants pour, ensuite, partager ces réflexions avec tous les membres des communautés scolaires participantes. Ainsi, cette étude respecte les principes de la pédagogie critique, qui souligne le rapport dialogique et non unidirectionnel entre les directions scolaires et les membres des communautés qu'elles servent (McLaren, 2009).

BIBLIOGRAPHIE

BELKHODJA, Chedly (2008). « Immigration and Diversity in Francophone Minority Communities: Introduction », *Canadian Issues = Thèmes canadiens,* (printemps), p. 3-5.

CARLSON BERG, Laurie (2010). « Experiences of Newcomers to Fransaskois Schools: Opportunities for Community Collaboration », *McGill Journal of Education,* vol. 45, n° 2 (printemps), p. 287-304.

CARLSON BERG, Laurie (2011). « La couleur des relations sociales », *Canadian Issues = Thèmes canadiens,* (été), p. 34-39.

CARLSON BERG, Laurie, Nathalie PIQUEMAL et Bathelemy BOLIVAR (2008). *Guide d'entretien pour le personnel scolaire,* ARUC-IFO, volet 3 : Inclusion des nouveaux arrivants en milieu scolaire : vers une pédagogie de réciprocité culturelle.

CITOYENNETÉ ET IMMIGRATION CANADA (2006). *New Plan to Boost Immigration to Francophone Minority Communities,* [En ligne], [http://www.cic.gc.ca/english/department/media/releases/2006/0610-e.asp] (20 juin 2012).

CITOYENNETÉ ET IMMIGRATION CANADA (2010). « Regina: Advanced Immigration, Employment and Immigration », *Micro Data, 2010, Quarter 3, Landed Immigrant Database,* Government of Saskatchewan.

COMMISSION SUR L'INCLUSION DANS LA COMMUNAUTÉ FRANSASKOISE (2008). *Rapport final : de la minorité à la citoyenneté,* rapport déposé à l'Assemblée communautaire fransaskoise, Regina, La Commission sur l'inclusion dans la communauté fransaskoise. La Commission était présidée par Wilfrid Denis.

DENIS, Wilfrid (2010-2011). « "Commission sur l'inclusion dans la communauté fransaskoise : de la minorité à la citoyenneté" : une réflexion sur le cadre idéologique », *Revue du Nouvel-Ontario,* n°s 35-36, p. 15-46.

EARICK, Mary (2009). *Racially Equitable Teaching: Beyond the Whiteness of Professional Development for Early Childhood Educators,* New York, Peter Lang.

FAIRCLOUGH, Norman (2010). *Critical Discourse Analysis: The Critical Study of Language,* London, Longman.

FARMER, Diane (2008). « "Ma mère est de Russie, mon père est du Rwanda" : les familles immigrantes dans leurs rapports avec l'école en contexte francophone minoritaire », *Canadian Issues = Thèmes canadiens,* (printemps), p. 113-115.

GALLANT, Nicole (2008). « De l'ouverture à l'inclusion : immigration et identité en milieu francophone minoritaire », *Canadian Issues = Thèmes canadiens,* (printemps), p. 39-41.

GERGEN, Kenneth J. (1999). *An Invitation to Social Construction,* London, Sage.

GERGEN, Kenneth J. (2003). « Constructionisme social et nouvelles parentalités », *Thérapie familiale,* vol. 24, n° 2, p. 119-128.

INSTITUT FRANÇAIS (2010). *Rapport annuel d'activités 2009-10,* Regina, l'Institut, [En ligne], [http://institutfrancais.uregina.ca/index.php/general/list/menu_id/87] (20 juin 2012).

JACQUET, Marianne, Danièle MOORE et Cécile SABATIER (2008). « Médiateurs culturels et insertion des nouveaux arrivants francophones africains : parcours de migration et perception des rôles », *Glottopol,* n° 11, p. 81-94.

KUMASHIRO, Kevin (2000). « Toward a Theory of Anti-Oppressive Education », *Review of Educational Research,* vol. 70, n° 1 (printemps), p. 25-53.

McLAREN, Peter (2009). « Critical Pedagogy: A look at the Major Concepts », dans Antonia Darder, Marta P. Baltodano et Rodolfo D. Torres (dir.), *The Critical Pedagogy Reader,* 2e éd., Londres, Taylor and Francis, p. 61-83.

McNAMEE, Stephen J., et Robert K. MILLER (2004). « The Meritocracy Myth », *Sociation Today,* vol. 2, n° 1 (printemps).

NIETO, Sonia, et Patty BODE (2012). *Affirming Diversity: The Sociopolitical Context of Multicultural Education*, 6ᵉ éd., Boston, Pearson.

SASKATCHEWAN MINISTRY OF EDUCATION (2010). *Provincial Panel of Student Achievement: Final Report*, Regina, Saskatchewan Ministry of Education.

ST. DENIS, Verna (2011). « Silencing Aboriginal Curricular Content and Perspectives Through Multiculturalism: "There Are Other Children Here" », *Review of Education, Pedagogy, and Cultural Studies,* vol. 33, n° 4, p. 306-317.

THOMPSON, Laura A. (2011). « Time to "Play Catch Up": Towards a Postcolonial Understanding of Francophone Realities », *Canadian Issues = Thèmes canadiens,* (été), p. 64-68.

TREPAGNIER, Barbara (2006). *Silent Racism: How Well-Meaning White People Perpetuate the Racial Divide*, Boulder, Paradigm Publishers.

WISE, Tim (2010). *Colorblind: The rise of post-racial politics and the retreat from racial equity*, San Francisco, City Lights Books.

Le rapport de recherche : un méga-outil pour « nourrir » l'enseignement des sciences

Léonard P. Rivard et Luc N. Martin
Université de Sainte-Boniface
avec la collaboration de Fernand Saurette

Toute communauté discursive a recours à différents genres de textes ou « méga-outils » afin de transmettre ses idées aux membres (Schneuwly, 1995 : 78). Chaque genre peut être constitué de différents types de textes et possède des fonctions qui lui sont spécifiques ainsi que « des particularités linguistiques et textuelles » (Chartrand, Blaser et Gagnon, 2006 : 278). Malgré l'utilité que l'on reconnaît aux genres et aux types de textes dans l'enseignement de toutes les matières scolaires, ces notions font rarement l'objet d'un enseignement explicite (Cope et Kalantzis, 1993 ; Donovan et Smolkin, 2006 ; Johns, 2002 ; Martin, 1993). En l'absence d'un tel enseignement, les élèves construiront leurs connaissances discursives à partir des expériences vécues en salle de classe, et cela, de manière incomplète, voire parfois erronée. James Martin (1993) recommande que les enseignants en sciences déconstruisent les genres privilégiés dans cette matière et les enseignent de façon explicite s'ils souhaitent que leurs élèves soient en mesure d'écrire de façon satisfaisante. Plusieurs éducateurs émettent la même recommandation (Gee, 2004 ; Janzen, 2008 ; Klein, 2006).

Toutefois, des analyses de types d'écriture observés dans les cours de sciences et des sondages réalisés auprès d'enseignants montrent que ces derniers connaissent peu les particularités propres aux textes scientifiques (Hand, Prain et Yore, 2001 ; Rivard et Levesque, 2011). Une enquête pancanadienne réalisée en 2002 dans le cadre du Programme d'indicateurs du rendement scolaire a révélé que seulement 35 % des élèves anglophones et 27 % des élèves francophones de 16 ans déclarent que leurs enseignants, autres que ceux des cours de langues, expliquent les formes d'écriture utilisées (Conseil des ministres de l'Éducation (Canada), 2003). De son côté, Joy Janzen (2008) remarque que les divers genres et types de textes emploient des structures pouvant être représentées par des schémas spécifiques et que leur utilisation en salle de classe pourrait faciliter la production écrite, particulièrement chez les élèves qui éprouvent des difficultés. Plusieurs auteurs ajoutent qu'un travail sur les types de verbes et les mots connecteurs propres à ces textes renforce de telles représentations graphiques et profite aux élèves (Grabe, 2002 ; Wellington et Osborne, 2001). Ainsi, un document de référence qui explique les structures des types de textes ainsi que les éléments lexicaux, syntaxiques et textuels qui leur sont associés peut se révéler un outil pédagogique utile dans la mesure où il favorise une prise de conscience métacognitive chez les élèves (Rivard et Cavanagh, 2011).

Le rapport de recherche, plus particulièrement l'article de recherche publié dans les périodiques ou revues savantes, est le genre dominant dans la communauté scientifique (Bazerman, 1988 ; Yore, 2004). Il peut être composé de textes de types descriptif, explicatif et argumentatif, en fonction des intentions de l'auteur dans les différentes parties du rapport. C'est un genre complexe et nuancé qui est bien connu dans la communauté scientifique, mais qui est moins bien connu chez les enseignants en sciences pour qui ce rapport constitue un texte pour informer, tout simplement pour « lire la Nature », plutôt qu'un texte pour convaincre les scientifiques du bien-fondé des faits et des arguments présentés. Le rapport de laboratoire typique, son équivalent en contexte scolaire, devrait lui aussi exiger ces types de textes si nous voulons offrir aux élèves un juste aperçu du caractère de la science et les aider à développer leurs compétences en écriture. Les élèves du secondaire savent comment noter des résultats, mais ils ont énormément de difficultés à analyser des données, à cerner les preuves à l'appui d'une hypothèse et à formuler des arguments solides (Driver, Newton et Osborne, 2000 ; Kelly et Chen, 1999).

Notre intention, dans cet article, est de présenter et de démystifier le rapport de recherche conventionnel publié dans les revues savantes en sciences. Pour ce faire, nous nous proposons d'analyser les différentes parties qui constituent ces rapports de recherche. Il s'agit traditionnellement des suivantes : l'introduction, le matériel et la méthode, les résultats et la discussion. Enfin, le rapport commence avec un résumé qui récapitule l'essentiel de l'étude présentée et est précédé d'un titre descriptif.

Les six articles, ou rapports de recherche sur lesquels nous nous sommes basés, sont tirés de deux revues savantes. *Le Naturaliste canadien* a été fondé en 1868 et « entend donner une information à caractère scientifique et pratique, accessible à un large public, sur les sciences naturelles, l'environnement et la conservation » (La Société Provancher d'histoire naturelle du Canada, 2011). *Écoscience* est « un périodique international en écologie » qui diffuse des articles portant sur « les processus et les patrons écologiques à différentes échelles spatiales et temporelles et à différents niveaux d'organisation biologique » (Écoscience, 2011). Ces périodiques, particulièrement *Le Naturaliste canadien,* présentent l'avantage d'être compréhensibles pour des enseignants n'ayant pas de formation spécialisée dans le domaine scientifique. Dans l'analyse, nous commenterons les idées que l'auteur développe dans chaque partie (le fond) ainsi que les éléments linguistiques auxquels il a recours (la forme). Nous croyons que cette analyse pourrait éclairer la façon dont les enseignants en sciences au secondaire exploitent le rapport de laboratoire pour développer davantage l'écrit. Selon Ken Hyland (1996a), ce sont les apprenants en langue seconde qui éprouvent énormément de difficultés à s'approprier les connaissances épistémiques et discursives nécessaires pour maîtriser ce genre de discours. Nous croyons que les élèves francophones en milieu minoritaire font face aux mêmes obstacles. Nous formulerons finalement des recommandations à l'intention des enseignants qui souhaitent aborder les composantes du rapport de laboratoire avec leurs élèves en salle de classe.

Le résumé et le titre

Un résumé au début du compte rendu permet d'apprécier l'intégralité de l'investigation dans un texte clair et succinct. Étant donné sa fonction et sa longueur, il se doit d'être de nature descriptive. Il commence ici par le couple passé composé et imparfait afin de présenter les actions qui ont été menées ainsi que les résultats observés et se termine par une conclusion au présent de l'indicatif. Selon Ginette Demers et ses collaborateurs, les verbes au présent sont souvent employés « à valeur intemporelle » (2000 : 149). Nous avons souligné les verbes dans les extraits suivants :

> Sept densités de ratons laveurs et quatre densités de moufettes rayées <u>ont été estimées</u> en 2006 et 2007, lors des interventions de lutte contre la rage du raton laveur menées en Montérégie, à l'aide de la méthode des retraits, basée sur

l'effort de capture, et de la méthode de capture-recapture. Les densités évaluées ont varié de 6,3 ± 0,6 à 18,3 ± 2,6 ratons / km², pour une densité moyenne de 13,0 ± 0,9 ratons / km². Les quatre densités de moufettes obtenues ont fluctué de 1,0 ± 0,2 à 2,1 ± 1,5 moufettes / km², ce qui correspond à une densité moyenne de 1,6 ± 0,4 moufette / km². Les densités estimées les plus faibles, pour les deux espèces, ont été trouvées dans les blocs où l'agriculture était peu développée ou, au contraire, très présente. Les densités de ratons laveurs les plus élevées ont été mesurées là où l'agriculture occupait, en moyenne, 37 % de la superficie d'un bloc comparativement à 45 % pour la moufette. Ces résultats montrent que les deux espèces tirent profit de la fragmentation de l'habitat, la moufette semblant davantage à l'aise dans un milieu plus agricole que le raton laveur (Jolicoeur *et al.,* 2010 : 43).

Le résumé veut souligner l'importance de l'étude, donner un aperçu des résultats et mettre en évidence la ou les conclusions :

La salamandre cendrée, reconnue comme l'un des vertébrés les plus abondants de son aire de répartition, est un amphibien souvent utilisé comme espèce indicatrice de perturbations des écosystèmes forestiers. Ce rôle est justifié, en partie, par des études qui montrent sa vulnérabilité aux modifications de l'habitat, notamment une hausse de l'acidité du sol. Comme la salamandre cendrée avait été observée dans une érablière au sol très acide (pH ~ 3,7) de la région de Portneuf (Duchesnay), sa présence et certaines de ses caractéristiques morphologiques y ont été étudiées au cours d'une période de cinq ans. Les valeurs élevées (poids, longueur, fréquence de capture) mesurées à Duchesnay contredisent plusieurs études qui rapportent une influence négative de l'acidité du sol sur la présence et la santé de cette espèce. Notre étude montre qu'une population de salamandres cendrées vigoureuses peut habiter un milieu forestier très acide et remet en question son statut d'espèce indicatrice de l'acidité du sol en milieu forestier (Moore et Wyman, 2010 : 65).

Les auteurs du compte rendu doivent limiter leur texte à un certain nombre de mots. De plus, selon Bruno Latour et Paolo Fabbri, « le texte est dans son entier repris par le titre » (2000 : 93). Par exemple, les deux résumés présentés ci-dessus ont les titres suivants :

- « Estimation des densités de ratons laveurs et de moufettes rayées en Montérégie en 2006 et 2007 » ;
- « La salamandre cendrée : remise en question de son statut d'espèce indicatrice d'acidité du sol ».

Les scientifiques peuvent donc, à partir du titre, porter un premier jugement sur la pertinence de l'étude compte tenu de leur domaine de recherche.

L'introduction

L'introduction du rapport permet, dans un premier temps, de situer le lecteur à propos du cadre théorique qui sous-tend l'étude scientifique proposée. Elle est ainsi de nature principalement descriptive. Le chercheur, ou l'auteur, décrit l'état des connaissances : ce qui est déjà connu et les limites du savoir actuel. Il nous explique pourquoi l'étude faisant l'objet du compte rendu est importante : comment elle bâtit sur les acquis pour faire avancer les connaissances. Au besoin, il met en évidence les limites géographiques et temporelles des recherches antérieures et avance que la méthodologie choisie permet une analyse plus exhaustive. Généralement, il citera des études qui ont été menées par son équipe ou par d'autres équipes de chercheurs afin de bien situer la recherche proposée. Dans l'extrait suivant, dix références mentionnent des études antérieures sur la marmotte commune, trois soulignent les limites géographiques de la plupart des études précitées et une confirme l'avantage d'une méthode d'analyse particulière. Bref, dans l'introduction, l'auteur doit se positionner comme une autorité dans le domaine étudié et établir sa crédibilité ainsi qu'une compréhension commune avec les lecteurs (Yore, Hand et Prain, 2002). L'extrait suivant montre bien cette séquence rhétorique.

> Plusieurs études ont traité de l'utilisation de l'espace chez la marmotte commune, *Marmota monax* (Anthony 1962 ; Bronson, 1964 ; De Vos & Gillespie, 1960 ; Hayes, 1977 ; Meier, 1982 ; Merriam, 1960, 1971 ; Nuckle, 1982 ; Smith, 1972 ; Trump, 1950). À l'exception des travaux de De Vos & Gillespie (1960), Nuckle (1982) et Smith (1972), ces recherches ont été réalisées dans la partie méridionale de l'aire de distribution de cette espèce. Plusieurs de ces travaux ne portent que sur des périodes d'échantillonnage très courtes et furent réalisées [*sic*] par la méthode de marquage-capture-recapture. Il nous est donc apparu important d'analyser l'utilisation de l'espace dans une partie septentrionale de l'aire de distribution de la marmotte commune en suivant par télémétrie les mêmes individus pendant plusieurs mois. Cette méthode a l'avantage d'assurer un intervalle de temps régulier entre les localisations contrairement à la méthode qui nécessite la capture de l'animal, ce qui permet une analyse plus poussée de l'utilisation de l'espace (Ouellet et Ferron, 1986 : 263).

Parfois, l'auteur va préciser le but visé ou les objectifs de l'étude, ou même les deux. Dans l'exemple suivant, l'auteur expose le but de l'étude en proposant quatre objectifs.

Le but visé par la présente étude était de vérifier la faisabilité d'un contrôle de coyotes sur une échelle réduite dans le but de favoriser l'accroissement d'une population de cerfs. Plus particulièrement, les objectifs consistaient à (1) réduire la population de coyotes afin de minimiser la prédation chez les faons en été ; (2) vérifier si un contrôle en été se traduit par une population réduite de coyotes, même durant l'hiver suivant ; (3) scinder les groupes familiaux de coyotes afin de diminuer leur impact sur la survie des cerfs en hiver ; (4) mesurer l'effet de ces mesures sur la dynamique de la population de cerfs fréquentant le ravage d'Armstrong (Messier, Potvin et Duchesneau, 1987 : 478).

Plutôt qu'énumérer des objectifs, le chercheur pourrait présenter les questions qui ont orienté l'étude.

Nous tenterons ici, à partir de nos résultats, de répondre aux questions suivantes, du moins en ce qui concerne la population étudiée : (1) Le mode d'utilisation de l'espace varie-t-il selon le sexe et l'âge ? (2) La marmotte commune est-elle vraiment asociale ? (3) Peut-on identifier une stratégie socio-spatiale chez la marmotte commune ? (Ouellet et Ferron, 1986 : 264)

Enfin, l'auteur pourrait aussi présenter les hypothèses qu'il veut confirmer ou infirmer en réalisant l'étude, ici en ayant recours à des verbes au futur et au conditionnel. La présence de marqueurs de relation, tels que « car » et « par contre », suggère des éléments du discours argumentatif. Nous avons souligné les verbes dans le texte ci-dessous :

Dans ce travail, nous testerons l'hypothèse selon laquelle les routes d'un paysage seront d'autant plus envahies par l'haplotype M du roseau qu'on trouvera dans ce paysage abondance de structures favorisant un grand ensoleillement, le roseau étant très peu tolérant à l'ombre (Haslam, 1972). De manière plus précise, le roseau devrait être plus abondant le long des routes d'un paysage déboisé (champs agricoles) que dans celles traversant un paysage forestier. Les routes très larges traversant des boisés devraient aussi être plus envahies par le roseau que les routes étroites, car plus ensoleillées. Par contre, la largeur de la route ou son orientation ne devraient pas avoir une grande influence en milieu agricole puisqu'aucun arbre n'y obstrue la lumière (Lelong, Lavoie et Thériault, 2009 : 225).

Le matériel et la méthode

La partie du compte rendu sur le matériel et la méthode devrait comporter une description précise permettant à de tierces personnes de reproduire fidèlement l'étude ou l'expérience. En effet, la réplication par d'autres est une des caractéristiques fondamentales de la science. Il arrive aussi que l'auteur justifie ses choix méthodologiques. Tout comme l'introduction, cette partie est principalement de nature descriptive, on note ainsi la quasi-absence de marqueurs de relation, ou mots connecteurs. Dans les trois extraits suivants, la forme passive est très présente et permet aux auteurs de se distancier des propos ou même de créer une apparente objectivité (Bazerman, 1983 ; Hyland, 1996b). Étant donné qu'il s'agit d'une description du matériel et de la méthode utilisés, le passé composé et l'imparfait dominent :

> Des échantillons de sol des milieux BLC, BLL et LP ont été prélevés aux mêmes endroits que ceux de la récolte des vers de terre. Des prélèvements ont été effectués dans l'humus ou la partie superficielle du sol minéral (0 à 10 cm). Le pH_{eau} de ces sols a été mesuré à l'aide d'un pH-mètre Metrohm (modèle 826). Du papier tournesol a été utilisé, dans le secteur du parc des Grands-Jardins, pour estimer le pH sur place. Plusieurs études ont montré que le pH est l'un des facteurs qui exercent le plus d'influence sur l'abondance et la répartition des vers de terre dans le sol (Piearce, 1972 ; Lee, 1985 ; Briones et collab., 1995 ; Edwards et Bohlen, 1996). Le tableau 1 résume les caractéristiques des sites d'échantillonnage (Moore, Ouimet et Reynolds, 2009 : 32).

Généralement, la description comporte une énumération chronologique ou linéaire des actions afin de reproduire l'investigation :

> Nous avons effectué la cartographie des populations de roseau commun présentes le long de toutes les routes de l'aire d'étude à la fin juillet – début août des étés 2004 et 2005. Sur le territoire québécois, la quasi-totalité (95-99 %) des populations de roseau en bordure des routes est exotique (haplotype M ; Lelong *et al.*, 2007 ; Jodoin *et al.*, 2008). Les populations de roseau ont été détectées par une équipe de 3 personnes circulant dans un véhicule roulant à une vitesse inférieure à 80 km·h^{-1}. La première personne se concentrait uniquement sur la conduite du véhicule. La seconde repérait à l'œil les populations de roseau des 2 côtés de la route et la troisième manipulait le système de positionnement géographique (SPG) nécessaire à l'enregistrement des données. Le SPG utilisé avait une précision d'environ 5 m (Lelong, Lavoie et Thériault, 2009 : 225-226).

L'auteur du rapport inclura fréquemment un tableau pour faciliter la lecture de données abondantes et complexes. Par exemple, dans le tableau suivant, les chercheurs étudiant les vers de terre ont comparé différentes aires d'étude selon plusieurs caractéristiques, notamment la température annuelle moyenne, le nombre de jours sans gel, la précipitation annuelle moyenne et le type de sol dans trois différents endroits au Québec : Duchesnay, la forêt Montmorency et le parc des Grands-Jardins.

Tableau 1. Quelques caractéristiques des sites échantillonnés.

Secteur	Température annuelle moyenne (°C)	Nombre de jours sans gel	Précipitation annuelle moyenne	Type de milieu	Type de sol	Type d'humus	Type ou classe de texture du sol échantillonné	Année d'échantillonnage
Duchesnay	3,6	204	1300					
BLC				Érablière à bouleau jaune	Podzol	Mor	Organique	2002
LSJ				Aulnaie	Brunisol	Mull	Loam	1999
DU				Aires de débardage	Podzol remanié	–	Non determinée	1999 à 2002
Forêt Montmorency	0,8	139	1450					
LP				Sapinière à bouleau blanc	Brunisol	Moder-Mull	Organique, Loam Loam sableux	2002-2003
BLL				Sapinière à bouleau blanc	Podzol	Mor	Organique	2002
Parc des Grands Jardins	0	51	1300	Pessière noire	Podzol	Mor	Organique	2004

(Moore, Ouimet et Reynolds, 2009 : 33)

Il peut être important de bien situer l'aire d'étude dans le temps et l'espace afin que les lecteurs puissent évaluer la pertinence des résultats pour d'autres régions géographiques et périodes de temps. Le lecteur doit aussi pouvoir reproduire l'expérience, il importe donc que l'auteur précise la méthode utilisée pour l'échantillonnage et les mesures.

Les résultats

Dans cette section, le chercheur communique clairement ses observations sans les confondre avec des inférences ou des interprétations gratuites. Bien que cette tâche semble être assez évidente de prime abord, cela est loin d'être le cas. À partir d'une analyse de nombreuses études réalisées depuis un demi-siècle, Norman G. Lederman (2007) a conclu que beaucoup d'élèves du secondaire ont des conceptions erronées au sujet du caractère de la science. En général, ces élèves ont de la difficulté à différencier une observation d'une inférence, tendent à généraliser au-delà des résultats obtenus et ignorent souvent des éléments de preuve, particulièrement lorsque ceux-ci vont à l'encontre de leurs croyances personnelles (Lederman, 2007 ; Sadler, Chambers et Ziedler, 2004). Les élèves devraient être conscients des différences qui existent entre observation et inférence. Essentiellement, une inférence est une *explication* basée sur des observations alors qu'une observation se veut une *description* au sujet de la nature, qui est recueillie au moyen des cinq sens ou de l'extension technologique des sens humains et qui est reproductible et vérifiable (Lederman, 2007). Faire des inférences ou tirer des conclusions à partir de données empiriques implique toujours un regard à travers les prismes du chercheur : ses théories, ses croyances et ses expériences antérieures (Hanson, 1971 ; National Academy of Sciences, 1996).

Bruno Latour et Steve Woolgar (1979) ont mené une étude de terrain dans un grand laboratoire américain, afin d'observer les scientifiques au travail. Une de leurs conclusions était que le but ultime des chercheurs est de construire des faits scientifiques. Selon Latour et Fabbri (2000), nous pouvons observer dans les rapports de recherche des énoncés simples, un genre de savoir tacite, et des énoncés modalisés, un genre d'affirmations proposées en guise d'interprétation et de conclusion. Hyland (1996a et 1996b) a analysé la modalisation des énoncés dans un corpus de rapports de recherche tirés du domaine de la biologie moléculaire. Il a constaté que la modalisation est utilisée principalement dans la section « Discussion », bien que nous puissions aussi l'observer ailleurs dans le rapport. L'auteur doit interpréter ces données avec prudence et utiliser un langage précis et respectueux afin de convaincre ses pairs que ses arguments sont solides et que ses conclusions sont bien fondées.

La mesure scientifique est très évidente dans les données à la section « Résultats ». Des calculs, des moyennes et des écarts, ainsi que d'autres types d'analyse mathématique sont présentés dans cette partie du rapport. Nous pourrions aussi retrouver des tableaux ou des graphiques afin de faciliter la lecture de données quantitatives. Le titre d'un tableau ou d'une figure donne toujours suffisamment de renseignements pour permettre de comprendre son contenu même lorsqu'il est lu hors contexte.

Le texte ci-dessous est un bon exemple de la section « Résultats » d'un rapport de recherche. Il est de nature principalement descriptive. Nous pouvons observer la voix passive dans les énoncés, sauf dans une phrase où le pronom « nous » est utilisé pour désigner les auteurs. Nous observons aussi des énoncés où les auteurs circonscrivent les limites des données obtenues (effet de retrait) et justifient ce qui pourrait être perçu comme un échantillon insuffisant (la capture des coyotes). Nous avons souligné ces énoncés dans l'extrait cité ci-dessous :

> Au cours des trois années de réduction, un effort de 4148 jours-pièges a été nécessaire pour capturer 17 coyotes (tableau I). Les captures se sont réparties comme suit : 7 en 1979, 4 en 1980 et 6 en 1981. Au total, 9 mâles adultes (> 1 an), 4 femelles adultes et 4 jeunes ont été soustraits de la population. Parmi les femelles adultes, deux étaient lactantes, une avait nourri des jeunes le printemps même et une était non reproductrice. L'effet du retrait des femelles reproductrices sur la survie de leur progéniture est inconnu. Il a fallu en moyenne 244 jours-pièges pour capturer un coyote. Sur l'ensemble de l'étude, nous avons maintenu en opération environ 28 pièges par jour, ce qui représente 9 jours de travail par coyote capturé (Messier, Potvin et Duchesneau, 1987 : 479-480).

Dans l'exemple suivant, nous retrouvons de nouveau plusieurs emplois de la voix passive ainsi que le couple passé composé et imparfait. Dans le texte, les chercheurs présentent des estimations des densités de moufettes en fonction des zones géographiques à l'étude, ici appelées blocs d'études, tout en indiquant la limite de la collecte de données. Nous observons aussi des marqueurs de relation (mots soulignés) dans les explications que les auteurs proposent pour justifier cette limite.

> Malgré un effort de piégeage comparable à celui déployé pour le raton, les captures de moufettes n'ont guère dépassé 200 prises. Ce nombre est, en plus,

surestimé, car des recaptures ont été comptabilisées dans le bloc TVR61 au même titre que des premières captures. Les densités estimées de moufettes étaient donc beaucoup plus faibles que celles de ratons laveurs. Elles variaient d'un minimum de 1,0 ± 0,2 (bloc RED723) à un maximum de 2,1 ± 1,5 moufettes/km² (bloc RED71), pour une moyenne de 1,6 ± 0,4 moufette/ km² (tableau 2). Les densités les moins fortes de moufettes ont été trouvées dans les blocs à moyenne (1,3 moufette/km²; bloc RED61) et à très forte (1,0 moufette/km²; bloc RED723) vocation agricole (tableau 2; figure 5). Les densités les plus élevées ont été relevées dans les classes de vocation agricole moyenne (2,1 moufettes/km²; bloc TVR61) et forte (2,0 moufettes/km²; bloc RED71) où le pourcentage moyen du territoire voué à l'agriculture était de 45 % (Jolicoeur *et al.*, 2010 : 48).

Il se peut que les chercheurs incluent une figure pour présenter fidèlement les données. Par exemple, l'emplacement de nouvelles mentions de vers de terre sur le territoire québécois est présenté dans une carte géographique représentant l'aire d'étude. Dans la figure suivante, les auteurs ont intégré les résultats de leur étude à d'autres auxquels ils font référence dans le texte et dans la figure afin de donner une vue plus complète de la répartition des vers.

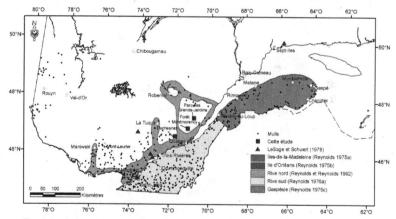

Figure 1. Localisation des nouvelles mentions de vers de terre réalisées lors de la présente étude et historique des principaux échantillonnages des vers de terre au Québec. Les points représentent les endroits où l'on a identifié la présence d'humus de type mull au cours de l'inventaire écologique des écosystèmes forestiers réalisé par le ministère des Ressources naturelles et de la Faune, entre 1986 et 2000.

Au total, dix espèces de ver de terre ont été dénombrées dans les trois secteurs étudiés, soit huit à Duchesnay, sept à la Forêt Montmorency et une dans le parc des Grands-Jardins (tableau 2). Nos observations viennent s'ajouter à celles de Lesage et Schwert (1978) et de Reynolds et Reynolds (1992) faites sur la rive nord du Saint-Laurent et permettent de mieux préciser l'aire de distribution de ces espèces (figure 1) (Moore, Ouimet et Reynolds, 2009 : 32).

La discussion

La discussion peut marier différents types de textes lorsque l'auteur décrit, explique et justifie ses interprétations et tire des conclusions. Comme nous l'avons mentionné précédemment, l'auteur doit utiliser plusieurs outils rhétoriques pour modaliser ses propositions dans le but de convaincre ses lecteurs. Nous y trouverons ainsi de nombreux mots connecteurs de même que l'emploi du conditionnel pour avancer des hypothèses, du présent de l'indicatif pour des affirmations et du passé composé et de l'imparfait pour les justifier. Cette partie du rapport privilégie un discours argumentatif parce que l'auteur doit faire valoir son interprétation des données devant ses pairs et justifier sa méthodologie. Si ses arguments ne sont pas suffisamment solides et rigoureusement présentés pour convaincre les membres de la communauté scientifique, son compte rendu ne sera pas publié dans les revues savantes. Souvent, l'auteur citera des études déjà publiées afin de suggérer une corroboration scientifique. Parfois, plusieurs études sont nécessaires avant que se manifestent des tendances évidentes. Cette corroboration de résultats au sein de la communauté scientifique est donc très importante. En dernier lieu, ce sont les pairs, en tant que gardes-barrières, ou *gate-keepers*, qui jugeront de la pertinence et de la validité des conclusions du chercheur lors de l'évaluation du texte avant qu'il ne soit publié. Si le compte rendu avait présenté des questions de recherche dans l'introduction, les auteurs pourraient organiser la discussion à partir des mêmes questions. Nous avons souligné différents types de modalisateurs dans les textes ci-dessous : adjectifs, adverbes, verbes, pronoms et noms.

LA MARMOTTE COMMUNE EST-ELLE VRAIMENT ASOCIALE ?

Plusieurs de nos observations indiquent que l'organisation sociale de la marmotte commune serait de type asocial. En effet, le degré de chevauchement des domaines vitaux est faible lorsqu'on considère, pour chacune des périodes séparément, la fréquence de partage simultané ou différée des terriers. Ouellet (1986) a observé que le taux de rencontres sociales dans cette population de marmotte commune était très faible et qu'elles étaient de nature agressive. La dispersion des juvéniles dès leur première année et l'absence de liens permanents ou persistants durant un certain temps, en dehors des rapports mère-jeunes de la naissance à la dispersion des juvéniles, sont d'autres éléments qui viennent soutenir cette hypothèse (Ouellet et Ferron, 1986 : 271).

Parfois, les auteurs incluront une photographie comme preuve pour appuyer une affirmation. Cependant, cet ajout implique toujours un certain risque parce que les lecteurs pourraient trouver ce procédé farfelu si la photographie n'est pas essentielle à l'argument présenté.

La migration « naturelle » des vers de terre, à la suite de leur introduction par les colons européens, ne peut expliquer leur présence dans les trois écosystèmes à l'étude et dans plusieurs régions où des mentions d'humus de type mull ont été faites. En effet, plusieurs études font état d'une migration annuelle maximale de 10 m pour les vers de terre (van Rhee, 1969; Stockdill, 1982; Curry et Boyle, 1987; Marinissen et van den Bosch, 1992). En prenant en compte qu'il s'est écoulé environ 500 ans depuis l'arrivée des premiers colons dans la région de Québec, le déplacement possible maximum des vers de terre, depuis leur point d'introduction le long du fleuve Saint-Laurent, ne pourrait être que de 5 km. En fait, la pratique de la pêche sportive est la cause la plus probable pour expliquer la présence des vers de terre dans plusieurs de ces écosystèmes. En effet, les vers de terre sont souvent utilisés comme appât pour la pêche sportive. Des récipients contenant à la fois des vers et des cocons sont souvent abandonnés ou vidés en bordure des lacs par les pêcheurs. D'ailleurs, de tels récipients ont été trouvés par l'auteur principal dans chacun des trois secteurs échantillonnés (figure 4).

Figure 4. Contenants trouvés sur les sites d'étude et servant aux pêcheurs à transporter les vers de terre.

(Moore, Ouimet et Reynolds, 2009 : 35)

Les auteurs proposent souvent des solutions au problème soulevé dans l'introduction du compte rendu. Dans l'exemple suivant, les chercheurs soumettent une mesure écologique (ici au conditionnel) au problème de l'implantation du roseau commun le long des autoroutes québécoises. Encore une fois, nous avons souligné des mots et des expressions que les auteurs ont utilisés pour modaliser les énoncés :

> En conclusion, les routes constituent des corridors lumineux et humides propices à la dissémination à l'échelle d'une grande région d'une plante de milieu humide envahissante comme l'haplotype M du roseau commun. D'autres études ont aussi mis en évidence le fait que les routes agissent comme corridors de dissémination d'espèces de milieux humides, telle que l'alpiste roseau (*Phalaris arundinacea*; Lavoie, Dufresne & Delisle *et al.*, 2005) et la salicaire pourpre (*Lythrum salicaria*; Delisle *et al.*, 2003). Le présent travail met en relief, pour la première fois, l'importance du type de route en présence (niveau hiérarchique, paysage environnant, dépôt de surface sous-jacent) sur la présence du roseau. Toutes les routes contribuent à la dissémination de la plante, mais pas avec la même envergure. Une stratégie qui pourrait être efficace pour empêcher le roseau de se propager davantage le long des routes serait de limiter le plus possible son accès à la lumière, soit en maintenant des lisières boisées en bordure des axes routiers, soit en favorisant la plantation d'arbustes compétitifs près des fossés de drainage (Jodoin *et al.*, 2008). Une telle avenue serait probablement plus efficace à long terme et plus respectueuse de l'environnement que l'épandage d'herbicides, une mesure au demeurant interdite au Canada dans le cas du roseau (Lelong, Lavoie et Thériault, 2009 : 235).

Enfin, la discussion est couronnée par une ou plusieurs conclusions (ici au présent de l'indicatif) découlant de l'étude. Les chercheurs doivent néanmoins expliciter les limites de la recherche afin de bien pondérer la conclusion. L'utilisation de très nombreux adjectifs qualificatifs forts (« piètre », « inacceptables », « prohibitifs ») n'est pas anodine, car il s'agit d'argumenter et de convaincre le lecteur. À cette même fin, plusieurs mots connecteurs sont présents et permettent d'organiser la conclusion et de structurer adéquatement les idées développées. Bien que la voix passive soit utilisée presque exclusivement dans les rapports scientifiques, les occasions où les auteurs emploient le « nous » ou le « on » sont en effet stratégiques sur le plan rhétorique. L'énonciation sert de stratégie, soit pour amener le lecteur à participer au dialogue, ce que Hyland appelle « *reader-oriented hedges* », soit pour indiquer clairement que les auteurs proposent une ou des hypothèses que les lecteurs sont invités à considérer, ce qui est appelé « *writer-oriented hedges* » (1996a : 257). Nous avons identifié **en caractères gras** trois endroits dans le texte suivant où les auteurs font appel à ces stratégies. Le « nous » dans le dernier paragraphe indique clairement aux lecteurs de l'article scientifique que les auteurs proposent une conclusion à partir de leurs résultats.

> Un nombre assez impressionnant d'individus appartenant à des espèces non visées ont été capturés lors des opérations de piégeage. Cette piètre sélectivité des pièges à patte pose un problème de taille. De plus, peu de solutions de rechange s'offrent à **nous** pour parer à cette situation. L'usage de poisons (strychnine, cyanure, etc.) entraîne généralement des conséquences encore plus graves (Beasom, 1974c), jugées de nos jours inacceptables. Les collets s'emploient avec une certaine difficulté en milieu boisé dû au manque de sites propices, sans compter le risque de capturer des cerfs à même les collets installés à travers les sentiers naturels. Finalement, la chasse à l'affût ou à l'aide d'aéronefs permet le retrait exclusif des animaux désirés, mais son application demeure restreinte et, bien sûr, très coûteuse.
>
> Le problème majeur réside néanmoins dans la difficulté de mesurer l'effet d'un contrôle sur le taux d'accroissement des populations de cerfs. Pour ce faire, **on** doit suivre l'évolution démographique d'une population sous traitement et comparer les résultats avec ceux obtenus à partir de la même population avant le traitement, ou avec ceux obtenus à partir d'une population témoin. Trouver un témoin est déjà chose difficile pour ce genre de systèmes. De plus, il faut reconnaître les limites des méthodes d'inventaire du cerf et du coyote sous des conditions qui s'apparentent à celles décrites ici. À cause de l'imprécision des recensements, il faut prévoir des opérations sur plusieurs années avant de déceler un effet. Une telle étude peut souvent entraîner des coûts jugés prohibitifs.
>
> En conclusion, **nous** croyons qu'une réduction expérimentale du coyote afin de favoriser l'augmentation d'une population de cerfs se justifie sur une base biologique ; il est vrai qu'une abondance moindre de coyotes peut favoriser une meilleure survie des cerfs dans certaines conditions. Toutefois, les difficultés pratiques et méthodologiques entourant ce genre d'opération mettent en doute le bien-fondé d'une telle mesure d'aménagement (Messier, Potvin et Duchesneau, 1987 : 484).

Constats et recommandations

L'analyse d'un nombre limité de rapports de laboratoire rédigés par des élèves, rapports qui nous avaient été fournis par des enseignants de sciences de la nature en neuvième année dans le cadre d'un projet de développement professionnel, nous a permis de cerner quelques problèmes récurrents rencontrés en salle de classe. Les rapports manquaient de cohésion et de liens logiques entre les différentes parties. Il nous a semblé que les élèves ne savaient pas vraiment ce qu'on attendait d'eux. Nous avons aussi relevé un manque de cohérence quant aux formes grammaticales utilisées (alternance des pronoms personnels sujets « je », « nous », « on », par exemple). Dans l'ensemble, les élèves ne semblaient pas maîtriser le conditionnel et n'avaient pas recours à la voix passive. Ils ne semblaient pas non plus disposer de modèles auxquels se référer.

Gary A. Troia (2007) a émis des recommandations pour les enseignants voulant utiliser différents genres et types de textes en salle de classe : 1) enseigner la structure des textes en utilisant un schéma ou une mnémonique; 2) utiliser des modèles de textes afin d'expliciter la structure et les caractéristiques de chaque type; 3) donner du temps aux élèves pour explorer leurs idées par la réflexion, la discussion et la recherche; 4) enseigner le vocabulaire, les phrases et les connecteurs associés aux divers types de textes; 5) étayer la planification du texte chez les élèves avec des schémas prototypiques; et 6) donner suffisamment de temps pour encourager la révision des textes.

Trop souvent, les enseignants demandent aux élèves de produire un rapport de laboratoire sans les orienter sur les exigences discursives de ce genre de texte. Nous croyons qu'il est essentiel de former les élèves à cette tâche. Une façon de les aider consisterait à travailler séparément chacune des parties du rapport décrit précédemment. Bien que le rapport de recherche soit très particulier, une analyse des traits composant chacune de ces parties serait très utile et conduirait les élèves à répondre aux exigences du rapport de laboratoire, son équivalent en contexte scolaire. Enfin, les textes authentiques présentés dans cet article pourraient servir en salle de classe pour expliciter les caractéristiques de fond et de forme associées aux différentes parties du rapport de recherche. Certes, le niveau de langue est difficilement accessible aux élèves, mais avec l'aide de l'enseignant et des pairs, ils devraient pouvoir en comprendre le sens.

Dans l'exemple suivant, les auteurs expliquent comment ils ont prélevé des échantillons de salamandres cendrées en utilisant des rondelles de bois disposées le long de transects ou bandes étroites traversant le milieu étudié, comment ils ont mesuré ces amphibiens et effectué des observations du sol à chaque station d'étude. L'enseignant pourrait découper les phrases du texte et demander aux élèves de reconstituer la séquence du texte à partir des fragments. Il y a suffisamment d'indices pour construire un texte logique et cohérent. De plus, on pourrait demander aux élèves de justifier leurs réponses, ce qui privilégie le développement de la métacognition chez les apprenants.

L'étude a été réalisée dans une érablière à bouleau jaune (*Betula alleghaniensis*) et hêtre (*Fagus grandifolia*) du bassin versant du lac Clair (Station forestière de Duchesnay, Portneuf), à environ 50 km au nord-ouest de la ville de Québec. Des rondelles provenant de billes d'érable à sucre (*Acer saccharum*; figure 2), l'essence dominante de l'aire d'étude, ont été utilisées pour recenser la population de salamandres cendrées. Pour ce faire, un érable à sucre de 42 cm de diamètre à hauteur de poitrine a été coupé en août 2001. Une tronçonneuse a été utilisée pour couper 104 rondelles de 4 cm d'épaisseur. Les rondelles avaient un diamètre qui variait de 36 à 42 cm et une surface de 900 à 1400 cm². Ces rondelles ont été disposées le long de 13 transects préalablement établis autour du lac et perpendiculaires à la pente, en septembre 2001. Les transects avaient généralement 200 m de longueur et les rondelles furent placées à 0, 5, 10, 20, 40, 60, 100, 150, 200 m à partir du bord du lac. Les rondelles ont pu être transportées et installées facilement compte tenu de leur dimension relativement petite. Les rondelles ont été échantillonnées lors de jours sans pluie, 4 à 5 fois par année, de mai à octobre, de 2002 à 2006 (figure 3). La longueur (museau-cloaque ou totale) des salamandres a été mesurée, sur le terrain, au 0,1 mm près avec un pied à coulisse électronique et le poids pesé au 0,1 g près à l'aide d'une balance à ressort de type Pesola® (10 g). Pour mesurer la longueur, les salamandres ont été manipulées à l'aide d'un sac de plastique préalablement humecté avec l'eau du lac. Après la prise de mesures, les salamandres ont immédiatement été relâchées en bordure de la rondelle où elles avaient été capturées. Des échantillons du sol de surface ont été prélevés en dessous des rondelles en 2005. Le pH_{eau} du sol a été mesuré à l'aide d'un pH-mètre Metrohm (modèle 826) (Moore et Wyman, 2010 : 66).

L'enseignant pourrait utiliser avec ses élèves une autre stratégie de lecture qui consisterait à leur demander de formuler des hypothèses à partir du titre avant de lire un extrait de texte tiré de l'article, par exemple le résumé ou la méthode. Les titres suivants donnent beaucoup d'information aux lecteurs :

- « Premières mentions de vers de terre dans trois écosystèmes forestiers du Bouclier canadien » ;
- « L'utilisation de l'espace par la marmotte commune (*Marmota monax*) ».

Cette tâche renforcerait la métacognition chez l'élève tout en développant davantage ses connaissances de la démarche scientifique.

Conclusion

Le rapport de recherche scientifique est donc un amalgame de divers types de textes qu'il faut présenter : descriptif, explicatif et argumentatif. Charles Bazerman (1983) écrivait que ce rapport n'est pas un résumé précis d'une recherche quelconque. Au contraire, il s'agit d'un texte qui vise à établir de façon convaincante la valeur de la recherche auprès de la communauté scientifique. Le discours argumentatif est donc essentiel à cette fin, mais paradoxalement, il est généralement ignoré dans l'enseignement des sciences. Cet article devrait aider les enseignants à mieux comprendre la structure et la fonction ainsi que les complexités et les nuances du rapport de recherche en tant que méga-outil scientifique. Les textes scientifiques présentés dans cet article pourraient être exploités en salle de classe pour améliorer la production de rapports de laboratoire dans les cours de sciences au secondaire.

Remerciements

Les auteurs remercient le secrétariat de rédaction des revues *Le Naturaliste canadien* et *Écoscience*, La Société Provancher d'histoire naturelle du Canada ainsi que les auteurs d'avoir autorisé l'utilisation d'extraits de leurs articles.

BIBLIOGRAPHIE

BAZERMAN, Charles (1983). « Scientific Writing as a Social Act: A Review of the Literature of the Sociology of Science », dans Paul Anderson, John Brockman et Carolyn Miller (dir.), *New Essays in Technical Writing and Communication: Research, Theory and Practice*, Farmingdale (NY), Baywood Publishing, p. 156-184.

BAZERMAN, Charles (1988). *Shaping Written Knowledge: The Genre and Activity of the Experimental Article in Science*, Madison, University of Wisconsin Press.

CHARTRAND, Suzanne, Christiane BLASER et Mathieu GAGNON (2006). « Fonction épistémique de l'écrit et genres disciplinaires : enquête dans les classes d'histoire et de sciences du secondaire québécois », *Revue suisse des sciences de l'éducation*, vol. 28, n° 2, p. 275-293.

Conseil des ministres de l'Éducation (Canada) (2003). *Programme d'indicateurs du rendement scolaire (PIRS), Écriture III – Les élèves et l'écriture : contexte canadien*, Toronto, CMEC.

Cope, Bill, et Mary Kalantzis (dir.) (1993). *The Power of Literacy: A Genre Approach to Teaching Writing*, Pittsburgh, University of Pittsburgh Press.

Demers, Ginette, *et al.* (2000). « Évolution de la langue scientifique dans deux périodiques canadiens », *Technostyle*, vol. 16, n° 1, p. 149-164.

Donovan, Carol, et Laura Smolkin (2006). « Children's Understanding of Genre and Writing Development », dans Charles MacArthur, Steve Graham et Jill Fitzgerald (dir.), *Handbook of Writing Research*, New York, Guildford Press, p. 131-143.

Driver, Rosalind, Paul Newton et Jonathan Osborne (2000). « Establishing the Norms of Scientific Argumentation in Classrooms », *Science Education*, vol. 84, n° 3 (mai), p. 287-312.

Écoscience (2011). « À propos », sur le site *Écoscience*, [En ligne], [http://www.ecoscience. ulaval.ca/page.php?3] (9 novembre 2011).

Gee, James (2004). « Language in the Science Classroom: Academic Social Languages as the Heart of School-Based Literacy », dans Wendy Saul (dir.), *Crossing Borders in Literacy and Science Instruction: Perspectives on Theory and Practice*, Newark (DE), International Reading Association, p. 13-32.

Grabe, William (2002). « Narrative and Expository Macro-Genres », dans Ann M. Johns (dir.), *Genre in the Classroom: Multiple Perspectives,* Mahwah (NJ), Lawrence Erlbaum Associates, p. 249-267.

Hand, Brian, Vaughan Prain et Larry Yore (2001). « Sequential Writing Tasks' Influence on Science Learning », dans Päivi Tynjälä, Lucia Mason et Kirsti Lonka (dir.), *Writing as a Learning Tool: Integrating Theory and Practice*, Dordrecht (Pays-Bas), Kluwer Academic, p. 105-129.

Hanson, Norwood (1971). *Observation and Explanation: A Guide to Philosophy of Science,* New York, Harper & Row.

Hyland, Ken (1996a). « Talking to the Academy: Forms of Hedging in Science Research Articles », *Written Communication*, vol. 13, n° 2 (avril), p. 251-281.

Hyland, Ken (1996b). « Writing Without Conviction? Hedging in Science Research Articles », *Applied Linguistics,* vol. 17, n° 4 (décembre), p. 433-454.

Janzen, Joy (2008). « Teaching English Language Learners in the Content Areas », *Review of Educational Research*, vol. 78, n° 4 (décembre), p. 1010-1038.

Johns, Ann M. (dir.) (2002). *Genre in the Classroom: Multiple Perspectives*, Mahwah (NJ), Lawrence Erlbaum Associates.

Jolicoeur, Hélène, *et al.* (2010). « Estimation des densités de ratons laveurs et de moufettes rayées en Montérégie en 2006 et 2007 », *Le Naturaliste canadien,* vol. 134, n° 2 (été), p. 43-53.

Kelly, Gregory, et Catherine Chen (1999). « The Sound of Music: Constructing Science as Sociocultural Practices through Oral and Written Discourse », *Journal of Research in Science Teaching,* vol. 36, n° 8 (octobre), p. 883-915.

KLEIN, Perry (2006). « The challenges of scientific Literacy: From the Viewpoint of Second-Generation Cognitive Science », *International Journal of Science Education,* vol. 28, nᵒˢ 2-3, p. 143-178.

LA SOCIÉTÉ PROVANCHER D'HISTOIRE NATURELLE DU CANADA (2011). « À propos de la revue », sur le site de La Société, [En ligne], [http://www.provancher.qc.ca/fr/publication/naturaliste/a-propos-de-la-revue] (9 novembre 2011).

LATOUR, Bruno, et Paolo FABBRI (2000). « La rhétorique de la science : pouvoir et devoir dans un article de science exacte », *Technostyle,* vol. 16, nᵒ 1, p. 87-106.

LATOUR, Bruno, et Steve WOOLGAR (1979). *Laboratory Life: The Construction of Scientific Facts,* Princeton, Princeton University Press.

LEDERMAN, Norman G. (2007). « Nature of Science: Past, Present, and Future », dans Sandra K. Abell et Norman G. Lederman (dir.), *Handbook of Research on Science Education,* Mahwah (NJ), Lawrence Erlbaum Associates, p. 831-880.

LELONG, Benjamin, Claude LAVOIE et Marius THÉRIAULT (2009). « Quels sont les facteurs qui facilitent l'implantation du roseau commun (*Phragmites australis*) le long des routes du sud du Québec ? », *Écoscience,* vol. 16, nᵒ 2 (juin), p. 224-237.

MARTIN, James R. (1993). « Literacy in Science: Learning to Handle Text as Technology », dans Michael A. K. Halliday et James R. Martin (dir.), *Writing Science: Literacy and Discursive Power*, Pittsburgh, University of Pittsburgh Press, p. 166-202.

MESSIER, François, François POTVIN et F. DUCHESNEAU (1987). « Faisabilité d'une réduction expérimentale du coyote dans le but d'accroître une population de cerfs de Virginie », *Le Naturaliste canadien,* vol. 114, nᵒ 4, p. 477-486.

MOORE, Jean-David, et Richard L. WYMAN (2010). « La salamandre cendrée : remise en question de son statut d'espèce indicatrice d'acidité du sol », *Le Naturaliste canadien,* vol. 134, nᵒ 2 (été), p. 65-71.

MOORE, Jean-David, Rock OUIMET et John W. REYNOLDS (2009). « Premières mentions de vers de terre dans trois écosystèmes forestiers du Bouclier canadien », *Le Naturaliste canadien,* vol. 133, nᵒ 1 (hiver), p. 31-37.

NATIONAL ACADEMY OF SCIENCES (1996). *National Science Education Standards,* Washington (DC), National Academy Press.

OUELLET, Jean-Pierre, et Jean FERRON (1986). « L'utilisation de l'espace par la marmotte commune (*Marmota monax*) », *Le Naturaliste canadien,* vol. 113, nᵒ 3 (novembre), p. 263-273.

RIVARD, Léonard P., et Martine CAVANAGH (2011). *Banque de textes annotés en lien avec les sciences,* avec la collaboration de Mathilde Effray-Buhl, ARUC-IFO, [En ligne], [http://www.aruc-ifo.ca/pdf/Banque%20de%20textes%20finale_27%20avril%202011.pdf] (4 août 2011).

RIVARD, Léonard P., et Annabel LEVESQUE (2011). « Three Francophone Teachers' Use of Language-Based Activities in Science Classrooms », *The Canadian Modern Language Review = La revue canadienne des langues vivantes,* vol. 67, nᵒ 3 (août), p. 323-350.

SADLER, Troy, F. William CHAMBERS et Dana L. ZEIDLER (2004). « Student Conceptualizations of the Nature of Science in Response to a Socioscientific Issue », *International Journal of Science Education,* vol. 26, n° 4, p. 387-409.

SCHNEUWLY, Bernard (1995). « Apprendre à écrire : une approche socio-historique », dans Jean-Yves Boyer, Jean-Paul Dionne et Patricia Raymond (dir.), *La production de textes : vers un modèle d'enseignement de l'écriture,* Montréal, Éditions Logiques, p. 73-100.

TROIA, Gary A. (2007). « Research in Writing Instruction: What We Know and What We Need to Know », dans Michael Pressley *et al.* (dir.), *Shaping Literacy Achievement: Research We Have, Research We Need,* New York, Guilford Press, p. 129-156.

WELLINGTON, Jerry, et Jonathan OSBORNE (2001). *Language and Literacy in Science Education,* Buckingham (UK), Open University Press.

YORE, Larry (2004). « Why Do Future Scientists Need to Study the Language Arts? », dans E. Wendy Saul (dir.), *Crossing Borders in Literacy and Science Instruction: Perspectives on Theory and Practice,* Newark (DE), International Reading Association, p. 71-94.

YORE, Larry, Brian HAND et Vaughan PRAIN (2002). « Scientists as Writers », *Science Education,* vol. 86, n° 5, p. 672-692.

Les communautés francophones de l'Ouest canadien : de la constitution des corpus de français parlé aux perspectives de revitalisation

Sandrine Hallion, Université de Saint-Boniface
France Martineau, Université d'Ottawa
Davy Bigot, Université Concordia
Moses Nyongwa, Université de Saint-Boniface
Robert A. Papen, Université du Québec à Montréal
Douglas Walker, Université de Calgary / Université Simon Fraser

L A RECHERCHE SUR LES VARIÉTÉS DE FRANÇAIS parlées dans l'Ouest canadien a connu ces dernières années un essor lent mais certain. Il reste que bien des aspects de ces parlers français sont encore méconnus et qu'il est nécessaire de poursuivre les travaux de collecte, de description et d'analyse afin de donner un portrait linguistique actualisé des communautés francophones de ces régions du Canada. C'est le principal objectif que s'est fixé l'équipe de six chercheurs qui, dans le cadre du projet d'Alliance de recherche universités-communautés sur les identités francophones de l'Ouest canadien (ARUC-IFO) subventionné par le Conseil de recherches en sciences humaines du Canada (CRSH), aborde selon différents points de vue la question des particularités des variétés de français de l'Ouest canadien et des communautés où elles sont en usage.

Ces travaux permettront de combler un manque – notamment souligné par Robert A. Papen (2004b : 4) qui reprenait le constat de Raymond Mougeon et Édouard Beniak (1988) – dans la recherche sur le français canadien et de mesurer le degré d'homogénéité des variétés de français de l'Ouest parlées dans les communautés francophones issues de la diaspora de la vallée du Saint-Laurent (sur cette question, voir Mougeon, 2004). Le contact intense avec l'anglais est souvent présenté comme le principal facteur de différenciation des parlers français de l'Ouest par rapport au français laurentien. Il reste toutefois à mesurer concrètement les conséquences linguistiques de ce contact en tenant compte de la fréquence, des contextes d'apparition des phénomènes qui y sont liés (emprunts, calques, alternances de langues) et des caractéristiques sociales et géographiques des populations les plus touchées. Vérifier empiriquement l'hypothèse de l'accélération du transfert à l'anglais et de l'étiolement linguistique, tout en tenant compte des représentations courantes du contact linguistique avec l'anglais et de ses conséquences au sein des communautés (acceptation, rejet, par exemple) constitue l'un des enjeux de nos recherches.

Au-delà de l'intérêt purement linguistique de la recherche comparative sur ces variétés de français, nos travaux présentent une dimension de sauvegarde et de valorisation du patrimoine culturel immatériel que constituent les variétés vernaculaires d'une même langue, qui sont porteuses de traits linguistiques à valeur identitaire. Les études ont montré l'importance qu'ont les représentations sur les pratiques linguistiques. L'emploi des variétés de français de l'Ouest se trouve souvent contrarié par la concurrence d'un modèle de français perçu comme plus prestigieux et par la présence incontournable de l'anglais, qui s'impose dans de nombreux domaines d'usage, ce qui a pour effet de les fragiliser et de menacer leur maintien et leur transmission. Des projets à visées éducatives, tel celui dont il sera question plus loin (voir la section consacrée au corpus Hallion-Bédard), pourraient favoriser la connaissance et l'appréciation des spécificités des parlers français de l'Ouest et contribuer à créer un sentiment d'appartenance à ces parlers au sein des communautés francophones de l'Ouest canadien tout en réduisant leur insécurité linguistique.

Les corpus oraux se situent au centre de la recherche en linguistique tant fondamentale qu'appliquée. Ils forment la pierre angulaire de nos travaux, qui se basent sur l'étude de corpus déjà existants et incluent également la constitution de nouveaux corpus destinés à l'analyse. Il s'agira ici de présenter les spécificités de ces corpus tout en faisant état des perspectives d'analyse scientifique qu'ils offrent. L'ensemble de l'équipe a travaillé selon une méthodologie unifiée en ce qui concerne le format des fichiers sonores numériques (mp3), la transcription des données à l'aide du logiciel d'assistance à la transcription ExpressScribe selon un protocole de transcription commun développé par France Martineau, Raymond Mougeon et Douglas C. Walker, dont il sera question dans la section sur le corpus Hallion-Bédard, et, en fonction des objectifs des études, un alignement son / texte avec les logiciels Praat ou Elan. Les corpus présentés ici offrent de nombreuses perspectives d'analyse qui s'arriment à d'autres projets de grande envergure en cours (*PFC*[1], *Le français à la mesure d'un continent*), dont la finalité commune est l'enrichissement des connaissances sur les variétés de français de la francophonie.

En procédant d'est en ouest (Manitoba, Saskatchewan, Alberta), ce tour d'horizon des recherches et des réalisations en cours se veut essentiellement descriptif et se situe donc, souvent mais pas uniquement, en amont de l'analyse. Il ne néglige pourtant pas les aspects réflexifs qui accompagnent nécessairement la prise en main d'un corpus oral déjà constitué ou la création d'un nouveau corpus. Il a pour principal objectif de faire le point sur l'avancement des travaux menés par les chercheurs du volet *Étude de la variation du français dans l'Ouest canadien et des pratiques, attitudes et représentations linguistiques en contexte minoritaire* de l'ARUC-IFO.

Enquêtes de terrain et corpus oraux : une présentation

Au Manitoba : le corpus Hallion-Bédard et celui de la Nouvelle Francophonie

Le corpus Hallion-Bédard a été établi par Marie-Chantal Bédard, sous la responsabilité de Sandrine Hallion (Université de Saint-Boniface, Winnipeg, Manitoba), entre novembre 2008 et avril 2010. Il a été recueilli dans quatre localités rurales de la province manitobaine. Initialement constitué pour servir de base à des analyses de type sociolinguistique, le corpus a également été créé en vue de recueillir des éléments patrimoniaux du Manitoba francophone agricole qui nous permettent de mieux connaître l'héritage historique et culturel des Franco-Manitobains en milieu rural. En effet, avec l'accélération des progrès techniques au cours du XXᵉ siècle et le passage à une agriculture intensive, ce sont des pans entiers de pratiques traditionnelles qui ont aujourd'hui disparu et tout un ensemble de lexies, dont les plus âgés ont encore la mémoire, qui est tombé en désuétude.

Les enquêtes au Manitoba ont été effectuées dans trois zones géographiques : la zone ouest, dans la région de La Montagne, à Notre-Dame-de-Lourdes et à Saint-Claude (localité 1) et, plus à l'ouest, dans la région frontalière avec la Saskatchewan, à Saint-Lazare (localité 2) ; la zone sud, dans la municipalité de Montcalm, principalement à Saint-

---

[1]   *Phonologie du français contemporain* [site Web], [http://www.projet-pfc.net/].

Jean-Baptiste (localité 3) ; enfin, la zone est, dans la municipalité de La Broquerie (localité 4) (voir la figure 1). L'enquêtrice est une francophone dont la famille est originaire de cette municipalité : ses connaissances à La Broquerie lui ont permis de démarrer ses enquêtes de terrain, qui se sont poursuivies dans les autres localités en recrutant des participants sur une base volontaire avec l'aide d'un certain nombre d'organismes communautaires (Chambre de commerce, Chevaliers de Colomb, par exemple), puis de proche en proche.

Les enquêtes de terrain ont permis de recueillir environ 80 heures d'enregistrement auprès d'un échantillon de 80 locuteurs et locutrices francophones répartis comme suit : 20 participants par localité dont 10 hommes et 10 femmes dans chaque localité. Les enregistrements ont tous été réalisés au domicile des participants. Les entrevues de type semi-dirigé, principalement individuelles (68 / 74 entrevues), étaient basées sur un questionnaire qui abordait différents aspects de la vie quotidienne passée et présente, tels que la trajectoire familiale, les activités professionnelles et économiques, les pratiques sociales, religieuses et familiales traditionnelles et les usages linguistiques. Mentionnons ici que l'enquêtrice a toujours privilégié les questions propres à susciter la parole chez ses interlocuteurs, sans chercher à obtenir systématiquement des réponses à l'ensemble des questions du questionnaire. À la fin de l'entrevue, les participants étaient amenés à lire à voix haute une liste de 35 mots, choisis pour la plupart dans la liste complémentaire utilisée par Walker pour les travaux du *PFC* en Alberta (voir Durand et Delais, 2003). À partir de ce questionnaire, on cherchera à vérifier la réalisation de différents phénomènes phonétiques attestés en français laurentien comme le relâchement vocalique, la diphtongaison ou l'assibilation, à vérifier empiriquement la stabilité de ces trois phénomènes, souvent cités comme beaucoup plus variables dans le français des provinces de l'Ouest que dans celui du Québec (Rochet, 1993, 1994 ; Walker, 2005) et à mieux connaître les spécificités phonétiques du français parlé dans l'Ouest afin d'en mesurer la variabilité intercommunautaire.

La transcription préliminaire des entrevues est terminée et leur vérification est amorcée. Le protocole de transcription employé pour l'ensemble des corpus présentés vise à privilégier la lisibilité de l'entrevue transcrite – par exemple, 1), les *e* muets qu'un locuteur peut, dans certaines conditions, élider, sont conservés – tout en gardant les particularités

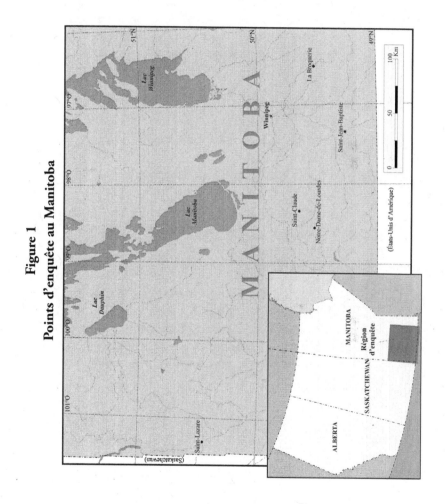

Figure 1
Points d'enquête au Manitoba

morphosyntaxiques propres à l'oral ou à la variété de français étudiée – par exemple, 2), la particule de négation *ne* qui chute est omise – et en adoptant une graphie conventionnelle pour certaines formes non standard dont l'emploi est récurrent – par exemple, 3), la forme *je vas* de la première personne du singulier du verbe ou de l'auxiliaire *aller* au présent de l'indicatif représente une variante de la forme standard *je vais*.

1) Oh à peu près cinquante là **que je me** souviens. Pis après ça il... il a... (pause) il a continué son ouvrage là-bas pis il a commencé par... par f/par fai/elle sa/sa femme elle fri/elle frisait elle (NDL5).

2) Et puis ma/ma mère **je sais pas** trop j'a/j'ai pas su complètement ce qui est arrivé mais était pas contente avec les médecins (NDL3).

3) Ah je devrais aller ch/ Attendez un peu **je vas** ch/ **je vas** vous le dire là (STL1).

Les emprunts à l'anglais et les phénomènes d'alternance de langues reçoivent également un traitement particulier, par l'utilisation des guillemets, ce qui permet de les mettre en valeur à l'intérieur de la transcription, comme on peut le voir dans les exemples 4) et 5).

4) c'était contre la/la/la « **poolroom** » là pis le « **barber shop** » (STL11).

5) Ah c'est/c'est « **slow** » l'Alberta « **right now** ». [...] Manitoba pis Saskatchewan c'est... les deux plus/plus basses euh provinces au Canada en « **unemployement right now** » (STL14).

Afin de mesurer les effets du contexte social sur les pratiques linguistiques, il est nécessaire de proposer un classement des participants selon certains paramètres sociaux. Pour l'enquête manitobaine, ce sont les caractéristiques sociales suivantes qui ont été retenues : le sexe, l'âge, la classe sociale et la dominance linguistique (voir le tableau 1). Le classement des participants selon ce dernier critère a été déterminé par autoévaluation en début d'entrevue selon le degré d'aisance dans l'usage des langues : les participants avaient le choix de se placer sur une échelle allant d'anglo-dominant à franco-dominant en passant par une catégorie intermédiaire de bilingue « équilibré[2] ».

---

[2]   Cette terminologie est empruntée à Raymond Mougeon, pour qui elle désigne des locuteurs qui « estiment pouvoir s'exprimer avec autant d'aisance en français qu'en anglais » (1995 : 53).

Tableau 1
Distribution des locuteurs du corpus Hallion-Bédard
selon l'âge, la classe sociale, la dominance linguistique et le sexe (2008-2010)

Facteurs sociaux	N hommes	% hommes	N femmes	% femmes	N Total	% Total
Âge						
+ 60 ans	23	28,75 %	23	28,75 %	46	57,5 %
30-60 ans	17	21,25 %	17	21,25 %	34	42,5 %
Total	40	50,00 %	40	50,00 %	80	100,00 %
Classe sociale						
Moyenne supérieure	6	7,50 %	8	10,00 %	14	17,50 %
Moyenne	7	8,75 %	13	16,25 %	20	25,00 %
Ouvrière	27	33,75 %	19	23,75 %	46	57,50 %
Total	40	50,00 %	40	50,00 %	80	100,00 %
Dominance linguistique						
Franco-dominant	11	13,75 %	20	25,00 %	31	38,75 %
Bilingue	22	27,50 %	20	25,00 %	42	52,50 %
Anglo-dominant	3	3,75 %	0	–	3	3,75 %
Indéterminé	4	5,00 %	0	–	4	5,00 %
Total	40	50,00 %	40	50,00 %	80	100,00 %

Les analyses quantitatives à partir du corpus ne pourront véritablement commencer qu'une fois les transcriptions vérifiées et les fichiers préparés en vue de l'exploitation par un concordancier. Le sous-corpus recueilli à Notre-Dame-de-Lourdes a toutefois fait l'objet d'une recherche qualitative qui a porté sur le phénomène de marquage de certaines lexies et sur les commentaires métalinguistiques qui peuvent l'accompagner (Hallion, 2010). Une autre perspective d'exploitation du corpus Hallion-Bédard a également été explorée dans le but de mieux situer le projet dans le cadre de l'alliance entre la recherche universitaire et le développement communautaire dans lequel il s'inscrit. En effet, il faut se rappeler que, « [u]ne fois "prélevé" du savoir, des réponses, des corpus sur le terrain, il s'agit […] de savoir comment "rendre" quelque chose aux personnes sans lesquelles l'enquête aurait été impossible […] » (Baude, 2006 : 65). Dans cette optique, un groupe de travail (EDOC[3]) a été mis sur pied en septembre 2010 à l'Université de Saint-Boniface pour réfléchir aux possibilités de créer, à partir du corpus oral, un outil didactique destiné aux élèves du secondaire de la Division scolaire franco-manitobaine. Il s'agit de leur proposer un outil qui permettra non seulement d'en apprendre davantage sur les variétés locales de français, mais également de fournir une ouverture à la connaissance de la variation du français dans le monde par la mise en regard contrastée de variétés de français venues d'ailleurs. Cette réflexion se place résolument dans le mouvement actuel d'exploitation des ressources de l'oral à des fins didactiques, tel qu'on peut le retrouver dans le travail réalisé par l'équipe du *PFC* (voir Detey *et al.*, 2007), et comporte les mêmes dimensions de conservation et de transmission du patrimoine linguistique et culturel. En partant de la réalité linguistique locale pour aborder les questions de la diversité du français, du contact linguistique et de ses conséquences, et celle des normes, nous espérons ainsi contribuer à réduire l'insécurité linguistique dont témoignent souvent les francophones en situation minoritaire par une meilleure compréhension du contexte réel dans lequel sont employées les langues.

---

[3]   Exploitation de données orales communautaires. Le groupe de travail se compose de Paule Buors, Marcel Druwé et Alain Jacques, représentants de la Division scolaire franco-manitobaine, et de Sandrine Hallion et François Lentz, professeurs à l'Université de Saint-Boniface. Le travail entamé en 2010 se poursuivra jusqu'au printemps 2012 et devrait aboutir à la publication du document *Exploitation de données orales communautaires : un outil pédagogique* à l'automne 2012.

Contrairement au corpus précédent, dont les locuteurs représentent l'image traditionnelle du Manitoba, le corpus de la Nouvelle Francophonie porte sur les pratiques linguistiques des nouveaux arrivants francophones. Le corpus de la Nouvelle Francophonie a été recueilli sous la responsabilité de Moses Nyongwa[4] (Université de Saint-Boniface, Winnipeg, Manitoba) entre l'été 2008 et l'été 2011. L'objectif principal de l'analyse de ce corpus est d'établir la contribution des nouveaux arrivants francophones à la vitalité de la langue française et de la communauté francophone du Manitoba. Il s'agit notamment de répertorier les particularités linguistiques des groupes cibles (par exemple, voir Blondeau et Friesner, 2011, sur le français des immigrants en contexte montréalais) et de prévoir l'impact de ces particularités sur l'évolution de la langue française dans l'Ouest canadien à moyen et à long terme.

L'enquête de terrain a permis la collecte de deux types de données : 1) des données écrites, recueillies à l'aide d'un questionnaire de 20 questions semi-fermées, qui permet d'obtenir des renseignements personnels (définition ou identification de soi), de l'information sur les usages linguistiques (maîtrise de la langue, survie de la langue) et de l'information d'ordre socioculturel (intégration, satisfaction et évaluation) sur les participants ; 2) des données orales recueillies par la lecture à voix haute d'une liste de 30 mots[5] et d'une courte entrevue semi-dirigée où l'interviewé parle librement de lui-même, de ses expériences, à partir de questions qui lui sont posées simplement pour orienter son intervention. Chaque personne rencontrée prenait de 10 à 15 minutes pour remplir le questionnaire. Puis, elle faisait la lecture de la liste de mots à voix haute. Enfin, l'entrevue semi-dirigée d'une quinzaine de minutes clôturait la rencontre.

L'âge de la majorité des participants (95 %) se situe entre 25 et 45 ans, et les personnes de 46 ans et plus représentent 5 % de l'échantillon ; 86,5 % sont des hommes, et 13,5 % des femmes (voir le tableau 2). Le faible pourcentage de femmes dans l'échantillon est dû au fait que la

---

[4]   Mamadou Ka, professeur à l'Université de Saint-Boniface, Azel Katny et Lydie M'Vondo, deux étudiants en traduction dans cette même université, ont également collaboré au projet. Ces derniers sont allés sur le terrain pour le sondage et ont transcrit phonétiquement le lexique tel que lu par les participants aux entrevues.

[5]   Dix termes constituent les paires minimales auditives du *PFC*, dix termes appartiennent à la liste complémentaire utilisée par Douglas Walker pour les travaux du *PFC* en Alberta (voir Durand et Delais, 2003) et dix termes proviennent d'une liste complémentaire créée pour les besoins de l'enquête manitobaine.

population visée est essentiellement composée de professionnels ayant une formation universitaire installés dans la province depuis au moins cinq ans. Or la plupart des nouvelles arrivantes sont des femmes au foyer. Par ailleurs, le fait que certains participants soient de confession musulmane rendait délicate la participation des femmes, même si un des membres de l'équipe de recherche était une jeune fille. Il faudra, dans un prochain volet de cette recherche, trouver une stratégie pour accroître la participation des femmes. On pourra peut-être intégrer un certain nombre de questions portant spécifiquement sur les femmes : la garde des enfants, les tâches ménagères, etc.

Tableau 2
Répartition des participants du corpus de la Nouvelle Francophonie (2008-2011) selon l'âge et le sexe

Renseignements personnels	N hommes	% hommes	N femmes	% femmes	N Total	% Total
Âge						
+ 46 ans	3	5,0 %	0	0,0 %	3	5,0 %
25-45 ans	48	81,5 %	8	13,5 %	56	95,0 %
Total	51	86,5 %	8	13,5 %	59	100,0 %

Dans le cadre de l'enquête, 59 personnes ont été interviewées. Ces personnes constituent un échantillon représentatif des immigrants francophones de la dernière décennie, soit 841 personnes (Travail et Immigration Manitoba, 2007). Elles viennent d'Europe, du Maghreb (Maroc, Tunisie, Algérie) et de l'Afrique sub-saharienne (Sénégal, Mali, Côte-d'Ivoire, Congo, Cameroun) (voir le tableau 3).

Les entrevues se sont déroulées en quatre étapes en raison du manque de disponiblité de certaines personnes ayant accepté de participer au projet : la première vague des entrevues a ciblé les ressortissants de l'Afrique centrale, puisque ce sont ceux qui étaient les plus disponibles. La deuxième vague portait sur les ressortissants du Maghreb, la troisième vague sur ceux de l'Europe (France et Belgique) et la dernière vague sur les ressortissants de l'Afrique de l'Ouest.

Le dépouillement du sondage est achevé. La transcription des entrevues, qui totalisent près d'une vingtaine d'heures d'enregistrement, et celle de la lecture à haute voix nécessitent encore du temps. Nous prévoyons terminer ces transcriptions au cours de l'été 2012.

Tableau 3
Répartition des participants du corpus de la Nouvelle Francophonie selon l'origine géographique (2008-2011)

Europe		
France	4	
Belgique	3	
Suisse	1	
Total	**8**	**13,5 %**
Maghreb		
Maroc	10	
Algérie	4	
Tunisie	1	
Total	**15**	**25,5 %**
Afrique de l'Ouest		
Sénégal	6	
Mali	6	
Côte-d'Ivoire	4	
Mauritanie	1	
Total	**17**	**29 %**
Afrique centrale		
République démocratique du Congo (RDC)	8	
Cameroun	6	
Rwanda	3	
Tchad	2	
Total	**19**	**32 %**

Quelques observations se dégagent d'une première analyse qualitative du corpus oral. Bien que les nouveaux arrivants francophones de l'échantillon, essentiellement des gens de la région urbaine de Winnipeg (voir la figure 1), et les Franco-Manitobains partagent l'usage d'une même langue – le français – leurs variétés se distinguent par plusieurs aspects phonologiques, morphosyntaxiques et lexicaux. La présence constante de l'anglais au Manitoba, en particulier en contexte urbain, peut expliquer en partie les emprunts lexicaux et les calques que l'on observe dans la variété locale de français. Comme l'affirme Walker, « [...] le français de l'Ouest canadien a subi des pressions importantes apportées par un contact direct et prolongé avec l'anglais » (2005 : 196). Cette situation de contact linguistique intense que vivent les minorités franco-canadiennes minoritaires hors Québec a pour effet d'introduire des calques de l'anglais (par exemple, des prépositions postposées en anglais) et des alternances codiques (Mougeon et Beniak, 1988).

Cet apport important de l'anglais dans le parler de la communauté hôte pose un problème de compréhension aux nouveaux arrivants, du fait que la plupart ne maîtrisent pas l'anglais, qui semble être à la base de certaines expressions. Par exemple :

4) « Le montant de », de l'anglais *"the amount of"*, employé très largement : *le montant des* personnes présentes (le nombre de...), *le montant de* fruits dans le frigo, d'eau (la quantité de... quantité non mesurable), *le montant d'*espace et de ressources.

5) « *Êtes-vous voulant d'*investir... », de l'anglais *"are you willing to invest..."* (Êtes-vous prêt à investir...).

Le recours par les Franco-Manitobains à l'alternance de codes, qui découle d'une situation de bilinguisme où le locuteur est en mesure, grâce à ses compétences linguistiques, de faire alterner l'une ou l'autre langue à des fins communicatives (Heller, 1998, 2002), semble constituer une source de difficultés pour le nouvel arrivant, difficultés qui se reflètent, dans les attitudes linguistiques et l'interaction, par un certain repli et une certaine incompréhension. Le nouvel arrivant maîtrise en effet souvent mieux le français que l'anglais, du fait qu'il est soit unilingue français, avec le français comme langue maternelle, soit locuteur d'une langue qui diffère des langues indo-européennes, avec le français comme langue seconde, apprise généralement à l'école, dans un cadre normatif[6].

---

[6]   Il est intéressant de noter que sur les 59 personnes interrogées, seules 4 d'entre elles proviennent d'un environnement linguistique unilingue français. Il s'agit des personnes provenant de la France. Toutes les autres sont issues d'un environnement bilingue ou multilingue : français-flamand pour les Belges, arabe-français pour les Maghrébins, français-allemand-italien pour les Suisses, français-wolof-serere-malinké pour les Sénégalais, français-bambara pour les Maliens, français-lingala-swahili pour les Congolais, français-anglais-bamiléké-ewondo-basa'a-fufuldé-pidgin pour les Camerounais, français-sara-fufuldé pour les Tchadiens, français-kirwanda-swahili pour les Rwandais. Cet environnement multilingue prédispose donc ces ressortissants

Les différences linguistiques entre les nouveaux arrivants francophones et les Franco-Manitobains ont aussi des effets sur les attitudes et les repré-sentations face à la variété locale du français (voir Boudreau et Violette, 2009 ; Violette, 2010). Les discours des immigrants, surtout ceux qui viennent d'Afrique, laissent transparaître que leur compréhension est réduite à cause de leur méconnaissance de l'anglais. Les nouveaux arrivants qui ne comprennent pas l'anglais semblent perdus et adoptent une attitude de rejet par rapport à cette variété locale de français. Ils ont également peur que leurs enfants inscrits dans les écoles de la Division scolaire franco-manitobaine (DSFM) ne perdent l'envie de parler français en étant exposés à la variété locale à l'école, puisqu'ils considèrent leur variété comme plus proche du français international. Certains affirment même qu'ils ont préféré placer leurs enfants dans les écoles anglaises pour pouvoir ainsi bien surveiller leur français à la maison. Ces points ont été abordés à la fin des entrevues et n'ont pas été enregistrés à la demande des participants. Ces éléments sont importants à signaler parce qu'à moyen et à long terme, ils ont un impact sur la variété de français parlée par les immigrants (surtout les jeunes et les moins éduqués).

Le corpus de la Nouvelle Francophonie du Manitoba est en construction. Son exploitation devra contribuer au renforcement de la recherche linguistique sur le français de l'Ouest et, particulièrement, sur le français au Manitoba. Les résultats de l'analyse des données nous permettront, nous l'espérons, de confirmer ou d'infirmer une partie de l'hypothèse sous-jacente à notre recherche, à savoir que la Nouvelle Francophonie contribue de façon significative à l'enrichissement du patrimoine linguistique et culturel de la francophonie de l'Ouest canadien. Cette phase du projet a été menée comme un projet pilote. Elle ouvre la voie à la phase 2, qui portera sur l'apport socioéconomique de la Nouvelle Francophonie à la communauté francophone du Manitoba.

En Saskatchewan : le corpus Martineau-Mocquais et celui de Prince Albert

Le corpus de la Nouvelle Francophonie permet de mesurer l'apport linguistique et culturel des nouveaux arrivants à la communauté francophone,

---

à une ouverture quasi naturelle aux autres schémas linguistiques et, par conséquent, ouvre la voie à des variations sur le plan phonétique, lexical et syntaxique. Ces variations à moyen et à long terme pourraient avoir un impact sur le français de l'Ouest canadien.

comme l'ont fait les immigrants européens venus au début du xxᵉ siècle et après la Seconde Guerre mondiale (sur cette question, voir Frenette, 1998 ; Papen et Marchand, 2006). Pour mesurer les changements démographiques importants qu'ont connus les communautés de l'Ouest durant le xxᵉ siècle et les comparer à ceux qui se dégagent des nouveaux corpus sociolinguistiques, nous avons fait reposer le projet sur des corpus sociolinguistiques ou ethnolinguistiques déjà établis à date plus ancienne.

À l'instar des contes folkloriques (voir Martineau, 2005 ; Martineau, Mougeon et Thomas, 2011 ; Beaulieu et Cichocki, 2011), les enquêtes ethnologiques auprès de locuteurs âgés servent d'ancrage à des études sur le changement linguistique. Étant donné l'âge des locuteurs au moment de ces entrevues ethnologiques, celles-ci constituent un pont entre la langue de la fin du xixᵉ siècle et celle des corpus sociolinguistiques modernes.

Dans le cadre de projets subventionnés par le Conseil de recherches en sciences humaines du Canada (ARUC-IFO, mais aussi le programme GTRC *Modéliser le changement : les voies du français* et le projet *Des Pays d'en Haut à l'Ouest canadien : variation et changement linguistique*) et de sa chaire de recherche *Langue, identité et migration en Amérique française*, France Martineau (Université d'Ottawa) a entrepris de rassembler des entrevues ethnologiques de l'Amérique du Nord, effectuées depuis les années 1970. Ces corpus ont été numérisés, transcrits, contextualisés et intégrés dans le corpus *Voix d'Amérique française* du laboratoire *Polyphonies du français* ([www.polyphonies.uottawa.ca]) avec, pour objectifs, la préservation de la mémoire des communautés francophones et l'analyse des relations entre langue et identité à la mesure du continent nord-américain. Dans cet esprit, une vaste enquête visant à documenter les corpus francophones d'Amérique du Nord a également été entreprise par le Comité pour la préservation des corpus, présidé par France Martineau et mandaté par l'Association canadienne de linguistique (Martineau, 2012).

Parmi ces corpus, le corpus *Les pratiques culturelles de la Saskatchewan française* recueilli par Pierre-Yves Mocquais, de l'Université de Calgary, entre 1998 et 2000 auprès de 66 locuteurs âgés – désormais corpus Martineau-Mocquais – dans 17 localités de la Saskatchewan (voir la figure 2) est particulièrement intéressant étant donné l'envergure de l'enquête (près de 108 heures d'enregistrement) (voir le tableau 4). La plupart des participants interrogés sont nés en Saskatchewan de parents immigrés dans la province au début du XXe siècle, en provenance d'Europe, du Canada ou des États-Unis. L'enquête a été conduite par des étudiants en ethnologie de l'Université Laval, et les thèmes sont essentiellement ceux de la vie et des pratiques traditionnelles. Le questionnaire n'est malheureusement plus disponible. Ce corpus, mis en relation avec le corpus de la Nouvelle Francophonie (voir ci-dessus), avec le corpus de Prince Albert (voir plus bas) et avec des corpus historiques de correspondance privée recueillis par Martineau pour la Saskatchewan, permettra de suivre le changement linguistique sur près de 150 ans.

En partenariat avec le Centre canadien de recherche sur les franco-phonies en milieu minoritaire de l'Institut français de Regina, le projet *Modéliser le changement : les voies du français* a entrepris la numérisation en mp3 des cassettes de ce corpus, afin d'en assurer la préservation et l'analyse à des fins linguistiques. Le corpus, une fois numérisé, a ensuite été transmis à l'Université d'Ottawa, au Laboratoire *Polyphonies du français* où il a fait l'objet d'une transcription avec ExpressScribe, à partir du protocole de transcription commun à l'époque; à ce protocole a été ajouté un glossaire de termes plus fréquents dans les variétés de français de l'Ouest. Le corpus d'origine était accompagné de fiches signalétiques pour chaque locuteur, avec des renseignements sur l'âge, le métier, le sexe; nous avons enrichi ces fiches d'un profil plus complet à partir du contenu de l'entrevue et d'une recherche généalogique, ce qui permet de dégager les réseaux sociaux, et nous avons classé chaque locuteur selon le degré d'emploi du français (restreint, non restreint, semi-restreint) en fonction de l'information contenue dans l'entrevue (lecture de journaux francophones, écoute de radios francophones, groupe d'amis francophones, etc.). Le travail sur le corpus Martineau-Mocquais est encore en cours, les transcriptions devant être complétées, vérifiées et alignées son / texte avec le logiciel Praat, et la contextualisation de l'information de nature généalogique n'étant pas terminée. À titre illustratif, nous présentons trois types de recherche qui ont pu être menés par France Martineau grâce à la mise en valeur de ce corpus.

La problématique soulevée par le corpus de la Nouvelle Francophonie sur l'apport des nouveaux arrivants à la communauté linguistique se pose également pour les tout premiers débuts des communautés francophones de l'Ouest. Si la filiation historique entre francophones provenant de la vallée du Saint-Laurent et francophones ayant migré plus à l'Ouest a été bien étudiée (Lalonde, 1983 ; Frenette, 1998), on connaît moins bien la

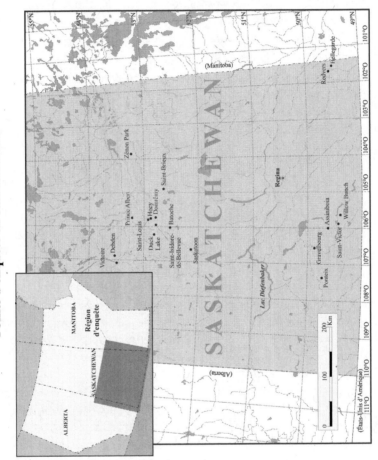

Figure 2
Points d'enquête en Saskatchewan

Tableau 4
Répartition des participants du corpus Martineau-Mocquais
(1998-2000) selon les localités d'enquête

Localités	Nombre de participants
Batoche	1
Bellegarde	2
Bellevue	7
Debden	4
Domrémy	1
Duck Lake	5
Gravelbourg	5
Hoey	2
Assiniboia	1
Ponteix	4
Redvers	4
Saint-Brieux	9
Saint-Louis	3
Saint-Victor	2
Victoire	3
Willow Bunch	4
Zénon Park	9
Total	**66**

spécificité du français de l'Ouest, en particulier dans sa grammaire (voir les synthèses de Larivière, 1994; Papen, 2004b; Walker, 2005; Hallion Bres, 2006), et, surtout, l'influence respective des communautés francophones de diverses origines. Dans l'Ouest canadien, les Canadiens français ont été en contact avec d'autres Canadiens français mais aussi des Acadiens, des Métis, des groupes francophones d'Europe, des anglophones et d'autres groupes linguistiques. Dans quelle mesure le français de l'Ouest se distingue-t-il du français laurentien parlé au Québec ou en Ontario et dans quelle mesure l'apport de groupes francophones d'Europe aux XIXᵉ et XXᵉ siècles ou le contact avec l'anglais ont-ils modifié le paysage linguistique de l'Ouest? Pour examiner cette question, Martineau (2009 et à paraître) a comparé l'emploi de différentes variables dans un certain nombre de communautés du corpus Martineau-Mocquais et dans des communautés plus à l'est (par exemple, l'alternance entre *je vais/je vas/m'as;* l'alternance entre *à cause que/parce que/car/rapport que*; l'alternance codique). Il en ressort une diversité des communautés francophones de la Saskatchewan, en fonction d'au moins deux paramètres : l'importance démographique des francophones par rapport aux autres groupes linguistiques (par exemple, Zénon Park, où les francophones étaient majoritaires, comparé à Victoire, où les francophones étaient nettement minoritaires) et la vitalité des réseaux francophones européens (par exemple, les Bretons; voir Champagne, 2003). Ainsi, le degré de restriction[7] du français est largement tributaire de l'importance de la présence francophone dans la communauté et a des effets linguistiques et sociolinguistiques bien documentés pour d'autres aires où les francophones sont minoritaires (rétrécissement stylistique, régularisation, etc.) (voir Mougeon et Beniak, 1991). Le contact avec d'autres groupes francophones, parlant une autre variété de français, est également source de transferts. Martineau (2010) a trouvé que dans le corpus Martineau-Mocquais, la persistance de traits linguistiques hexagonaux (ou la non-adoption de traits de la vallée du Saint-Laurent) se remarque chez des participants dont les deux parents étaient d'origine francophone européenne; ainsi, l'emploi de la forme périphrastique du futur *m'as* + infinitif (ex., *m'as partir*), forme absente des

---

[7] Dans leur étude sur le parler des adolescents franco-ontariens de Cornwall, North Bay, Pembroke et Hawkesbury, Mougeon et Beniak (1991) ont déterminé la fréquence d'emploi du français vernaculaire des locuteurs de leur corpus à partir de l'examen de onze situations de communication et ils ont défini une échelle permettant de mesurer le degré de restriction de ces locuteurs dans l'usage du français. Ces chercheurs ont divisé leur échantillon en trois groupes distincts : les locuteurs *restreints* (qui emploient le français dans moins de 44 % des cas), les locuteurs *semi-restreints* (qui utilisent le français dans 45 % à 79 % des situations) et les locuteurs *non-restreints* (pour qui le français est la langue utilisée dans 80 % des situations et plus). Raymond Mougeon précise également que « on peut "lire" cet indice comme une mesure de contact avec l'anglais : très intense dans le cas des locuteurs restreints, moyen dans le cas des locuteurs semi-restreints et modéré ou faible dans le cas des locuteurs non-restreints » (2005 : 263).

français d'Europe, est moins fréquent chez les locuteurs nés de pionniers belges ou bretons, bien que ces derniers aient grandi en Saskatchewan (voir aussi, pour une étude de cette variable, Mougeon *et al.*, 2010, ainsi que Papen et Marchand, 2006, pour une synthèse de ce qui a été écrit sur la prononciation à Bellegarde, village fondé par des Belges, comparée à celle de Willow Bunch, village à dominance canadienne-française).

En regard des questions sur l'identité et les pratiques culturelles, les questions sur l'identité linguistique sont peu nombreuses dans les entrevues du corpus Martineau-Mocquais. La fiche signalétique du corpus d'origine comporte toutefois une question sur « l'origine ethnique » du participant. Bien que nous ne puissions retracer comment cette question a été posée (était-elle posée par l'enquêteur ? Était-ce une question ouverte ou à choix multiples ?), les réponses fournissent des pistes de recherche. Ainsi, comme l'ont montré Martineau et Morgan (2009), pour l'ensemble des locuteurs interrogés, dont les parents francophones se sont installés en Saskatchewan à la fin du XIXᵉ siècle ou au début du XXᵉ siècle, le lien avec l'expérience migratoire vécue par les parents et transmise aux enfants nés en Saskatchewan est un élément important de leur identité. Dans la fiche signalétique, à la question sur leur origine ethnique, la plupart des participants ont donné une réponse en fonction de l'origine géographique de leurs parents, même si eux-mêmes étaient nés en Saskatchewan (ex., un locuteur dont les parents étaient Bretons mais qui était né en Saskatchewan s'est dit Breton). Il est possible que le contexte de l'entrevue, axée sur les pratiques culturelles et le patrimoine, ait joué en faveur de ce type d'association, mais la régularité de cette identification à la provenance des parents montre l'importance de l'expérience migratoire comme référence culturelle.

Comme l'ont montré plusieurs travaux (ex., Giles et Powesland, 1975 ; Irvine et Gal, 2000 ; Auer, 2007 ; Hoffman et Walker, 2010), les représentations linguistiques ont des conséquences sur les pratiques linguistiques. Les études démographiques et statistiques permettent de saisir une partie de la dynamique de la communauté, mais l'étude des réseaux familiaux (parents, conjoints, amis) et communautaires montre que les liens s'étendent souvent au-delà du territoire géographique. Dans cet esprit, Martineau a entrepris un travail de nature sociohistorique sur certaines communautés de la Saskatchewan et sur les réseaux que les membres de ces communautés ont tissés à travers les mariages et les positions sociales. Ce travail s'intègre dans un projet plus vaste sur la migration des Français au Canada au xixe siècle, projet dirigé par Paul-André Linteau, Yves Frenette et Didier Poton (*Les immigrants français au Canada à l'époque de la Grande Migration transatlantique (1870-1914)*). Cette étude est arrimée à un examen des représentations telles qu'elles se dégagent du contenu des entrevues du corpus Martineau-Mocquais et des discours sur la communauté dans la presse locale.

Le corpus de Prince Albert a été établi sous la responsabilité de Robert A. Papen (Université du Québec à Montréal), toujours en Saskatchewan mais à une date plus récente. L'objectif principal de ce nouveau corpus[8] est de permettre la description du parler français de la région de Prince Albert (voir la figure 2) afin de pouvoir le comparer au parler d'autres régions de la province (corpus Martineau-Mocquais, corpus écrits recueillis à une date plus ancienne dans la province) ainsi qu'aux autres variétés de français des provinces canadiennes. En ce qui a trait à la population, Prince Albert est la troisième ville en importance de la province. Selon les données de Statistique Canada (2007), il y aurait à Prince Albert environ 1 300 personnes dont le français est la langue maternelle, ces dernières représentant pas moins de 8 % de la population totale francophone de la province.

Le corpus consiste en 24 entrevues orales d'environ une heure et demie chacune, représentant près de 40 heures d'enregistrement. Les entrevues ont été réalisées et enregistrées à Prince Albert (et sa proche banlieue) en 2008 par Robert A. Papen[9]. Les 24 locuteurs ne sont pas tous originaires de la ville même, mais ils y habitent (ou pour certains, dans ses environs) depuis de très nombreuses années. Ils ont été sélectionnés grâce, en partie, à la collaboration de l'agente sociale de la Communauté canadienne-française de Prince Albert, qui a fourni une liste de noms de personnes et leurs numéros de téléphone et, en partie, par les recommandations d'autres membres de la communauté ainsi que par des participants eux-mêmes. Dans la mesure du possible, les participants étaient sélectionnés en fonction de leur sexe, de leur âge, de leur classe sociale et de leur dominance linguistique. Cette dernière avait été déterminée à partir des

---

[8]   D'autres corpus de la variété de français parlée en Saskatchewan avaient été établis par Michael Jackson (1968 et 1974) à des fins d'analyse phonologique. Mentionnons également le corpus Martineau-Mocquais dont il a déjà été question et deux corpus de français mitchif (Papen, 1984, 2002).

[9]   La famille Papen est bien connue dans la communauté francophone de Prince Albert.

renseignements recueillis à même les réponses fournies par les interviewés sur leur aisance à fonctionner en français ou en anglais, leur emploi des deux langues, etc., selon la même méthodologie employée pour le corpus Hallion-Bédard. Lorsque la transcription des entrevues sera terminée, il sera possible d'évaluer également le degré de restriction langagière, tel qu'il a été fait pour le corpus d'Edmonton, présenté à la section suivante. Voir ci-dessous le tableau 5 décrivant la distribution des locuteurs.

Les entrevues étaient du type semi-dirigé, effectuées à partir d'un questionnaire contenant une trentaine de questions (celles-ci étaient sensiblement les mêmes que celles utilisées pour le corpus Hallion-Bédard). Vers la fin de l'entrevue, une quinzaine de termes censés être « spécifiques » au fransaskois (selon Gareau, 1988-1991) étaient soumis aux participants afin d'en déterminer le degré de (re)connaissance. Pour terminer, les participants devaient lire à haute voix la même liste de 35 mots que celle utilisée dans les enquêtes manitobaines (corpus Hallion-Bédard) pour fins d'analyse phonologique et phonétique.

Le travail de transcription du corpus est en cours et devrait normalement se terminer durant l'hiver 2012, et l'analyse des données devrait suivre peu après. Parmi les thèmes qui seront abordés, mentionnons l'analyse quantitative et qualitative de la prononciation des 35 mots (ainsi que les 35 chiffres qui leur sont associés) lus à haute voix, une analyse des 15 termes et expressions réputés typiques du parler fransaskois. Nous comparerons également les résultats de cette analyse à ceux obtenus par des locuteurs du Manitoba, de l'Alberta et de l'Ontario, afin de déterminer les différences et les ressemblances lexicales des parlers à l'ouest du Québec.

Pour le moment, seules les réponses aux questions portant sur la (re)connaissance des 15 expressions lexicales ainsi que la transcription phonétique de la lecture à haute voix des 35 mots ont été analysées. Les résultats préliminaires de ces deux études ont fait l'objet de deux communications (Papen et Bigot, 2010, 2011).

Quant à la (re)connaissance des 15 expressions lexicales identifiées comme faisant partie du patrimoine lexical particulier au fransaskois (les expressions contenant non seulement des termes d'origine francophone mais aussi des emprunts à l'anglais), les locuteurs se départagent nettement selon l'expression en question (pour plus de détails, voir Papen, 2010). Si certaines expressions sont connues par la majorité des

Tableau 5

**Distribution des locuteurs du corpus de Prince Albert
selon l'âge, la classe sociale, la dominance linguistique et le sexe (2008)**

Facteurs sociaux	N hommes	% hommes	N femmes	% femmes	N Total	% Total
Âge						
+ 60 ans	5	20,83 %	8	33,33 %	13	54,16 %
29-60 ans	6	25,00 %	5	20,83 %	11	45,83 %
Total	**11**	**45,83 %**	**13**	**54,16 %**	**24**	**100,00 %**
Classe sociale						
Moyenne supérieure	4	16,66 %	7	29,16 %	11	45,83 %
Moyenne	4	16,66 %	5	20,83 %	9	37,50 %
Ouvrière	3	12,50 %	1	4,16 %	4	16,66 %
Total	**11**	**45,83 %**	**13**	**54,16 %**	**24**	**100,00 %**
Dominance linguistique						
Franco–dominant	3	12,50 %	3	12,50 %	6	25,00 %
Bilingue	4	16,66 %	6	25,00 %	10	41,66 %
Anglo–dominant	4	16,66 %	4	16,66 %	8	33,33 %
Total	**11**	**45,83 %**	**13**	**54,16 %**	**24**	**100,00 %**

participants (*combinage, labour d'été, carreau, bluff, texas gate*), le sens que ces derniers donnent à d'autres termes n'est pas nécessairement celui figurant dans les chroniques de Laurier Gareau (1988-1991) (*jarniguouine/jarnigouane, stouque, amanchure*, etc.). Par exemple, si 16 des 24 participants considèrent que *stouque* fait référence à « un ensemble de gerbes de blé assemblées au temps des moissons », 6 d'entre eux considèrent que le terme fait référence à un « meuleton de foin ». Un certain nombre d'expressions typiques du parler des Métis (*bizaine* « gaufre », *patiche* « repas mal préparé », *tête de rabiole* « dit d'un jeune garçon dont on vient de raser les cheveux ») sont inconnues par la très grande majorité des participants. Il appert donc que le lexique considéré comme spécifique au parler fransaskois n'est pas toujours bien connu par bon nombre de locuteurs de Prince Albert et même que certaines expressions relevées par Gareau (1988-1991) leur sont totalement inconnues.

Pour ce qui est de la prononciation des 35 mots (plus celle des chiffres qui leur sont associés), l'analyse n'est pas terminée. Ce qui attire particulièrement l'attention de Papen et Bigot (2011), ce sont les réalisations de la graphie <ois> comme dans *trois, mois, bois*, etc. Ces mots peuvent se prononcer avec une voyelle centrale [wa], typique de la prononciation hexagonale, avec une voyelle postérieure [wɑ], typique de la prononciation soignée au Québec, ou avec une voyelle postérieure arrondie [wɔ], typique plutôt du vernaculaire québécois. Leur analyse montre une très grande variabilité. Si certains locuteurs prononcent systématiquement *trois, mois* et *bois* soit en [wa], soit en [wɑ], soit en [wɔ], 16 des 24 locuteurs emploient, à un moment ou à un autre, ces trois prononciations pour chacun des termes en question. Aucun des facteurs externes tels que le sexe, l'âge ou le niveau socioéconomique n'arrive à expliquer ce type de variation individuelle et intra-locuteur. Une analyse plus poussée permettra éventuellement de déceler les raisons de ce type de variation inattendue.

En Alberta : le corpus d'Edmonton et celui de Peace River

L'analyse du corpus d'Edmonton est sous la responsabilité de Davy Bigot (Université Concordia). L'objectif visé par l'étude de ce corpus est de fournir plus d'informations à la description du français parlé en Alberta, notamment du point de vue de la morphosyntaxe et du lexique. En comparant les données recueillies par ce corpus à celles d'études réalisées récemment (entre autres, Walker, 2004 et 2005), il est possible de déduire une partie de l'évolution de l'état de la langue française en Alberta sur une période s'étalant sur près de trente ans.

Les entrevues datent de 1976 et ont été réalisées à Edmonton (voir la figure 3), par un Franco-Albertain[10]. Ces entrevues constituent en réalité un sous-ensemble du corpus Papen-Rochet, comprenant à l'origine 108 entrevues de locuteurs de Falher, commune située dans la région de la Rivière-la-Paix, à environ 400 kilomètres au nord-ouest d'Edmonton, et 108 entrevues réalisées auprès de locuteurs natifs de la petite communauté franco-albertaine de Bonnyville, située à 200 kilomètres au nord-est d'Edmonton. Le corpus d'Edmonton est composé de 25 entrevues d'environ une heure, enregistrées sur bande audio puis récemment numérisées en format mp3, et ont toutes été transcrites. Les 25 jeunes adultes, élèves du secondaire ou étudiants âgés de 16 à 24 ans, ont été recrutés à partir d'une liste fournie par l'Association canadienne-française de l'Alberta. Les entrevues étant semi-dirigées, chacun d'eux a répondu à une vingtaine de questions portant sur les habitudes linguistiques, culturelles et sociales des locuteurs et de leur communauté respective. Voici un exemple de trois questions posées à tous les participants :

6) Alors, comme tu sais ici en Alberta, il y a à peu près 3 ou 4 pour cent des Albertains qui parlent français. Est-ce que tu penses que ce pourcentage-là va augmenter ou diminuer d'ici 25 ans ?

7) Il y a pas si longtemps, justement t'en parlais tout à l'heure, l'Église catholique a fait beaucoup de choses pour aider les Canadiens français à garder leur langue ici en Alberta… Est-ce que tu penses c'est encore vrai ça aujourd'hui ?

8) Est-ce que tu te considères maintenant d'abord Canadienne française, Franco-Albertaine ou Albertaine ?

Il faut noter que pendant la dernière partie de l'entrevue, chaque locuteur était invité à raconter une expérience personnelle. L'enquêteur et la personne interviewée conversaient donc de façon beaucoup plus libre.

---

10   Toutes les entrevues du vaste corpus Papen-Rochet ont été effectuées par un seul et même enquêteur. Il s'agit d'un jeune francophone – il était dans la vingtaine lors des entrevues – originaire de la région de la Rivière-la-Paix (Peace River), qui avait fait ses études au Collège universitaire Saint-Jean d'Edmonton – aujourd'hui Campus Saint-Jean. Animateur radio et acteur bien connu à Edmonton dans les années 1970, ce jeune Franco-Albertain n'était pas personnellement connu de la plupart des participants du corpus, à l'exception probable de ceux et celles de Falher.

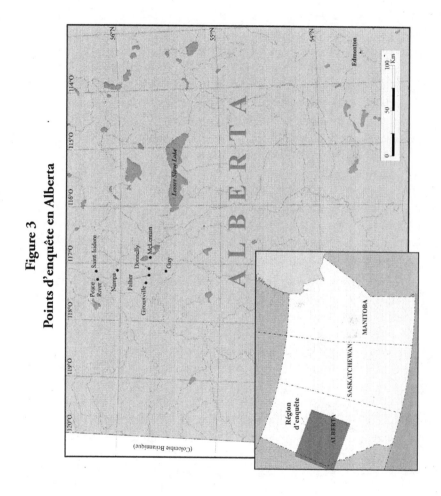

Figure 3
Points d'enquête en Alberta

Les caractéristiques sociales des locuteurs sont les suivantes : leur sexe, leur niveau de scolarité et leur degré de restriction linguistique (restreint, semi-restreint et non restreint) (voir le tableau 6). L'âge et le niveau de scolarité ont été déterminés grâce aux données biographiques recueillies auprès des interviewés. Le calcul de l'indice du degré de restriction linguistique a été déterminé à l'aide des réponses spécifiques données, durant les entrevues, sur la fréquence des interactions en français des locuteurs. Quatre situations d'interaction étaient systématiquement mentionnées : à la maison, à l'école, avec les amis et ailleurs (cette dernière catégorie pouvant inclure un lieu de travail ou toute autre activité personnelle partagée avec d'autres francophones de la communauté ou non). À l'instar de Mougeon et Beniak (1991), nous avons attribué des points pour ces quatre situations d'interaction sur la base de trois degrés d'utilisation du français : 1 point lorsque la personne répondait « régulièrement » (ou toute autre réponse sous-entendant cette fréquence), 0,5 point lorsque la réponse était « parfois », et aucun point quand le locuteur répondait « jamais ». Les locuteurs obtenant un score supérieur à 3 étaient « non restreints », ceux dont le score se situait entre 1,5 et 3 étaient « semi-restreints », et les personnes ayant un score inférieur à 1,5 obtenaient le degré « restreint ».

Jusqu'à présent, deux études ont été réalisées à partir de ce corpus. Bigot (2009) a montré que les locuteurs du corpus revendiquaient majoritairement l'identité linguistique « franco-albertaine » (56 % des répondants), confirmant ainsi que « depuis la Révolution tranquille […] la nation canadienne-française actuelle se trouve de plus en plus fragmentée en groupements provinciaux » (Aunger, 1999 : 292). L'identité « canadienne-française » n'était revendiquée que par 36 % des locuteurs, et l'identité « canadienne » n'était évoquée que par 8 % d'entre eux. Les locuteurs faisaient donc montre d'une volonté certaine « d'affirmer [d'abord] leur appartenance à la minorité linguistique provinciale » (Dallaire, 2004 : 136). Enfin, d'un point de vue plus linguistique, les résultats préliminaires d'une étude en cours montrent que les connecteurs et les particules *and, but, so, like* et *anyway* étaient totalement absents ou presque du discours des jeunes Franco-Albertains d'Edmonton, *a contrario* des observations de Walker (2004 et 2005). Cette différence serait très probablement le fruit de la situation d'étiolement du français en Alberta.

Le corpus de Peace River en Alberta, dont le responsable est Douglas Walker (Université de Calgary / Université Simon Fraser), a été établi en 2001-2002. Subventionné à différents moments par l'Université de

Tableau 6

Distribution des locuteurs du corpus d'Edmonton

selon le niveau de scolarité, le degré de restriction linguistique et le sexe (1976)

Facteurs sociaux	N hommes	% hommes	N femmes	% femmes	N Total	% Total
Niveau de scolarité						
S+*	5	20 %	3	12 %	8	32 %
S**	1	4 %	4	16 %	5	20 %
S-***	6	24 %	6	24 %	12	48 %
Total	**12**	**48 %**	**13**	**52 %**	**25**	**100 %**
Restriction linguistique						
Non restreint	0	0 %	1	4 %	1	4 %
Semi-restreint	6	24 %	4	16 %	10	40 %
Restreint	6	24 %	8	32 %	14	56 %
Total	**12**	**48 %**	**13**	**52 %**	**25**	**100 %**

* S+ = + de 12 ans de scolarité

** S = entre 10 et 12 ans

*** S- = - de 10 ans de scolarité

Calgary, par le CRSH (ARUC-IFO, mais aussi dans le cadre du projet *Des Pays d'en Haut à l'Ouest canadien : variation et changement linguistique* avec France Martineau), le projet a pour principal objectif l'examen de la structure linguistique d'une variété de français canadien parlée dans un contexte minoritaire.

Établi selon le protocole du projet *PFC*, le corpus a été initialement recueilli afin d'examiner la structure phonologique de la variété albertaine. Il est toutefois vite apparu que, du fait de la structure du corpus, les données permettaient en même temps une analyse non seulement des propriétés morphosyntaxiques et lexicales de cette variété, mais aussi des conséquences linguistiques de son contact prolongé avec l'anglais, le bilinguisme français-anglais étant généralisé tant chez les participants à l'enquête que dans l'ensemble de la communauté.

Tous les locuteurs viennent d'une région agricole située au sud-est de la ville de Peace River, à quelque 400 kilomètres au nord-ouest d'Edmonton (un ensemble de villages comprenant Guy, Donnelly, McLennan, Falher, Girouxville, Saint-Isidore, Nampa et autres, voir la figure 3). Cette région abrite toujours la plus grande proportion de francophones dans la province. Toutes les personnes faisant partie de l'échantillon, à l'exception d'une femme arrivée dans la région à l'âge de deux ans, sont nées en Alberta, et toutes les familles ont des origines québécoises. Des quatorze locuteurs interviewés, sept sont âgés (cinq femmes, deux hommes), quatre sont d'âge moyen (deux femmes, deux hommes) et trois font partie d'un contingent plus jeune (deux femmes, un homme). On constate donc, dans les sept heures d'enregistrement, un assez bon équilibre entre les sexes et les générations. À part deux anciennes enseignantes, tous les sujets viennent d'un milieu populaire ; il n'est donc pas surprenant que leur parler ressemble fortement au parler populaire du Québec.

Deux étudiantes du Campus Saint-Jean de l'Université de l'Alberta ont réalisé les enquêtes de terrain auprès de personnes qu'elles connaissent bien : des membres de leurs familles ou des amis. Le protocole *PFC* contient une diversité de tâches : deux listes de mots ciblant le système phonologique, un passage diagnostique à lire à haute voix, pour examiner la liaison et le comportement du schwa, et une conversation spontanée. On obtient, par conséquent, des renseignements sur au moins deux niveaux de formalité : la lecture à haute voix correspond au registre formel et la conversation spontanée au registre informel. Toutes les données (listes, passages diagnostiques et conversations) ont été numérisées et transcrites, et servent maintenant à de nombreux types d'analyse ainsi qu'à un examen détaillé de la structure et du contenu des conversations.

Ces analyses nous montrent divers traits du français albertain, traits qui se retrouvent ailleurs en français laurentien et parfois en français populaire plus généralement[11]. La structure phonologique d'abord : la variété présente toutes les propriétés pertinentes du français québécois populaire. On y voit le maintien des distinctions /ɛ/–/ɛː/, /a/–/ɑ/ et /ɛ̃/–/œ̃/, qui disparaissent dans d'autres régions, ainsi que le relâchement des voyelles hautes, la diphtongaison, le dévoisement, la postériorisation du /a/, la modification des voyelles nasales et maints autres phénomènes typiques du système vocalique du français laurentien. Au niveau consonantique, l'assibilation du /t/ et du /d/ est présente, mais parfois moins marquée que dans les provinces de l'Est. Le /h/ persiste et les groupes de consonnes finales se simplifient massivement. Sur le plan morphologique on retrouve, entre autres, des formes analogiques (*faise, je vas, allent, sontaient*), la neutralisation de *ce/cette* en /st(ə)/, l'absence de la distinction *ils-elles*, qui devient /i – j/, et l'emploi de la forme vernaculaire *m'as*. En syntaxe, l'histoire se répète : des traits du français populaire abondent. On constate notamment l'absence de pronoms sujets (*Couraient comme des fous*), la présence fréquente de -*tu* interrogatif (*Pis ton père il travaille-tu dans les champs?*), des prépositions orphelines (*Papa il disputait après*), *avoir* à la place de *être* (*Ah il doit s'avoir fait chicaner hein?*), *ça* personnel (*Ça en était une Fortier elle*), *si* suivi du conditionnel (*Si ça serait plus proche...*), l'emploi de complémenteurs doublement remplis avec *que* (*Savez-vous où que René Bourgeois il reste?; Comment qu'on dirait ben ça?*).

Au niveau lexical, le trait le plus notable est fourni par un grand nombre de mots empruntés à l'anglais, souvent assimilés phonétiquement (*tu moves, grainerie, swathé, shop, collecter*), souvent dans leur forme d'origine (*p-trap, fun years, intensive care, pewter, nurse, housewife*), ces derniers témoignant de la maîtrise de l'anglais de la part des locuteurs. Aux mots d'emprunt, on doit ajouter la présence de nombreux calques (puis *il prend du temps off;* il est *bon sur le gaz;* on *garde le track de* toutes...

---

[11] Pour plus de détails, voir Walker 2003, 2004, 2010.

choses) à laquelle s'ajoute, surtout chez les locuteurs d'âge moyen et les jeunes, l'alternance codique fréquente (*J'aime pas pas la...le* fast pace of life; *Une différence que de notre temps* they like to be entertained *à la place de* entertain themselves; *Je trouve les jeunes ils disent* oh it's boring). Avec ces exemples, on constate l'influence de plus en plus marquée de l'anglais. Chez les locuteurs âgés, il n'y a guère de calque ni d'alternance codique, et les emprunts sont normalement assimilés à la phonologie du français. Chez les locuteurs d'âge moyen et les jeunes, en revanche, de plus en plus d'emprunts non assimilés apparaissent, les calques sont fréquents et les deux groupes alternent entre le français et l'anglais avec facilité. Ceci s'explique sans doute, en partie, par les changements démographiques dans la région : selon le recensement de 1981, le français était la seule langue employée dans 44 % des foyers; en 2001, ce chiffre a chuté à 11 %, bien que 37 % des foyers disent employer les deux langues. Cette situation est préoccupante pour l'avenir du français dans la région, une situation typique des langues en contexte fortement minoritaire.

Conclusion

Nos travaux sont orientés vers la description des spécificités linguistiques des variétés de français des provinces de l'Ouest, la définition des identités francophones locales et la mise en valeur du patrimoine linguistique et culturel de la francophonie de l'Ouest canadien. La description linguistique basée sur des données solides et représentatives constitue une étape préalable indispensable à l'exploration de ce qui définit les communautés francophones de l'Ouest et vient, de surcroît, compléter l'ensemble de nos connaissances sur le français canadien de souche laurentienne. Ainsi, les enquêtes récentes au Manitoba (corpus Hallion-Bédard) et en Saskatchewan (corpus de Prince Albert), qui présentent des similitudes en ce qui a trait à la méthodologie utilisée dans la constitution du corpus (questionnaire d'enquête, tranches d'âge des participants, période d'enquête), permettront une comparaison fiable entre le franco-manitobain et le fransaskois. Plusieurs de nos enquêtes ont intégré le questionnaire *PFC* sur la prononciation, ce qui permettra une analyse transversale des spécificités du système phonologique de l'Ouest. D'autre part, la dimension du changement intergénérationnel pourra être saisie par la comparaison de corpus patrimoniaux (celui de Martineau-Mocquais) et de nouvelles enquêtes, auprès de locuteurs de souche et de nouveaux arrivants. Enfin, l'exploitation pédagogique des corpus oraux pourra permettre de sensibiliser les jeunes générations à l'importance stylistique et identitaire des variétés vernaculaires du français et de leur redonner confiance en une parole bien souvent stigmatisée en contexte minoritaire.

Raymond Mougeon et ses collaborateurs (2010) notaient encore récemment que : 1) peu d'études ont cherché à observer les points de divergence et de convergence entre les divers parlers laurentiens ; 2) peu d'études ont mesuré la fréquence des points communs et des différences entre les corpus ; et 3) aucune d'entre elles n'a examiné ces éléments du point de vue de la variation. Les diverses analyses basées sur les corpus que nous venons de présenter nous fourniront donc des éléments déterminants dans la connaissance des variétés de français parlées dans l'Ouest canadien. L'enjeu est crucial, car mieux connaître les particularités des parlers français de l'Ouest et mieux cerner les repères identitaires des locuteurs de ces variétés de français, c'est se donner de meilleurs outils pour réduire le phénomène de l'étiolement linguistique et favoriser le maintien et l'épanouissement des communautés francophones de l'Ouest canadien, dans toute leur diversité.

BIBLIOGRAPHIE

Ouvrages et articles

AUER, Peter (dir.) (2007). *Style and Social Identities: Alternative Approaches to Linguistic Heterogeneity*, Berlin, Mouton de Gruyter.

AUNGER, Edmund A. (1999). « Les communautés francophones de l'Ouest : la survivance d'une minorité dispersée », dans Joseph Yvon Thériault (dir.), *Francophones minoritaires au Canada : état des lieux*, Moncton, Éditions d'Acadie, p. 283-304.

BAUDE, Olivier (dir.) (2006). *Corpus oraux : guide des bonnes pratiques*, Paris, Presses universitaires Orléans et CNRS Éditions.

BEAULIEU, Louise, et Wladyslaw CICHOCKI (2011). « Changement et continuité en français acadien : corpus de la variété parlée dans le nord-est du Nouveau-Brunswick », communication présentée au colloque *Methods in Dialectology*, atelier « Les nouveaux corpus de français », University of Western Ontario, août 2011.

BIGOT, Davy (2009). « "Canadien-Français" or "Franco-Albertain"? Changing Identities in the 1970s », communication présentée dans le cadre du symposium *French-Canadian identity/Identities in the Prairie Provinces of Canada*, congrès « North by Northwest, South by Southwest, Canada and the United States: Past, Present, and Future », 20th Biennial ACSUS Conference, San Diego, 18-22 novembre 2009.

BLONDEAU, Hélène, et Michael FRIESNER (2011). « Un corpus nouvelle vague : ethnicité et variation en français montréalais », communication présentée au colloque *Methods in Dialectology*, atelier « Les nouveaux corpus de français », University of Western Ontario, août 2011.

BOUDREAU, Annette, et Isabelle VIOLETTE (2009). « Savoir, intervention et posture en milieu minoritaire : les enjeux linguistiques en Acadie du Nouveau-Brunswick », *Langage et Société*, n° 129 (septembre), p. 13-28.

CHAMPAGNE, Juliette Marthe (2003). *De la Bretagne aux plaines de l'Ouest canadien : lettres d'un défricheur franco-albertain, Alexandre Mahé (1880-1968)*, Québec, Les Presses de l'Université Laval.

DALLAIRE, Christine (2004). « "Fier de qui on est... nous sommes francophones!" L'identité des jeunes aux Jeux franco-ontariens », *Francophonies d'Amérique*, n° 18 (automne), p. 127-147.

DETEY, Sylvain, *et al.* (2007). « Voix de la francophonie, éducation langagière et corpus numérisé : PFC-EF, des ressources pour la didactique du français », dans Sylvain Detey et Dominique Nouveau (dir.), *PFC : enjeux descriptifs, théoriques et didactiques*, Bulletin PFC, n° 7, Toulouse, UTM CLLE-ERSS, p. 11-29.

DURAND, Jacques, et Élisabeth DELAIS (2003). *Corpus et variation en phonologie du français : méthodes et analyses*, Toulouse, Presses universitaires du Mirail.

FRENETTE, Yves (1998). *Brève histoire des Canadiens français*, Montréal, Éditions du Boréal.

GILES, Howard, et Peter F. POWESLAND (1975). *Speech Style and Social Evaluation*, London, Academic Press.

GAREAU, Laurier (1988-1991). « La parlure fransaskoise », *L'eau vive*, chroniques de langue parues entre le 6 octobre 1988 et le 4 juillet 1991, Regina.

HALLION, Sandrine (2010). « "Je sais pas si tu sais ce que c'est *les cabousses*" : analyse d'une lexie saillante dans un corpus de français parlé à Notre-Dame-de-Lourdes au Manitoba », communication présentée au colloque international *Français du Canada/Français de France*, Université de Winnipeg/CUSB, août-septembre 2010.

HALLION BRES, Sandrine (2006). « Similarités morphosyntaxiques des parlers de l'Ouest canadien », dans Robert Papen et Gisèle Chevalier (dir.), *Les variétés de français en Amérique du Nord : évolution, innovation et description*, numéro conjoint de la *Revue canadienne de linguistique appliquée* = *Canadian Journal of Applied Linguistics*, vol. IX, n° 2, et de la *Revue de l'Université de Moncton*, vol. XXXVII, n° 2, p. 111-131.

HELLER, Monica (1998). « Dimensions sociopolitiques des alternances de code en Ontario français », dans Patrice Brasseur (dir.), *Français d'Amérique : variation, créolisation, normalisation : actes du colloque international* Les français d'Amérique du Nord en situation minoritaire *(Université d'Avignon, 8-11 octobre 1996)*, Avignon, Presses de l'Université de Provence, p. 293-307.

HELLER, Monica (2002). *Éléments d'une sociolinguistique critique,* Paris, Hatier.

HOFFMAN, Michol F., et James A. WALKER (2010). « Ethnolects and the City: Ethnic Orientation and Linguistic Variation in Toronto English », *Language Variation and Change,* vol. 22, n° 1 (mars), p. 37-67.

IRVINE, Judith, et Susan GAL (2000). « Language Ideology and Linguistic Differentiation », dans Paul Kroskrity (dir.), *Regimes of Languages: Ideologies, polities, and Identities,* Santa Fe, School of American Research, p. 35-84.

JACKSON, Michael (1968). « Étude du système vocalique du parler de Gravelbourg (Saskatchewan) », dans Pierre Léon (dir.), *Recherches sur la structure phonique du français canadien,* Ottawa, Marcel Didier, p. 61-78.

JACKSON, Michael (1974). « Aperçu des tendances phonétiques du parler français de la Saskatchewan », *Canadian Journal of Linguistics = Revue canadienne de linguistique,* vol. 19, n° 2, p. 121-133.

LALONDE, André (1983). « Les Canadiens français de l'Ouest : espoirs, tragédies, incertitudes », dans Dean Louder et Éric Waddell (dir.), *Du continent perdu à l'archipel retrouvé : le Québec et l'Amérique française,* Québec, Les Presses de l'Université Laval, p. 81-95.

LANGLOIS, Simon, et Jocelyn LÉTOURNEAU (dir.) (2004). *Aspects de la nouvelle francophonie canadienne,* Sainte-Foy, Les Presses de l'Université Laval.

LARIVIÈRE, Louise (1994). « Diversité ou unité du français parlé dans l'Ouest canadien », dans Jacques Paquin et Pierre-Yves Mocquais (dir.), *Les discours de l'altérité : actes du douzième colloque du Centre d'études franco-canadiennes de l'Ouest tenu à l'Institut de formation linguistique, Université de Regina, les 23 et 24 octobre 1992,* avec la collaboration de Richard Lapointe, Regina, Institut de formation linguistique, p. 243-253.

MARTINEAU, France (2005). « Perspectives sur le changement linguistique : aux sources du français canadien », *Canadian Journal of Linguistics = Revue canadienne de linguistique,* numéro spécial pour les 50 ans de la revue « Le savoir-faire langagier = Language Know-How », vol. 50, n°ˢ 1-4 (mars-décembre), p. 173-213.

MARTINEAU, France (2009). « Vers l'Ouest : les variétés laurentiennes », dans Luc Baronian et France Martineau (dir.), *Le français d'un continent à l'autre : mélanges offerts à Yves Charles Morin,* Québec, Les Presses de l'Université Laval, p. 291-326.

MARTINEAU, France (2010). « Représentations et usages en Saskatchewan », communication présentée au colloque du Centre d'études franco-canadiennes de l'Ouest « Impenser » la francophonie : renouvellement, recherches, diversité, identité, Campus Saint-Jean, Université de l'Alberta, septembre 2010.

MARTINEAU, France (2012). « Contacts francophones en Saskatchewan », dans Françoise Le Jeune (coord.), *Actes du colloque Les immigrants français au Canada à l'époque de la Grande Migration transatlantique (1870-1914),* Nantes, Éditions du CRINI, E-CRINI, n° 3, p. 1-18.

MARTINEAU, France (à paraître). « Les voix silencieuses de la sociolinguistique diachronique », dans Françoise Gadet (dir.), *Construction des connaissances sociolinguistiques : variation et contexte social,* vol. 1, 2012.

MARTINEAU, France, et Nathalie MORGAN (2009). « D'ici et d'ailleurs : discours sur soi et usages en contexte migrant », dans Ci-dit, *Communications du IVe colloque international du groupe Ci-dit*, Nice, 11-13 juin 2009, [En ligne], [http://revel.unice.fr/symposia/cidit/index.html?id=557].

MARTINEAU, France, Raymond MOUGEON et Dominike THOMAS (2011). « Histoires fantastiques du Canada français », communication présentée au colloque *Methods in Dialectology*, atelier « Les nouveaux corpus de français », University of Western Ontario, août 2011.

MOUGEON, Raymond (1995). « Diversité sociolinguistique au sein d'une communauté francophone minoritaire : les Franco-Ontariens », *Linx*, « Situations du français », sous la direction de Dominique Fattier et Françoise Gadet, n° 33, p. 47-69.

MOUGEON, Raymond (2004). « Postface », *Cahiers franco-canadiens de l'Ouest*, « Le français dans l'Ouest canadien », sous la direction de Robert A. Papen et André Fauchon, vol. 16, n°s 1-2, p. 225-239.

MOUGEON, Raymond (2005). « Rôle des facteurs linguistiques et extra-linguistiques dans la dévernacularisation du parler des adolescents dans les communautés francophones minoritaires du Canada », dans Albert Valdman, Julie Auger et Deborah Piston-Hatlen (dir.), *Le français en Amérique du Nord : état présent*, Québec, Les Presses de l'Université Laval, p. 261-286.

MOUGEON, Raymond, et Édouard BENIAK (1988). *Le français canadien parlé hors Québec : aperçu sociolinguistique*, Québec, Les Presses de l'Université Laval.

MOUGEON, Raymond, et Édouard BENIAK (1991). *Linguistic Consequences of Language Contact and Restriction*, Oxford, Oxford University Press.

MOUGEON, Raymond, *et al.* (2010). « Variantes morphologiques de la première personne de l'auxiliaire *aller* dans les variétés de français laurentien du Canada », dans Carmen LeBlanc, France Martineau et Yves Frenette (dir.), *Vues sur les français d'ici*, Québec, Les Presses de l'Université Laval, p. 131-184.

NYONGWA, Moses (2010). « La Nouvelle Francophonie dans la construction identitaire de la minorité francophone de l'Ouest », communication présentée au colloque du Centre d'études franco-canadiennes de l'Ouest « Impenser » la francophonie : renouvellement, recherches, diversité, identité, Campus Saint-Jean, Université de l'Alberta, septembre 2010.

PAPEN, Robert A. (1984). « Quelques remarques sur un parler français méconnu de l'Ouest canadien : le métis », *Revue québécoise de linguistique*, vol. 14, n° 1, p. 113-139.

PAPEN, Robert A. (2002). « "Les troub'" : analyse linguistique d'un texte oral en français des Métis », *Cahiers franco-canadiens de l'Ouest*, « La question métisse : entre la polyvalence et l'ambivalence identitaires », sous la direction de Luc Côté et Raymond Théberge, vol. 14, n°s 1-2, p. 61-88.

PAPEN, Robert A. (2004a). « La diversité des parlers français de l'Ouest canadien : mythe ou réalité ? », *Cahiers franco-canadiens de l'Ouest*, « Le français dans l'Ouest canadien », sous la direction de Robert A. Papen et André Fauchon, vol. 16, n°s 1-2, p. 13-52.

PAPEN, Robert A. (2004b). « Les parlers français de l'Ouest canadien », *Cahiers franco-canadiens de l'Ouest*, « Le français dans l'Ouest canadien », sous la direction de Robert A. Papen et André Fauchon, vol. 16, nᵒˢ 1-2, p. 1-9.

PAPEN, Robert A. (2010). « Le lexique du fransaskois », communication présentée au colloque du Centre d'études franco-canadiennes de l'Ouest « *Impenser* » *la francophonie : renouvellement, recherches, diversité, identité*, Campus Saint-Jean, Université de l'Alberta, septembre 2010.

PAPEN, Robert A., et Davy BIGOT (2010), « Le lexique fransaskois : convergence ou divergence par rapport au laurentien ? », communication présentée au colloque *Français d'ici*, Université de Montréal, mai 2010.

PAPEN, Robert A., et Davy BIGOT (2011). « Quand la variation s'emballe... Le fransaskois : aspects sociophonétiques », communication présentée au colloque du Réseau français de phonologie, Université de Tours, juin-juillet 2011.

PAPEN, Robert A., et Anne-Sophie MARCHAND (2006). « Un aspect peu connu de la francophonie canadienne de l'Ouest : le français hexagonal », dans Robert Papen et Gisèle Chevalier (dir.), *Les variétés de français en Amérique du Nord : évolution, innovation et description,* numéro conjoint de la *Revue canadienne de linguistique appliquée = Canadian Journal of Applied Linguistics*, vol. IX, n° 2, et de la *Revue de l'Université de Moncton*, vol. XXXVII, n° 2, p. 133-147.

ROCHET, Bernard (1993). « Le français parlé en Alberta », *Francophonies d'Amérique,* n° 3, p. 5-24.

ROCHET, Bernard (1994). « Le français à l'Ouest de l'Ontario : tendances phonétiques du français parlé en Alberta », dans Claude Poirier *et al.* (dir.), *Langue, espace, société : les variétés du français en Amérique du Nord,* Sainte-Foy, Les Presses de l'Université Laval, p. 433-455.

STATISTIQUE CANADA (2007). *Prince Albert, Saskatchewan* (Code 745) (tableau). *Profils des communautés de 2006,* Recensement de 2006, produit n° 92-591-XWF au catalogue de Statistique Canada, Ottawa, diffusé le 13 mars 2007, [En ligne], [http://www12. statcan.ca/census-recensement/2006/dp-pd/prof/92-591/index.cfm?Lang=F].

VIOLETTE, Isabelle (2010). « Discours, représentations et nominations : le rapport au chiac chez les immigrants francophones à Moncton (Acadie) », dans Carmen LeBlanc, France Martineau et Yves Frenette (dir.), *Vues sur les français d'ici,* Québec, Les Presses de l'Université Laval, p. 267-284.

WALKER, Douglas C. (2003). « Le français en Alberta », *La Tribune internationale des Langues vivantes,* n° 33, p. 78-88.

WALKER, Douglas C. (2004). « Le vernaculaire en Alberta », *Cahiers franco-canadiens de l'Ouest*, « Le français dans l'Ouest canadien », sous la direction de Robert A. Papen et André Fauchon vol. 16, nᵒˢ 1-2, p. 53-65.

WALKER, Douglas C. (2005). « Le français dans l'Ouest canadien », dans Albert Valdman, Julie Auger et Deborah Piston-Hatlen (dir.), *Le français en Amérique du Nord : état présent*, Québec, Les Presses de l'Université Laval, p. 187-205.

WALKER, Douglas C. (2010). « Conversation en Alberta (Canada) : la vie francophone rurale », dans Sylvain Detey *et al.* (dir.), *Les variétés du français parlé dans l'espace francophone : ressources pour l'enseignement*, Paris, Ophrys, p. 329-340.

Rapport

TRAVAIL ET IMMIGRATION MANITOBA (2007). *Données factuelles sur l'immigration au Manitoba : rapport statistique de 2006*, [En ligne], [http://www2.immigratemanitoba.com/asset_library/fr/resources/pdf/statsum2006.fr.pdf].

Préservation, célébration et utilisation des ressources naturelles et culturelles chez les Métis francophones du Manitoba

Yves Labrèche
Université de Saint-Boniface*

C ETTE RECHERCHE-ACTION d'inspiration ethnométhodologique (Garfinkel, 2001) a pour but de participer à la mise en valeur du patrimoine culturel et linguistique des Métis francophones du Manitoba. À cette fin, des témoignages de Métis – aînés, artistes, dirigeants et autres sages – ont été recueillis, et des activités d'observation en situation ou d'observation participante ont été poursuivies, notamment grâce à une présence assidue à des rencontres et à des célébrations organisées par cette communauté. Les travaux réalisés à ce jour doivent permettre, à plus long terme, une meilleure intégration d'éléments patrimoniaux valorisés par cette communauté dans des expositions et des programmes scolaires s'inspirant des perspectives métisses.

Cet article découle directement de cette démarche ethnographique au service d'une communauté culturelle et linguistique en situation minoritaire. Dans un premier temps, nous allons situer ces activités dans le cadre du programme de recherche plus vaste au sein duquel elles s'inscrivent et qui porte sur les stratégies identitaires des francophones et des Métis. Nous allons ensuite présenter les questions qui ont été posées, de même que nos objectifs et les thématiques qui ont été privilégiées et qui convergeront vers une définition de la réappropriation culturelle et des relations complexes qui existent entre mémoire et paysage. La seconde partie de l'exposé est divisée en deux sections. La première est basée sur

---

* Depuis juin 2011, le Collège universitaire de Saint-Boniface est reconnu légalement sous le nom d'Université de Saint-Boniface, appellation officielle que nous utiliserons dans cet article, sauf dans les références bibliographiques antérieures à cette date.

l'analyse du contenu de quinze entrevues réalisées en retenant des extraits relatifs au patrimoine géographique et à l'utilisation des ressources. La seconde section traite de la préservation du patrimoine naturel et culturel, et regroupe certaines constatations et réflexions faites lors d'activités à caractère éducatif ou commémoratif et de célébrations auxquelles nous avons participé dans la communauté métisse depuis 2008.

Problématique, méthode et justification

La recherche sur l'identité métisse à l'Université de Saint-Boniface s'est développée principalement à partir de 2004, dans le cadre de la Chaire de recherche du Canada sur l'identité métisse (CRCIM) dirigée par Denis Gagnon (Gagnon, 2009a). Un autre programme, celui de l'Alliance de recherche universités-communautés sur les identités francophones de l'Ouest canadien (ARUC-IFO), dirigé par Léonard Rivard, comprend un volet métis auquel nous sommes associé depuis 2007[1].

Cet article est basé en grande partie sur les résultats des travaux réalisés dans le cadre du volet métis qui s'intitule *Sauvegarde et mise en valeur du patrimoine culturel et linguistique des Métis francophones*. Dans ce contexte, une attention particulière est accordée au paysage nommé et façonné ainsi qu'à l'utilisation des ressources naturelles et culturelles selon la tradition orale et vivante des communautés métisses du Manitoba méridional. Il s'agit d'inventorier ce patrimoine en sélectionnant, en collaboration avec des participants métis, les éléments ou les ensembles qu'ils valorisent en vue de leur mise en valeur à des fins éducatives, commémoratives, voire touristiques. Ultimement, cette démarche offrira à leur communauté des outils favorisant la revitalisation culturelle et linguistique.

Commençons par une des nombreuses variantes de la question principale qui oriente nos travaux : quels éléments de leur patrimoine culturel[2] les Métis francophones souhaitent-ils préserver, partager avec

---

[1]   Ces programmes sont tous deux subventionnés par le Conseil de recherches en sciences humaines du Canada. Voir la section « Remerciements » pour des précisions sur les arrimages entre ces deux programmes et sur l'identification des partenaires et des participants de l'ARUC-IFO.

[2]   « Patrimoine qui est constitué de biens, de lieux, de paysages, de traditions et de savoirs, et qui reflète l'identité d'une société en transmettant les valeurs de celle-ci de génération en génération, sa conservation favorisant le caractère durable du

leurs contemporains et transmettre aux prochaines générations ? Suivant le sillon creusé par cette formulation, les chercheurs écoutent, observent, enregistrent des témoignages et des images tout en réfléchissant à des moyens pédagogiques pour faciliter ce transfert et ce renouveau culturel.

Comme l'a déjà bien souligné Michel Leiris au sujet de la sauvegarde des cultures : « Il serait vain de les conserver telles quelles car, en admettant qu'on puisse le faire, cela reviendrait à les pétrifier » (1988 : 99). Conscient de cette mise en garde contre l'effet folklorisant de la conservation et conformément à l'approche ethnométhodologique, qui insiste sur le fait que la relation au patrimoine culturel et toutes les interactions qui en découlent seraient en constante négociation chez les membres de la communauté (Charest, 1994 : 743), le chercheur tâche d'être à l'écoute des personnes qui font partie de cette collectivité et de les appuyer dans leurs aspirations en matière de transmission patrimoniale et de quête identitaire, en rendant accessibles les résultats d'analyse qui sont basés sur des données d'observation en situation ou des propos échangés lors d'entrevues ou d'entretiens[3]. Cette approche permet de mieux saisir les réalités courantes de la vie sociale et culturelle, et présente l'avantage d'ajouter une perspective interne, celle des communautés étudiées (voir Garfinkel, 2001).

Cette recherche-action a donc pour but d'assister les Métis francophones dans l'identification d'éléments culturels significatifs afin que ces derniers puissent être partagés et transmis. À cette fin, en plus de recueillir des témoignages d'aînés et de leaders métis lors d'entrevues ethnographiques, le chercheur participe régulièrement à des rencontres et des célébrations organisées par cette communauté tout au long de l'année. Guidés par l'engagement communautaire, ces travaux se déroulent principalement au Manitoba et prennent la forme d'un

---

développement » et « Ensemble des richesses d'ordre culturel appartenant à une communauté et transmissibles d'une génération à une autre. Les richesses constituant le patrimoine culturel peuvent être des objets, des pratiques, des coutumes » (Office québécois de la langue française, 2002 et 2008).

3   Pour simplifier la narration, nous utilisons le terme « entrevue » pour signifier un échange verbal basé sur un schéma, avec ou sans questionnaire, capté par un enregistreur sonore après consentement éclairé des participants, alors que nous employons le terme « entretien » pour désigner un échange plus ou moins formel qui sera consigné sous forme de notes généralement préparées de mémoire, après le départ des interlocuteurs.

accompagnement et d'un soutien dans la réalisation des aspirations patrimoniales, la revitalisation des traditions identitaires, et d'un appui aux activités de concertation et de diffusion.

Trois thématiques principales ont été retenues pour cette recherche : le paysage géographique et l'utilisation des ressources ; l'architecture et les sites historiques ; la langue et la tradition orale (expressions, contes, récits et chansons)[4].

Dans cet article, il sera surtout question de la première de ces trois thématiques, soit le patrimoine géographique et l'environnement. La première partie de la synthèse proposée sera principalement basée sur des entrevues réalisées en 2008-2009 alors que la seconde partie, plus courte que la première, découle principalement d'observations faites lors d'événements organisés par la communauté ou d'interventions communautaires et de réflexions entourant ces rencontres.

Mais tout d'abord, revenons à 1870, année de la création de la province du Manitoba. Les Métis francophones formaient une partie importante de la population qui vivait aux environs de la rivière Rouge. Une quinzaine d'années plus tard, ils n'étaient déjà plus qu'une minorité et durent choisir entre le repli et l'exil :

> *According to the Dominion Census figures there were close to 2,000 fewer Métis and Half-Breeds in Manitoba in 1886 than in 1870. The French Métis decreased by twenty-four percent from 5,757 to 4,369 and the English Half-Breeds by twelve percent from 4,083 to 3,597* (Lagasse, 1959[5]).

Ce n'est qu'un siècle plus tard que les Métis reviennent en force, et depuis l'Arrêt Powley[6], dans plusieurs régions du Canada, des chercheurs en sciences humaines les ont appuyés dans leurs revendications en tentant de montrer qu'ils formèrent des communautés culturelles distinctes avant la mainmise européenne sur le territoire (Labrèche et Kennedy, 2007 ;

---

[4]   Dans le cadre de l'exploration de ces thématiques, nous avons développé des collaborations avec d'autres chercheurs de l'ARUC-IFO : Carol Léonard, professeur-chercheur au Campus Saint-Jean de l'Université de l'Alberta, qui s'intéresse aux noms géographiques d'origine française et métisse de l'Ouest canadien (Léonard, 2010a) et Robert A. Papen, professeur-chercheur affilié à l'Université du Québec à Montréal, qui étudie depuis plusieurs années les particularités de la langue des Métis francophones (Papen, 2009 ; Papen, dans Cenerini, 2011).

[5]   Document non paginé, voir la section « The Métis After 1870 ».

[6]   *R.* v. *Powley* 2003, dans Isaac (2004, p. 293-302) ; voir Reimer et Chartrand (2004).

Reimer et Chartrand, 2007 ; Rousseau et Rivard, 2007). On pourrait penser que, dans les Prairies canadiennes, la démonstration basée sur l'épanouissement antérieur de communautés métisses distinctes n'est peut-être pas aussi cruciale que dans les autres régions du pays pour soutenir les revendications des Métis. En effet, dans l'Ouest canadien, cette antériorité semble être reconnue et faire partie des acquis de l'histoire officielle. Par rapport aux Métis des autres provinces, on pourrait croire que ceux du Manitoba bénéficient d'une certaine longueur d'avance dans la reconnaissance de leurs droits et de leur statut juridique et constitutionnel. Cependant, tout n'est pas gagné, car même après des décennies de recherche sur les *scrips*, ces bouts de papier qui donnaient un droit de propriété terrienne à des individus tout en restreignant d'éventuelles revendications territoriales, les descendants des Métis de la rivière Rouge demeurent à ce jour un peuple autochtone sans territoire (voir Pihet, 2010 ou, encore, Tough et Boisvert, 2009). Le fait que tout ne soit pas gagné et que les Métis du Manitoba doivent continuer de livrer des batailles juridiques (p. ex., en 2006 puis en décembre 2011) pour la reconnaissance de leurs droits ancestraux constitue une autre raison de poursuivre les recherches sur les connaissances patrimoniales des Métis (voir Kermoal, 2009). De plus, Denis Gagnon (2008-2009) a montré qu'il existe, surtout depuis la reconnaissance constitutionnelle de 1982, un processus de revendication identitaire chez les Métis francophones qui engendre des rapports de pouvoir parfois difficiles avec la Manitoba Metis Federation, ce qui justifie d'autant plus la poursuite des efforts en ce qui a trait à la protection du patrimoine culturel des Métis francophones.

Il importe aussi de poursuivre une enquête au cœur du continent nord-américain sur l'histoire culturelle et l'identité des communautés autochtones d'ascendance mixte, notamment parce que, dans cette région qui fut jadis le berceau de la nation métisse, les Métis francophones se trouvent maintenant particulièrement marginalisés. L'attention portée à ce jour aux diverses communautés métisses francophones du Manitoba varie considérablement. Par exemple, Nicole St-Onge (2004), Guy Lavallée (2003) ainsi que Thibault Martin et Brieg Capitaine (2005) ont travaillé intensivement dans la communauté de Saint-Laurent alors que les petites communautés de Saint-Pierre et de Saint-Malo, avec lesquelles nous travaillons, sont méconnues. De même, sauf Lucien Chaput (1995), qui a étudié le patrimoine historique des environs de la rivière Seine, les communautés métisses de Saint-Boniface et de Saint-Vital demeurent peu étudiées, et ce, en dépit de tout ce qui a été écrit sur l'histoire de Saint-Boniface, de Winnipeg et du Manitoba[7] (Boyens, 2007 ; Fauchon et Harvey, 2008). Nathalie Kermoal (2006) a par ailleurs produit l'une des rares études historiques d'envergure qui touchent au quotidien des Métis de la rivière Rouge en s'intéressant plus particulièrement aux femmes. Ces recherches étaient principalement basées sur l'exploitation de sources écrites et, pour cette raison, les données de la tradition orale, dont nous ne présentons ici qu'un aperçu thématique, trouvent toute leur pertinence puisqu'elles viennent compléter, à partir de sources inédites et recueillies indépendamment, la caractérisation du mode de vie en faisant appel au point de vue des Métis et à la mémoire collective.

Par ailleurs, il existe également, dans la région à l'étude, un contraste remarquable entre la densité et, surtout, la visibilité des ressources patrimoniales en milieu urbain par rapport au milieu rural, et seules des approches finement ajustées peuvent répondre aux exigences d'équilibre pour dépeindre des milieux aussi distincts. Malgré les efforts récents visant à combler les lacunes dans les connaissances relatives à l'histoire récente des communautés métisses (depuis 1930), cette dernière demeure peu étudiée, comme si l'histoire plus ancienne, incluant le XIXe siècle, à l'instar des mythes, avait plus facilement attiré l'attention que le renouvellement culturel et sociopolitique des dernières décennies.

C'est pourquoi il semble tout à fait pertinent de mettre l'accent sur quelques vecteurs d'identité[8] à travers lesquels peuvent s'exprimer les aspirations des Métis en ce qui concerne l'appropriation matérielle et symbolique du paysage dans des contextes où l'élevage et la culture de

---

[7]   Il existe néanmoins une multitude d'autres études sur les Métis, incluant les travaux de Jacqueline Peterson et Jennifer Brown (1985) et ceux de Diane Payment (1990). Le but de cet article étant de mettre en valeur des témoignages inédits de Métis plutôt que de développer un savoir à partir d'une recension des écrits, nous proposons aux lecteurs désireux d'approfondir leurs connaissances sur l'histoire des Métis de consulter l'imposante bibliographie annotée publiée dans le recueil de Lawrence J. Barkwell, Leah Dorion et Darren R. Préfontaine (2003). Ils auront alors l'occasion de constater que certains historiens se sont effectivement intéressés à la diversité de l'économie au XIXe et au XXe siècle.

[8]   « Entre identité assignée et identité souhaitée, incorporation d'une histoire sociale et familiale et projection temporelle, transaction sociale et transaction biographique, c'est au point de convergence d'une pluralité de déterminations et d'orientations que les sujets construisent, dans leur rapport aux autres autant que dans leur rapport à soi, leur identité » (Abraham Franssen, dans Kaufmann, 2004 : 42).

légumes à l'échelle familiale ainsi que la chasse, la pêche et la cueillette continuent de contribuer de manière significative à la satisfaction des besoins alimentaires et aussi de nourrir l'imaginaire collectif. Il faut cependant bien reconnaître que les membres des communautés rurales étudiées ne vivent plus en circuit fermé et qu'en plus du manque de certains services, leur mode de vie est constamment bouleversé par l'industrialisation (construction de routes, déboisement, drainage et détournement de cours d'eau, développement industriel et exploitation des ressources). Ces activités créent sans doute des emplois, mais elles peuvent en même temps avoir des effets négatifs sur l'environnement où sont établies les communautés et sur les ressources dont elles dépendent.

Synthèse des données ethnographiques

Une quinzaine d'entrevues ont été réalisées à Saint-Boniface, à Saint-Vital, à Saint-Pierre-Jolys et à Saint-Malo en 2008 et 2009, et le travail d'analyse basé sur les transcriptions de ces entrevues est maintenant complété[9]. Les propos rapportés ci-dessous proviennent essentiellement de ce corpus, et cette section proprement ethnographique représente l'étape descriptive de notre démarche et sert à définir un aspect particulier de l'identité des Métis francophones.

Paysage géographique et ressources alimentaires

Il sera question ici des ressources vivrières acquises lors d'activités de chasse, de pêche et de cueillette. Nous n'allons pas traiter de l'agriculture de subsistance ou de la production alimentaire à l'échelle familiale ou communautaire, même si ces activités prirent une importance accrue dès la seconde moitié du XIXe siècle, notamment avec la diminution des troupeaux de bisons (Kermoal, 2006).

Contrairement à l'image des Métis spécialisés dans la chasse au bison qui persiste dans la mémoire collective, les activités de subsistance

---

[9]   En 2010, 26 autres entrevues ont été réalisées par Emmanuel Michaux, un étudiant au doctorat travaillant sous la direction de Denis Gagnon. L'analyse de cette deuxième série d'entrevues est en cours, et les résultats pourraient permettre de mieux cerner les données sur l'architecture vernaculaire et les sites d'intérêt historique que les informateurs de la première série ont peu étudiés.

traditionnelles étaient fort diversifiées bien qu'elles puissent se regrouper dans les trois grandes catégories mentionnées ci-dessus : la chasse, la pêche et la cueillette. Même si cette catégorisation est tout à fait courante en ethnographie comme en géographie culturelle, ces divers domaines ne sont pas toujours distincts dans certains témoignages sur le cycle des activités et les aires d'acquisition des ressources alimentaires. Ainsi, l'un de nos informateurs se souvient : « Alors le coteau Lamirande c'était pour les fruits, on ramassait gros de fruits là et puis plus pour aller à la chasse. Et puis la chasse, c'était pas juste du chevreuil c'était aussi de l'orignal... » (PD *et al.*, 9 juin 2009 : 25[10]).

La chasse

Les Métis distinguent la « grande chasse » (chevreuil, orignal) et la « petite chasse » (lièvre et petite poule de prairie). Entre les deux, il y avait toute une variété d'espèces qui étaient chassées ou piégées : le rat d'eau, le castor et d'autres animaux encore, comme le renard.

Et lorsqu'il est question de chasse, pour certains, ce n'est que souvenir alors que pour d'autres, cela demeure une activité significative qui permet une solidarité et que l'on tâche d'inculquer à la nouvelle génération. Voici les propos d'un informateur qui commentait les photographies de ses activités de chasse :

> Bien aussi, ça c'est surtout moi, ça c'est plutôt mes chasses, moi je chasse avec trois autres [...]. Alors ça c'est la chasse, j'ai dompté mon petit fils et puis j'en ai deux seulement qui font la chasse, les autres sont trop jeunes encore (PD, 2008 : 23).

Les nombreuses références à la chasse (tous les répondants en parlent, certains en détail) témoignent de son importance dans le mode de vie des Métis. Neuf intervenants mentionnent les grandes chasses aux bisons auxquelles les Métis ont participé de 1840 à la fin des années 1870 (RG0017 ; DD390 ; PD019 ; PD095 ; TC046 ; A-JD291 ; IG035). L'un d'eux précise d'ailleurs que ses grands-parents ont participé à ces grandes

---

10   Les sources ainsi notées (initiales suivies de l'année et des numéros de page) correspondent aux extraits tirés des transcriptions d'entrevues réalisées en 2008 et 2009, avant le commencement de l'indexation et de l'analyse des données récoltées dans le contexte du volet métis de l'ARUC-IFO (voir Collectif, 2010 dans la bibliographie). Les références aux entrevues notées par des initiales suivi du numéro de segment, p. ex. (AC007) correspondent aux extraits tirés de Anne-Sophie Letessier (2010) qui a procédé à l'indexation et à l'analyse préliminaire de ces mêmes entrevues.

chasses (IG035 ; DD390). L'arrière-grand-mère de l'épouse d'un second observateur, une religieuse, suivait la chasse aux bisons avec le reste de la communauté de Bellecourt (DD390). Un participant fait également allusion au rôle des Métis dans la traite des fourrures (AA0075). La chasse est donc indissociable du mode de vie traditionnel des Métis, ce que corroborent quatre témoignages. Une observatrice souligne qu'autrefois les Métis vivaient beaucoup de la chasse (RD323-324). Une autre femme raconte :

> Mon grand-père, oui bien mon grand-père, son père, il était venu s'établir ici parce que c'était un coureur de bois et puis là il est venu dans l'Ouest parce qu'il a dit : « On a rien qu'à faire la chasse. On n'a rien qu'à faire la pêche. On a pas besoin de travailler » (AA0194).

De même, les arrière-grands-parents d'un autre intervenant aimaient vivre dans les bois, ils aimaient chasser (DD100), tout comme le père d'une quatrième personne qui partait chasser dans les bois pendant de longues périodes (IG025). Si ces témoignages renvoient à une époque allant certainement de la fin du xixe siècle à la première moitié du xxe, on notera qu'un intervenant parle de faits plus récents. Pendant sa première année d'enseignement à Saint-Laurent, ses élèves, tous Métis, étaient régulièrement absents, car ils aidaient leurs parents pendant la période de la chasse (PD043).

Il y a deux types de chasse : la chasse commerciale – les chasseurs vendent les produits de leur chasse : la viande et / ou la fourrure (AA0206 ; PD025 ; CE513 ; RF-JD135 ; A-JD170 ; A-JD438 ; A-JD1272) – et une chasse que l'on pourrait appeler alimentaire. Six intervenants font ainsi référence à un régime alimentaire basé sur les viandes de venaison – cinq sur les six mentionnent d'ailleurs le ragoût ou le pâté de lièvre (RG0134 ; RD437 ; PD021 ; PD061 ; PD195 ; NH103 ; PD2-026 ; IG107).

Dans les deux cas, la chasse ne correspond qu'à l'une des composantes de l'économie de la communauté métisse puisqu'elle est rarement l'unique source de revenus. Il s'agit, dans la plupart des cas, d'un complément aux revenus souvent maigres des familles. Quatre exemples nous semblent significatifs. Deux intervenants se rappellent avoir chassé le lièvre dans leur jeunesse et vendu à la « coop » les animaux attrapés pour cinq ou dix sous (PD025 ; A-JD168). Le prix pouvait monter jusqu'à cinquante sous si l'animal était dépecé et nettoyé (A-JD1272). Un autre raconte combien valait un chevreuil :

> A : Dans ce temps-là, le plus gros payait de $25 à $30, qui était gros. Aie ça fait 50 ans, au-dessus de 50 ans de ça, ça fait que au-dessus de 50 ans $25 et puis $30 du [?] t'en poignais au-dessus d'une dizaine, ça fait de l'argent pour Noël et puis Noël s'en venait. À part de ça la chasse, des fois ils revenaient avec une couple de chevreuils, des fois ils se poignaient un orignal, ça en fait (A-JD438).

Un intervenant explique que les familles métisses au nord de Saint-Malo vivaient de la chasse, mais gardaient une ou deux vaches (PD143). Enfin, le témoignage qui nous paraît le plus explicite :

> Il [son père] payait [des taxes] parce que lui n'a jamais été sur [l'aide sociale] le *relief* comme ils appelaient ça dans ce temps-là. Il était trop fier pour aller comme ça. Quand on était pauvre, il allait à la chasse pour les lièvres et puis il s'en allait au CN aussi et puis il vendait ça aux Japonais. Il y avait des Japonais qui travaillaient […], et puis c'est ça, c'est comme ça qu'il nous a fait vivre, avec sa chasse (CE 183).

Pour ce qui est des types de gibier mentionnés dans les entrevues, nous avons noté que les animaux les plus souvent cités sont : le lièvre (RG0114 ; RG0116 ; RD326 ; PD021 ; PD061 ; AC022 ; A-JD166 ; A-JD167 ; A-JD168 ; A-JD470 ; PD-JD708 ; A-JD1272 ; PD2026 ; PD2030 ; IG149), l'orignal (RG0114 ; RG0116 ; PD021 ; TC046 ; A-JD396 ; A-JD410), le chevreuil (RD326 ; PD021 ; PD071 ; AC022 ; TC046 ; A-JD394 ; PD-JD410 ; PD-JD450 ; PD-JD452), le canard (PD-JD462 ; PD-JD466 ; PD-JD792 ; A-JD796 ; PD-JD797 ; PD2-103), la poule de prairie (RD326 ; AC022 ; IG149), le rat de rivière et le castor (AC050 ; AC052). La description suivante des collets utilisés pour attraper les lièvres illustre les techniques de piégeage :

> Il y a une broche spéciale là. Là il faisait comme un lasso, alors il étendait ça, c'était attaché avec un bâton planté dans la terre ou dans la neige et là il mettait un peu de foin ou quelque chose comme ça et puis quand le lièvre venait pour manger il faillit qu'il se passe la tête dans ce petit cerceau-là et puis là quand il donnait le coup il se serrait là et puis là il était pris (RD441).

Par ailleurs, trois intervenants décrivent la façon dont les peaux, une fois nettoyées (avec du papier de verre ou de l'écorce ; AC0295), étaient placées sur des « moules » (étendeurs) pour sécher (AC0295 ; CE508 ; A1-JD136). Enfin, un répondant parle de la chasse au cours de laquelle un faucon apprivoisé l'a assisté dans la poursuite de petit gibier (PD334 ; PD2-054). Il mentionne également les chanterelles en bois qui servent à la chasse aux canards (PD2-115).

La pêche

La pêche est une activité courante et demeure la pratique culturelle la plus répandue chez les Métis adultes dans toutes les régions du Canada (Kumar et Janz, 2010 : 70-71). On pêche pour le plaisir autant qu'à des fins alimentaires. La pêche s'enracine profondément dans les traditions ancestrales des Métis. Bien que la pêche commerciale ait connu une grande importance dans certaines communautés comme à Saint-Laurent entre 1900 et 1945 (St-Onge, 2004 : 83), nous allons surtout insister sur la pêche de subsistance ou récréative.

Les femmes participent volontiers à la pêche, et la transmission des savoirs ne suit pas nécessairement la division des sexes, comme nous le rapporte cette aînée :

> Moi, je me rappelle d'avoir été à la pêche avec mon père mais pas à la chasse. Mais à la pêche et puis on avait ce qu'on appelait des règles qu'on mettait d'un bord à l'autre de la rivière et puis c'était accroché après un gros poteau qui était planté dans la rivière plus loin et puis là après ça il poignait du poisson et puis on as-tu mangé du poisson (AA, 2008 : 25-26).

Comparées aux données recueillies sur la chasse, celles qui concernent la pêche paraissent bien pauvres, d'autant plus que peu de témoignages se recoupent et que la plupart des informateurs ne mentionnent la pêche que brièvement.

La pêche semble avoir joué un rôle tout aussi important que la chasse dans le mode de vie des Métis. Une seule intervenante dit avoir pratiqué la pêche de façon commerciale. Son témoignage donne à penser qu'elle et son mari passaient leur hiver à pêcher sur la glace, probablement près de leur terrain de trappe (CE515). Un autre répondant mentionne Saint-Laurent, une communauté métisse dont l'activité principale est la pêche (AC030). Les autres témoignages concernent une pêche que l'on pourrait qualifier d'alimentaire, comme on l'a fait pour la chasse (AA0295). Un intervenant se souvient que les femmes allaient à la pêche pendant que les hommes s'occupaient des champs (DD170). Encore une fois, la pêche dont il est question ne constitue pas une source de revenus, mais elle permet de varier l'alimentation.

Les poissons les plus souvent mentionnés sont le « *jack* » (A1-JD180, A-JD863), le « *sucker* », le brochet, la carpe (PD049, PD-JD1350 à A-JD1354) et le barbot (PD111). Certains intervenants soulignent les changements qui se sont produits dans la faune des rivières, notamment dans la Rivière-aux-Rats. Selon l'un d'eux, il y avait moins de dorés lorsqu'ils étaient jeunes, ce qui témoigne d'un sens de l'observation et d'un intérêt très actuel pour ces activités. Un autre parle du fait que les poissons ne remontent plus la rivière (A-JD1356), probablement à cause de la digue (A-JD1362).

Plantes et fruits sauvages

La cueillette demeure une activité courante chez près de 30 % des Métis canadiens. Elle est pratiquée par les hommes autant que par les femmes (Kumar et Janz, 2010 : 71). Plusieurs générations de Métis ont ramassé la racine de sénéca, qui était utilisée dans la préparation de remèdes contre la toux, le croup, la pneumonie, la coqueluche et les rhumatismes (Kermoal, 2006 : 147, 227 ; Pelletier, 1980 : 97-98). Outre cette racine, nos informateurs ont mentionné plusieurs autres plantes, sans qu'il soit toujours possible d'établir une correspondance précise entre celles auxquelles ils ont fait référence et les termes de la botanique.

> Bin tu sais là on avait du thé, on appelait ça là, on ramassait des feuilles dans la forêt c'est, on appelait ça « *Indian tea* » mais je sais pas c'est quoi. Il y avait un nom. Quand qu'on fait la chasse on, des fois on boit du thé qu'on fait pis c'est comme un « *mint flavour leaf* » (AC, 2009 : 10).

Dans ce cas, il pourrait s'agir simplement d'une variété de menthe sauvage comme, par exemple, la *Mentha arvensis* ou *Mentha canadiensis* L. (Marles *et al.*, 2000 : 202). Par ailleurs, il y avait aussi le plantain, la « belle angélique », dont la racine était utilisée contre le rhume et la fièvre, et le baume de certaines espèces que connaissaient bien les femmes métisses pour les maux quotidiens. Les sages-femmes faisaient appel à un savoir plus spécialisé et les femmes âgées s'occupaient des cas plus sérieux (Gaborieau, 1999 : 40 ; Kermoal, 2006 : 144-148 ; Labrèche, 2009 : 330).

Un informateur rapporte que des fruits sauvages variés et d'autres aliments d'origine végétale étaient fort appréciés des Métis (p. ex., les « poirettes » ou « saskatoons », les noisettes et les champignons, selon AC, 2009 : 6. Il fallait non seulement connaître les espèces comestibles, mais aussi se rappeler les zones les plus productives :

> Et puis pas rien que la chasse, nous autres il n'y a pas de talles à Saint-Malo, il y a rien que du gombo[11], dans le gombo et puis il fallait que tu ailles chercher des fraises alentour de Panzy et puis il y avait des talles de fraises, mon oncle Albert, mon oncle Zéphire c'étaient leurs talles de fraises alentour de Panzy et puis c'était quasiment gros du marais là, les fraises, ça poussait ben (PD *et al.*, 9 juin 2009 : 25).

> On appelle ça des poires mais c'est des poirettes là bleues. C'est bon là. Aujourd'hui ils en vendent là. C'est comme des petits bleuets mais c'est des poirettes. Et puis des bleuets […] Puis canner, les mettre en pot pour l'hiver, faire des provisions d'hiver. Alors [il y] avait un jardin, ça faisait des provisions des cannages des légumes euh des fruits des merises (IG, 2009 : 19).

Ces ressources étaient surtout abondantes en été et au début de l'automne et il fallait donc en cueillir une quantité suffisante et les conserver selon les méthodes appropriées si l'on désirait en consommer à d'autres moments de l'année. On faisait des confitures et d'autres provisions : tomates, « *pickels* » et blé d'Inde (maïs) que l'on conservait au frais, à la cave (PD, 2009 : 20-21).

Les intervenants parlent de deux types de cueillette : celle de fruits sauvages et celle de plantes médicinales.

Sept répondants mentionnent la cueillette et l'utilisation de plantes médicinales. Leurs témoignages tendent à confirmer qu'il s'agit d'un savoir-faire avant tout féminin : ils se souviennent, en effet, de leur grand-mère ou de leurs tantes préparant des baumes, des infusions (CE302 ; CE304 ; RG0144 ; A-JD271 ; IG033). Ce sont les femmes, donc, qui allaient dans les bois chercher les herbes dont elles connaissaient les valeurs thérapeutiques.

La connaissance des plantes médicinales – ce qu'un intervenant appelle « les herbages » (A-JD271) – a largement disparu. On ne s'étonnera pas que peu de répondants citent des noms de plantes, et s'ils le font, ils restent parfois très vagues quant à leur utilisation. On trouve ainsi trois références au plantain, dont les feuilles servaient à désinfecter les plaies : « Tu pouvais mettre cette feuille-là là-dessus, ça tirait tout le méchant, et ça guérissait » (RD378 ; voir aussi RD381 ; A-JD257). Sont aussi mentionnés les infusions de pissenlit (CE308), les racines séchées de pissenlit (RD378), les baumes à base de menthe (CE308 ; RG0144),

---

[11]   Terre argileuse, très compacte.

la racine de sénéca (DD170) et l'angélique qui, une fois séchée, puis coupée en petits morceaux, était chiquée (AA0129). Il semblerait que la cueillette de plantes médicinales ait été, pour certaines familles, une source de revenus. Un observateur se rappelle ainsi que toute sa famille allait cueillir des racines de sénéca, qu'ils revendaient ensuite pour avoir un peu de « monnaie de poche » (DD170-176).

La connaissance des plantes médicinales semble être associée à l'héritage autochtone. Un intervenant raconte ainsi :

> A : Le docteur me dit qu'il est presque trop tard et puis tout ça et puis je m'en vais à la pharmacie 143 $ et puis il dit : « Je pense que c'est trop tard peut être que ça ne ferait pas effet. » So j'y dis garde tes pilules. La bonne femme elle dit quand elle a vu ça : « Regarde mon petit gars tu en as encore pour six mois et puis avant une vieille Indienne elle m'a donné du sage [de la sauge]. » J'étais pour la payer et elle a dit que tu peux pas faire ça crime si tu la payes ça ne marchera pas (A-JD277).

> A : J'ai bu du thé pendant deux jours de temps, j'ai pris les feuilles j'ai fait un pansement et puis j'ai mis ça dans le dos. Dans une semaine les galles sont tombées et puis je n'en ai plus jamais entendu parler. Une semaine (A-JD279).

Un autre témoignage souligne l'importance des « herbages » dans la culture traditionnelle autochtone. Une intervenante mentionne, en effet, l'utilisation de plantes lors de rites de purification (« *smudging ceremony* » ; CE284), des pratiques liées à la spiritualité qui reviennent en force chez les autochtones, notamment lors de forums éducatifs tenus à Winnipeg et auxquels nous avons participé au cours des dernières années.

La cueillette de fruits sauvages semble avoir été une activité pratiquée par la majorité des intervenants puisqu'on trouve des références dans neuf entrevues. Un témoignage donne à penser que c'était une tâche pour les enfants :

> Bin [...] on était pauvres au sens que on avait pas beaucoup de euh d'argent ou mon père et ma mère avaient pas un emploi qui apportait beaucoup d'argent mais on avait beaucoup de famille alors euh comme jeune homme on/on visitait la/tu sais on restait avec des familles restait pis euh on faisait tu sais on ramassait/et pis si on ramassait des noisettes comme pis à « Pine Falls » c'était des bleuets alors euh oui. On passait nos saisons alors pis à l'au/à l'automne c'était des champignons. Alors on passait beaucoup de temps à ramasser (AC042).

La cueillette était donc un moyen d'améliorer l'ordinaire, contribuant à la variété et à la quantité de nourriture disponible, soit parce qu'on utilisait les fruits pour faire des confitures (DD180 ; DD190 ; PD113 ;

PD2-111 ; IG139) pour l'hiver (IG139), du sirop ou du vin (DD180 ; DD190), soit parce que les adultes revendaient ensuite les produits de la cueillette :

> [...] mes tantes et mes/les adultes prenaient ils faisaient euh d'autres choses avec les noisettes juste je me rappelle/tu sais y en a qui mettaient/ils cuisaient [...] mais y en a d'autres je sais pas que. Alors on a ramassé des sacs et des sacs alors je sais pas exactement/je crois peut-être qu'ils vendaient mais ... parce que euh c'est une manière de [...] faire l'argent alors. Euh comme tu sais si on ramassait euh disons une poche de noisettes qui/qui pèse peut-être vingt-cinq livres de juste je/je crois que peut-être ils ont pris le vendeur mais je sais pas exactement qu'est [ce] qu'eux autres ils faisaient avec mais notre/notre tâche c'était de ramasser (AC042-044).

Les participants se rappellent ainsi avoir ramassé des poirettes, des cerises, des merises, des fraises, des prunes sauvages, des *pembinas*, des *saskatoons*, des bleuets, des noisettes et des petites pommes (FLM071 ; DD180 ; DD190 ; PD039 ; PD113 ; AC036 ; AC042-043 ; AC050 ; TC090 ; TC190 ; TC188 ; PD2-111 ; IG139 ; IG145). Comme le fait remarquer un répondant : « Les fruits et puis les baies là on allait ramasser tout » (DD190).

Mets et préférences alimentaires

Comme nous l'avons indiqué précédemment dans la section qui traite de la chasse, les Métis appréciaient plusieurs espèces de gibier sauvage. Durant les périodes de moindre abondance, on consommait volontiers le « rat de rivière » (rat musqué), le castor ou le porc-épic. De ces animaux, on préfère parfois ce dernier : « J'aimais mieux le porc-épic. C'est un mets, un arôme plus délicat » (AC, 2009 : 8). Par ailleurs, lors de célébrations métisses auxquelles nous avons pu assister depuis 2007, si l'on sert un goûter, il y aura certainement de la galette et des confitures. Lors de certaines grandes manifestations, on offrira aussi, en plus de la galette, du saucisson de bison, qui se situe dans la lignée du pemmican, ainsi que d'autres mets qui s'inspirent davantage des traditions canadiennes-françaises : soupe aux pois, tourtière, etc. (p. ex., au menu de *l'Auberge du violon* dans le cadre du Festival du Voyageur, en février 2009).

Mais c'est surtout la galette[12] qui conserve ses marques de distinction, comme le rapportent ces deux aînées :

---

[12]   Voir Nathalie Kermoal (2006 : 234), qui propose que c'est surtout à compter de 1870 que la galette prit une importance accrue dans l'alimentation des Métis.

J'ai appris de ma mère qui l'avait apprise de ma belle-mère, cette recette [...]
J'aime la galette. Savez-vous comment? Quand elle est bien faite [...] Là où les
Blancs la faisaient au lait, les Indiens, plus pauvres, la faisaient à l'eau. Jamais
elle ne se conservait longtemps, car avec ou sans pemmican, cela était devenu
le pain quotidien (Manie-Tobie[13], dans Centre d'études franco-canadiennes de
l'Ouest, 1984 : 181).

Moi j'en fais encore quand j'ai mes cousins qui viennent ou quelque chose. Je
fais de la galette pour bien les recevoir. Pis ils aiment ça parce qu'on en fait pas
souvent (IG, 2009 : 16).

Les noms géographiques

Les toponymes se situent à la jonction des patrimoines géographique et
linguistique. Une fois approuvés par les autorités compétentes, certains
noms géographiques finissent par apparaître sur les cartes officielles.
D'autres noms ne subsistent que dans la tradition orale, mais ils expriment,
avec une vigueur inégalée, l'appropriation territoriale[14], comme dans ce
témoignage exemplaire relatant des activités agricoles ayant remplacé, en
bonne partie, la chasse et la cueillette dans la région située à l'est de
Saint-Malo :

C'est proche de notre terrain, ce qu'on appelle la **montagne**, où est notre
terrain de jeu aujourd'hui là. Il y avait aussi, c'est dessus le grand, ce qu'on
appelle le **grand coteau**. Le grand coteau il y avait du gravier là, mais moi
quand j'étais petit gars, on a juste ouvert le *gravel pit* plus tard. Quand j'étais
petit gars c'est un coteau plus élevé, on savait qu'il y avait du gravier là, mais là
tu avais beaucoup de fruits aussi et puis tu avais souvent du chevreuil alors on
chassait ça. Le lièvre était aussi dans le bord du coteau, il y avait beaucoup plus
de lièvres. Alors quand je parlais du coteau de sable là, j'étais très familier avec
ça dans la montagne. J'allais là me promener à cheval aussi, j'adorais aller me
promener là parce que c'est un petit peu plus haut [...] Il y a une autre place
qui s'appelle les **Petits Ormes**, les Petits Ormes c'est une grosse, c'est un gros
marais. Il n'existe plus aujourd'hui on a mis des étables à cochon [...] Bien,
c'est là, c'est le **marais de Guertin** [qui] est entouré des petits ormes [...] Et

---

[13]   Marie-Thérèse Goulet-Courchaine, maintenant décédée et mère de deux personnes
interviewées dans le cadre de nos travaux.

[14]   Il existe une abondante littérature sur les rapports complexes entre toponymie et
appropriation territoriale. Par exemple, Pascale Smorag (2009), dans son étude sur
l'histoire du Midwest américain, traite du métissage toponymique et fait référence
à divers groupes autochtones et, plus spécifiquement, aux Métis. Pour ce qui est
du domaine francophone et métis de l'Ouest canadien voir, entre autres, Léonard
(2010b) et Étienne Rivard (2002).

puis là tu avais de la bonne chasse. Tu avais du canard, et puis c'était, mon père a fait des foins là [...] Et tu avais des grands marais de foin là et puis mon père et mon grand-père allaient faire du foin pour, et puis l'hiver ils allaient chercher un cartel, un cartel c'est un, un cartel c'est un gros mulon de foin. [...] pour soigner les animaux et puis c'était fait aux Petits Ormes à l'entour des marais de Guertin (PD, 2008 : 16-17).

Deux termes génériques de la toponymie métisse des grandes plaines nord-américaines méritent une attention particulière : la montagne et la coulée. Dans cette immensité plane, la moindre butte prend une importance toute particulière parce qu'on y trouve certaines des ressources recherchées, tel qu'indiqué dans le témoignage précédent. Mais son importance signalétique ne vient-elle pas également du fait que la plaine est régulièrement inondée lors des crues printanières, forçant ainsi la population riveraine à se replier rapidement vers la colline ou la butte en cas d'urgence pour échapper aux inondations catastrophiques? Par ailleurs, le moindre sillon creusé par un cours d'eau, même intermittent, peut former des berges abruptes qui donnent l'impression d'une certaine hauteur, que l'on se situe au niveau de l'eau ou sur le bord du replat escarpé. Ce sont les coulées qui sont nombreuses dans la toponymie métisse, d'où l'emploi du terme « Coulée » dans le nom d'un groupe musical du Manitoba[15].

En somme, les discours colligés au sujet de l'utilisation des ressources naturelles et de l'attachement au paysage nommé et parcouru nous renseignent non seulement sur les pratiques traditionnelles, mais également sur les nouvelles formes d'adaptation qui sont liées en partie à l'industrialisation de l'Ouest canadien. Mais ce sont surtout les explications réflexives proposées par les membres de la communauté métisse qui nous éclairent non seulement sur les consensus et le sentiment de continuité qui prévalent dans cette communauté en ce qui a trait au patrimoine, mais aussi sur les négociations et la créativité nécessaires pour renouveler certains aspects de l'identité culturelle au fil du temps et au contact des autres cultures. Des questions semblables seront abordées dans la prochaine section, mais concerneront, cette fois, les pratiques et les interventions des Métis dans divers contextes favorables aux rencontres, aux échanges et à l'observation en situation. Ici aussi, notre attention se portera sur la sauvegarde et la mise en valeur du patrimoine.

---

[15] Selon Serge Carrière, qui fut directeur de l'école Aurèle-Lemoine à Saint-Laurent et demeure à ce jour le leader de ce groupe (communication personnelle, 2009).

Interventions, commémoration et préservation du patrimoine naturel et culturel

Réal Bérard, un aîné très respecté de la région de Saint-Pierre-Jolys et qui vit maintenant à Saint-Boniface, rapporte qu'une sorte de moissonneuse et des embarcations motorisées servent maintenant à la récolte du riz sauvage en vue de sa commercialisation, ce qui pourrait mettre en péril sa reproduction[16]. Le riz sauvage (*Zizania* L.) prolifère dans les zones peu profondes de certains lacs et cours d'eau du Manitoba. Il a nourri les populations autochtones pendant des générations successives bien avant l'arrivée des Européens sur le continent nord-américain[17]. Soucieux de préserver l'environnement et les traditions autochtones, Réal Bérard procède présentement à des essais d'ensemencement de la Rivière-aux-Rats, dans les parties les plus tranquilles de son cours, en utilisant des grains de « folle avoine[18] » qu'il a récoltés selon la méthode traditionnelle. Cette méthode consiste à se rendre dans une zone où le riz abonde à bord d'un canot non motorisé. On courbe les plants par-dessus le canot à l'aide d'un long bâton ou d'un aviron, puis on bat le grain mûr à l'aide d'un autre bâton pour l'extraire (Pelletier, 1980 : 95).

Les Métis francophones qui vivent en milieu urbain sont également soucieux de l'environnement. Chaque année, ils participent en grand nombre à une activité de reboisement des berges de la rivière Seine à Saint-Vital. Cette initiative est le fruit d'une collaboration entre l'Union nationale métisse Saint-Joseph du Manitoba et SOS Seine (*Save our Seine* / Sauvons notre Seine).

Les Métis poursuivent depuis des générations un travail de réconciliation. Non seulement ils doivent réconcilier les apports autochtones et non autochtones dans la construction de leur identité individuelle et collective, mais en plus, à la suite de l'oppression, de la dispersion et du rejet qu'ils

---

[16] Communications personnelles de Réal Bérard que nous avons rencontré à quelques reprises lors de manifestions culturelles au cours des dernières années.

[17] Voir Jean-Luc Pilon (1998) qui attribue à la cueillette du riz sauvage l'introduction des poteries préhistoriques au Manitoba, une technique qui serait ainsi bien antérieure au développement de l'agriculture pendant la préhistoire.

[18] Expression utilisée par La Vérendrye durant ses voyages d'exploration entre 1727 et 1749 et au cours desquels il a cartographié les régions où on le trouvait (Pelletier, 1980 : 87).

ont subis, la réconciliation interethnique et leur résilience doivent passer par le pardon sans toutefois oublier, pour que jamais de telles injustices ne se reproduisent. C'est ainsi que les activités commémoratives prennent une importance toute particulière dans la communauté métisse, car ici comme dans d'autres contextes, elles permettent la guérison. En effet, elles raffermissent le sentiment d'appartenance, et le soulagement procuré donne la force de pardonner, tout en se souvenant d'un passé héroïque qui permet de neutraliser l'amertume qui, autrement, continuerait d'empoisonner l'existence.

La tradition orale illustre non seulement la richesse de la mémoire des aînés, des artistes et des leaders, mais également la trace des conflits et des revers subis :

> On disait toujours que c'était le temps des grands coups, c'étaient les Anglais contre les Français, les protestants contre les catholiques et il semble qu'aujourd'hui le problème est toujours là [...] John A. Macdonald a dit que les Métis disparaîtraient en moins de cinquante ans. Bien il avait tort. Il disait que l'Affaire Riel, c'était pas grand-chose, que ça passerait. Ça n'a pas passé et nous sommes plus forts et plus nombreux. Tu sais, alors maintenant, nous devons apprendre à vivre ensemble et ce n'est pas toujours facile (RC 2008 : 6-7).

La mémoire des sociétés, des groupes et des individus peut être envisagée comme la manière dont ceux-ci se rappellent les évènements passés. Or le deuil et les conflits laissent des cicatrices. Dans ces conditions, comment surmonter la colère, la rancune et choisir la réconciliation plutôt que la vengeance ?

Les moyens collectifs préconisés par les Métis pour se souvenir d'une personne ou d'un évènement témoignent d'une grande originalité[19]. Si elles peuvent être solennelles, les activités commémoratives peuvent aussi revêtir la forme d'une célébration festive comme, par exemple, le pique-nique qu'organisent chaque printemps et depuis des générations les Métis francophones sur un terrain adjacent à la Maison Riel à Saint-Vital au Manitoba.

---

[19] Les recherches sur les activités et les sites d'intérêt patrimonial et commémoratif ont connu des développements importants au cours des dernières décennies (p. ex., Graham, Ashworth et Tunbridge (2000)). Les lecteurs désireux d'en savoir plus sur les travaux des sociologues, des anthropologues, des géographes et des psychologues portant sur la mémoire collective et le pardon consulteront la recension des écrits proposée par Brian Conway (2010).

On allait à Saint-Vital, on appelait ça le pique-nique des purs et puis il y avait
du jigging et puis il y avait de la guitare et puis du monde qui chantait et puis
toutes sortes d'affaires comme ça (CE, 2008 : 9).

La communauté métisse francophone inaugurait en 2008 le parc
commémoratif Elzéar-Goulet. Cette initiative confirme la vitalité culturelle de cette communauté qui, en dépit des difficultés passées, a réussi à
mobiliser d'importantes ressources pour commémorer l'un des siens, qui
fut membre du gouvernement provisoire formé par Louis Riel en 1869-
1870. Après avoir été poursuivi et lapidé par des soldats anglais, Elzéar
Goulet a péri dans les flots de la rivière Rouge. Depuis, les Métis ont
pardonné, mais jamais ils ne vont oublier… Les célébrations marquant
l'inauguration de ce parc ont commencé par un rassemblement solennel
dans le cimetière de Saint-Boniface où la dépouille du noyé avait été
enterrée. Le cortège des participants s'est rendu à pied au nouveau
parc situé en bordure de la rivière Rouge, juste au nord du boulevard
Provencher. L'assemblée réunissait des descendants du personnage dont
la mémoire était célébrée ainsi qu'un grand nombre de personnes de la
communauté incluant des leaders et des artistes. Après les prières, les
chants et les discours d'usage, un goûter a été servi.

Ainsi, malgré tous les revers subis, cette communauté métisse apparaît
comme étant active, saine, résiliente et fort engagée dans la préservation
de son patrimoine. Les Métis étant d'ores et déjà maîtres d'œuvre de leur
projet de réappropriation culturelle, le rôle des chercheurs consiste à les
accompagner et à les soutenir méthodiquement dans l'inventaire de leurs
ressources culturelles et la formulation de projets éducatifs pouvant être
proposés aux enseignants et aux muséologues. En effet, les Métis ne font-
ils pas autorité dans l'interprétation de leur patrimoine ? Devons-nous
réitérer ici le fait que l'expertise des Métis a guidé chacune des étapes des
travaux rapportés dans ces lignes ?

Conclusion

Un volet de l'ARUC-IFO aura permis à la communauté métisse francophone de travailler avec une équipe d'anthropologues en vue d'identifier les
éléments de son héritage culturel qu'elle estime important de transmettre
aux générations montantes pour la revitalisation de ses traditions.

Depuis la quasi-disparition des troupeaux de bisons des grandes plaines et des chasses héroïques qui leur étaient associées, mais qui continuent de peupler l'imaginaire collectif, localement et globalement, les Métis, à l'instar des peuples autochtones, n'ont jamais cessé de faire appel à une diversité de ressources alimentaires et de connaissances relatives à l'environnement pour assurer leur subsistance.

Le milieu naturel ayant été en grande partie spolié par la colonisation et l'industrialisation subséquente de l'Ouest canadien, le souci de préserver l'environnement se traduit, chez les Métis, par le développement d'un cycle de célébrations culturelles qui relèvent du patrimoine immatériel et vivant, toujours évanescent et difficile à saisir, sauf peut-être depuis l'invention de la photographie et des techniques audiovisuelles d'enregistrement. Leurs efforts vont cependant beaucoup plus loin, et ce souci s'inscrit aussi dans le paysage urbain ou en périphérie de ce dernier : aménagement d'un parc commémoratif, nettoyage et reboisement d'un terrain aux abords de la rivière Seine, tributaire de la Rouge ; mais également participation à des activités éducatives en vue de sensibiliser enseignants et administrateurs scolaires aux perspectives métisses en matière de protection de l'environnement naturel et culturel incluant une table ronde prenant la forme d'un cercle de partage, à la manière des autochtones, suivi d'une visite « hors les murs » en vue de découvrir l'un de ces sites.

En dépit des difficultés vécues par les Métis francophones depuis la résistance de 1869-1870, une remarquable vitalité caractérise présentement cette communauté résiliente. Divers aspects de son héritage culturel sont célébrés lors de manifestations publiques, ce qui a permis de traiter de la réappropriation patrimoniale par ces Métis qui commémorent leur identité culturelle en conjuguant de manière originale et singulière des éléments puisés dans leurs traditions autochtones et canadiennes-françaises.

Cette courte présentation ne permettait de donner qu'un aperçu très sommaire de toute la richesse des échanges qui se poursuivent entre les participants universitaires et communautaires dans le contexte de cette ARUC. D'autres thèmes pourront faire l'objet d'études plus approfondies : le cycle des célébrations, des activités culturelles et des cérémonies commémoratives, la place des aînés et de la famille dans la communauté métisse contemporaine ainsi que leur rôle dans la transmission des savoirs et de la réconciliation identitaire. Les autres corpus constitués depuis 2008 ainsi que l'exploration d'autres thématiques, telles que l'agriculture de subsistance et, à l'échelle familiale ou communautaire, l'architecture vernaculaire, feront l'objet d'autres analyses en temps opportun. On pourrait dire que le patrimoine familial apparaît comme une des grandes richesses de l'héritage culturel des Métis francophones et pourrait devenir un axe de recherche à développer lors d'analyses ou d'entrevues ultérieures.

Les transcriptions des témoignages, les photos et les objets ou documents prêtés aux chercheurs au cours des travaux de l'ARUC-IFO pourront servir à la préparation de cartes géographiques, de publications, d'expositions ou de toute autre forme d'activité éducative dont la communauté tout entière pourra bénéficier.

Enfin, le travail d'identification de contenus et de moyens pédagogiques se poursuivra en vue de permettre aux enseignants et aux muséologues de reprendre le flambeau et de continuer le travail de revitalisation. Ils sauront ainsi organiser des activités culturelles pour éveiller la curiosité et rapprocher les communautés ; inciter les élèves, les parents et les futurs enseignants à participer à des activités proposées par la communauté métisse ; et avoir recours aux technologies de l'information pour faciliter la transmission du patrimoine culturel étant donné que ces moyens vont, sans aucun doute, continuer d'intéresser les jeunes apprenants.

Remerciements

Nous remercions nos deux partenaires communautaires (l'Union nationale métisse Saint-Joseph du Manitoba et le Conseil Elzéar-Goulet, section francophone de la Manitoba Metis Federation) ainsi que tous les membres de la communauté métisse qui ont participé à ce programme. Cet article découle d'une communication donnée par l'auteur lors du Troisième Atelier international sur les identités et cultures métisses « L'identité métisse en question : stratégies identitaires et dynamismes culturels », organisé par Denis Gagnon, titulaire de la Chaire de recherche du Canada sur l'identité métisse, du 17 au 19 mai 2010 – Collège universitaire de Saint-Boniface, Winnipeg, Manitoba. Nous remercions le professeur Gagnon, qui est également chercheur principal de ce volet métis de l'ARUC-IFO, ainsi que le directeur de cette alliance, Léonard

Rivard, professeur émérite à l'Université de Saint-Boniface. Enfin, nous remercions tous nos assistants de recherche et, plus particulièrement, les trois étudiants de 3ᵉ cycle universitaire qui ont participé à ce programme : Anne-Sophie Letessier (indexation, compilations, analyse et rédaction), Joanna Seraphim (terrain) ainsi que Emmanuel Michaux (terrain, analyse et rédaction). Les travaux de ce dernier ont permis, entre autres, de constituer un second corpus important dont il sera question dans de prochaines publications. D'autres étudiants et étudiantes de baccalauréat, dont Amalia Jimenez, Nadia Croteau, Mercédès Mulaire, David Paquette et Nadine Lemoine, ont reçu une formation d'appoint et participé à la première phase des travaux ethnographiques à titre d'assistants de recherche. De plus, Chantal Phaneuf a réalisé la plus grande partie du travail de transcription des entrevues alors qu'elle était étudiante à la Faculté d'éducation de l'Université de Saint-Boniface.

BIBLIOGRAPHIE

BARKWELL, Lawrence J., Leah DORION et Darren R. PRÉFONTAINE (dir.) (2003). *Métis Legacy: A Métis Historiography and Annotated Bibliography*, Winnipeg, Pemmican Publications.

BOYENS, Ingeborg (dir.) (2007). *The Encyclopedia of Manitoba*, Winnipeg, Great Plains Publications.

CENERINI, Rhéal (2011). *Li Rvinant*, préface de Robert A. Papen, Saint-Boniface, Les Éditions du Blé, p. 5-11.

CENTRE D'ÉTUDES FRANCO-CANADIENNES DE L'OUEST (1984). « Marie-Thérèse Goulet-Courchaine (Manie-Tobie, 1912-1970) », *Répertoire littéraire de l'Ouest canadien*, Winnipeg, CEFCO, p. 179-182.

CHAPUT, Lucien (1995). *Histoire du Corridor de la rivière Seine et suggestions de son interprétation*, Winnipeg, TRIGO associés.

CHAREST, Pauline (1994). « Ethnométhodologie et recherche en éducation », *Revue des sciences de l'éducation*, vol. 20, nᵒ 4, p. 741-756.

COLLECTIF (2010). *Corpus Gagnon-Labrèche : transcription de 15 entrevues réalisées au Manitoba en 2008-2009 dans le cadre du volet métis de l'ARUC-IFO*, Winnipeg, Université de Saint-Boniface.

Conway, Brian (2010). « New Directions in the Sociology of Collective Memory and Commemoration », *Sociology Compass*, vol. IV, n° 7, p. 442-453.

Fauchon, André, et Carol J. Harvey (dir.) (2008). *Saint-Boniface 1908-2008 : reflets d'une ville*, Winnipeg, CEFCO et Presses universitaires de Saint-Boniface.

Gaborieau, Antoine (1999). *La langue de chez nous*, Saint-Boniface, Éditions des Plaines.

Gagnon, Denis (2008-2009). « La création des "vrais Métis" : définition identitaire, assujettissement et résistances, *Port Acadie : revue interdisciplinaire en études acadiennes = Port Acadie: An Interdisciplinary Review in Acadian Studies*, n°ˢ 13, 14, 15 (printemps-automne 2008, printemps 2009), p. 295-306.

Gagnon, Denis (2009a). *La Chaire de recherche du Canada sur l'identité métisse : cinq ans de recherche, défis et enjeux*, Midi-conférence de l'ACFAS-Manitoba, Winnipeg, Collège universitaire de Saint-Boniface, 25 février 2009.

Gagnon, Denis (2009b). « "Nous savons qui nous sommes" : les Métis et l'État canadien : définitions identitaires et agencéité », dans Denis Gagnon, Denis Combet et Lise Gaboury-Diallo (dir.), *Histoires et identités métisses : hommage à Gabriel Dumont = Métis Histories and Identities: A Tribute to Gabriel Dumont*, Winnipeg, Presses universitaires de Saint-Boniface, p. 277-301.

Garfinkel, Harold (2001). « Le programme de l'ethnométhodologie », dans Michel de Fornel, Albert Ogien et Louis Quéré (dir.), *L'ethnométhodologie : une sociologie radicale*, Colloque de Cerisy, Paris, La Découverte, p. 31-56.

Graham, Brian, G. J. Ashworth et John E. Tunbridge (2000). *A Geography of Heritage: Power, Culture and Economy*, London, Arnold Hodder Headline Group.

Isaac, Thomas (2004). *Aboriginal Law: Commentary, Cases and Materials*, Saskatoon, Purich Publishing Ltd.

Kaufmann, Jean-Claude (2004). *L'invention de soi : une théorie de l'identité*, Paris, Hachette Littérature.

Kermoal, Nathalie (2006). *Un passé métis au féminin*, Québec, Les Éditions GID.

Kermoal, Nathalie (2009). « La troisième "résistance" métisse de l'Ouest canadien : un enjeu de partage », *Recherches amérindiennes au Québec*, vol. XXXIX, n° 3, p. 97-106.

Kumar, Mohan B., et Teresa Janz (2010). « Une exploration des activités culturelles des Métis au Canada », *Tendances sociales canadiennes*, Statistique Canada, n° 11-008 au catalogue, p. 69-76.

Labrèche, Yves (2009). « Henri Létourneau et la tradition orale des Métis », dans Denis Gagnon, Denis Combet et Lise Gaboury-Diallo (dir.), *Histoires et identités métisses : hommage à Gabriel Dumont = Métis Histories and Identities: A Tribute to Gabriel Dumont*, Winnipeg, Presses universitaires de Saint-Boniface, p. 325-340.

Labrèche, Yves, et John C. Kennedy (2007). « L'héritage culturel des Métis du Labrador central », *Recherches amérindiennes au Québec*, vol. XVII, n°ˢ 2-3, p. 43-60.

Lagasse, Jean (1959). *The Métis in Manitoba*, sur le site Manitoba Historical Society, Series 3, 1958-59 Season, [http://www.mhs.mb.ca/docs/transactions/3/metis.shtml] (16 avril 2010).

LAVALLÉE, Guy (2003). *The Métis of St. Laurent, Manitoba: their Life and Stories, 1920-1988*, Winnipeg, À compte d'auteur.

LEIRIS, Michel (1988). *Cinq études d'ethnologie*, Paris, Gallimard.

LÉONARD, Carol Jean (2010a). *Mémoire des noms de lieux d'origine et d'influence françaises en Saskatchewan*, Répertoire toponymique, Québec, Les éditions GID.

LÉONARD, Carol Jean (2010b). « Patrimoine toponymique des minorités culturelles, lieu de complexités : le cas de la Fransaskoisie », *Nouvelles perspectives en sciences sociales : revue internationale de systémique complexe et d'études relationnelles*, vol. VI, n° 1, p. 99-124.

LETESSIER, Anne-Sophie (2010). *Rapport d'analyse des entrevues réalisées en 2008 et 2009 dans le cadre du volet métis de l'ARUC-IFO*, Winnipeg, Université de Saint-Boniface.

MARLES, Robin J., *et al.*, (2000). *Aboriginal Plant Use in Canada's Boreal Forest*, Natural Resources Canada, Canadian Forest Service, Vancouver, UBC Press.

MARTIN, Thibault, et Brieg CAPITAINE (2005). « Comment flirter avec la modernité pour conforter son identité ? Projet éducatif d'une communauté métisse au Manitoba », *Recherches amérindiennes au Québec*, vol. XXXV, n° 3, p. 49-58.

OFFICE QUÉBÉCOIS DE LA LANGUE FRANÇAISE (2002 et 2008). « Patrimoine culturel », *Le grand dictionnaire terminologique*, [http://www.granddictionnaire.com/btml/fra/r_motclef/index1024_1.asp] (24 avril 2010).

PAPEN, Robert A. (2009). « La question des langues des Mitchifs : un dédale sans issue ? », dans Denis Gagnon, Denis Combet et Lise Gaboury-Diallo (dir.), *Histoires et identités métisses : hommage à Gabriel Dumont = Métis Histories and Identities: A Tribute to Gabriel Dumont*, Winnipeg, Presses universitaires de Saint-Boniface, p. 253-276.

PAYMENT, Diane Paulette (1990). *« Les gens libres – Otipemisiwak », Batoche, Saskatchewan 1870-1930*, Hull, Direction des lieux et des parcs historiques nationaux et Environnement Canada.

PELLETIER, Émile (1980). *Le vécu des Métis,* traduction et rédaction d'Elizabeth Maguet, Noëlie Pelletier *et al.*, Winnipeg, Éditions Bois-Brûlés.

PETERSON, Jacqueline, et Jennifer S. H. BROWN (dir.) (1985). *The New Peoples: Being and Becoming Métis in North America*, Winnipeg, The University of Manitoba Press.

PIHET, Christian (2010). « Identité et territorialité métisses : le cas du Manitoba », *Études canadiennes = Canadian Studies*, n° 68, p. 9-27.

PILON, Jean-Luc (1998). « Central Subarctic Woodland Culture », dans Guy Gibbon (dir.), *Archaeology of Prehistoric Native America: an Encyclopedia*, New York, Garland Publishing, p. 133-135.

REIMER, Gwen, et Jean-Philippe CHARTRAND (2004). « Documenting Historic Metis in Ontario », *Ethnohistory*, vol. LI, n° 3, p. 567-607.

REIMER, Gwen, et Jean-Philippe CHARTRAND (2007). « L'ethnogenèse des Métis de la baie James en Ontario et au Québec », *Recherches amérindiennes au Québec*, vol. XXXVII, n°s 2-3, p. 29-42.

Rivard, Étienne (2002). « Territorialité métisse et cartographie du Nord-Ouest canadien au XIXe siècle : exploration cartographique et toponymique », *Cahiers franco-canadiens de l'Ouest*, vol. XIV, n°s 1-2, p. 7-32.

Rousseau, Louis-Pascal, et Étienne Rivard (dir.) (2007). « Présentation Métissitude : l'ethnogénèse métisse en amont et en aval de Powley », *Recherches amérindiennes au Québec*, vol. XXXVII, n°s 2-3, p. 3-6.

Smorag, Pascale (2009). *L'histoire du Midwest racontée par sa toponymie*, Paris, Presses de l'Université Paris-Sorbonne.

St-Onge, Nicole (2004). *Saint-Laurent, Manitoba: Evolving Métis Identities, 1850-1914*, Regina, University of Regina, Canadian Plains Research Center.

Tough, Frank, et Véronique Boisvert (2009). « "I am a half-breed head of a family…": A Database Approach to Affidavits Completed by the Métis of Manitoba, ca. 1875-1877 », dans Denis Gagnon, Denis Combet et Lise Gaboury-Diallo (dir.), *Histoires et identités métisses : hommage à Gabriel Dumont = Métis Histories and Identities: A Tribute to Gabriel Dumont*, Winnipeg, Presses universitaires de Saint-Boniface, p. 141-184.

Identité bilingue et surtitres ludiques dans les théâtres francophones de l'Ouest canadien

Louise Ladouceur et Shavaun Liss
Université de l'Alberta

É LOIGNÉS DES INSTITUTIONS qui dominent le marché du théâtre francophone au Canada, les théâtres franco-canadiens de l'Ouest développent des stratégies discursives et des esthétiques culturelles ex-centriques dont la nouveauté tient à la spécificité des contextes dans lesquels ils sont ancrés. Les artistes de l'extrême marge investissent leur marginalité, en explorent les contraintes et les perspectives pour proposer de nouvelles représentations identitaires à travers des modalités de production qui leur sont spécifiques[1]. Une de ces particularités est d'affirmer leur bilinguisme comme composante de l'identité franco-phone de l'Ouest et d'en explorer les possibilités de création par l'intermédiaire de procédés de traduction qui amalgament langues et cultures. L'étude qui suit examine divers degrés de bilinguisme affichés dans quelques pièces créées au Manitoba et en Alberta, les stratégies de traduction dont elles font l'objet et les représentations identitaires qui s'en dégagent. Elle se penche plus particulièrement sur l'emploi des surtitres anglais dans les théâtres franco-canadiens minoritaires et sur les possibilités qu'ils offrent à la création de spectacles faisant appel aux compétences bilingues et interculturelles de l'auditoire.

Des langues vernaculaires hybrides

Avec le succès des *Belles-Sœurs* de Michel Tremblay en 1968, le joual réussit à s'imposer sur scène, affirmant ainsi la spécificité de la langue vernaculaire québécoise, dont l'emploi abondant d'anglicismes révèle l'influence de

---

[1]   À cet effet, voir l'article de Louise Ladouceur (2010a). Par ailleurs, la revue *Recherches théâtrales au Canada* fera paraître à l'automne 2012 un numéro spécial portant sur les théâtres francophones de l'Ouest canadien.

l'anglais sur le français en contexte nord-américain. Quelques années plus tard, la pièce de Roger Auger, *Je m'en vais à Régina*, fait appel à une langue vernaculaire franco-manitobaine, qui transgresse allègrement les frontières linguistiques séparant les deux langues. Produite au Cercle Molière en 1975, *Je m'en vais à Régina* met en scène les membres de la famille Ducharme, qui confrontent leurs réalités respectives à travers des dialogues qui alternent aisément du français à l'anglais. Selon Roland Mahé, alors directeur du Cercle Molière, il s'agit de la « première véritable pièce franco-manitobaine […] où l'on voyait pour la première fois sur scène une famille de Franco-Manitobains […]. On voyait ce que c'était de vivre dans un milieu minoritaire » (Léveillé, 2005 : 345).

D'abord publiée chez Leméac en 1976, la pièce est perçue par le critique québécois Jacques Godbout comme une illustration de la disparition imminente des francophones de l'Ouest et de « l'avenir que nous préparent les tenants du bilinguisme […] le mélodrame québécois transposé » (1976 : x). Elle est toutefois publiée à nouveau aux Éditions du Blé en 2007, accompagnée de deux autres pièces d'Auger formant une trilogie intitulée *Suite manitobaine*. Dans la préface qu'il consacre à l'ouvrage, Bryan Rivers soutient que « ce qui distingue les trois pièces, plus que leur contenu, c'est qu'elles constituent la pierre d'angle du théâtre franco-manitobain » (2007 : 14). Il aura fallu attendre plus de trente ans pour que soit ainsi reconnue la valeur de la pièce qui a inauguré une dramaturgie exposant le bilinguisme des Franco-Manitobains.

Il faut dire que le bilinguisme a longtemps été perçu comme un agent de « corruption linguistique » du français entraînant un « appauvrissement du tissu langagier par la domination de la langue anglaise » (Harel, 1989 : 89). Très prononcée chez les Québécois, cette perception d'un anglais corrosif, « tapi à l'intérieur du cheval de Troie du bilinguisme » (Tessier, 2001 : 29), s'est imposée auprès des autres francophones dans le discours entourant la question des langues officielles du Canada. Le bilinguisme des francophones minoritaires s'apparentait alors à un mal nécessaire qui, conjugué à l'interdiction ou à la réduction de l'enseignement en français dans les communautés minoritaires jusque dans les années 1960 et à sa dévaluation dans la vie quotidienne, contribuait à miner leur identité francophone. On pouvait mesurer les effets de ce bilinguisme dans l'accent, la prononciation, la syntaxe et le vocabulaire éloignés de la norme française ou québécoise et imprégnés d'influences anglaises. Pendant longtemps, les francophones de l'Ouest ont préféré ne pas afficher dans leurs productions théâtrales un bilinguisme ressenti comme emblème d'une infériorisation et d'une dégradation du français, d'autant plus que le théâtre a longtemps eu pour mission de promouvoir et d'enrichir la culture francophone en offrant un modèle linguistique idéalisé, emprunté le plus souvent au répertoire français. C'est ce qu'atteste le nom de la plus ancienne troupe de théâtre francophone au Canada, le Cercle Molière, créée à Saint-Boniface en 1925 et dont le répertoire a longtemps compris des œuvres « fortement inspirées par le style français de l'époque, plusieurs des auteurs étant d'origine européenne » (Léveillé, 2005 : 342).

Des degrés de bilinguisme

Bien qu'elles aient bousculé l'horizon d'attente de l'écriture franco-manitobaine, les pièces de Roger Auger n'ont pas eu au Manitoba l'effet qu'ont connu celles de Michel Tremblay au Québec. Il faut se rappeler qu'en 1968, *Les Belles-Sœurs* de Tremblay imposait le recours au joual comme nouvelle norme d'écriture dramatique, ce qui a considérablement contribué au développement de la dramaturgie et de l'institution théâtrale au Québec. La situation n'est pas comparable au Manitoba français. Non seulement on ne disposait pas alors d'une institution théâtrale suffisamment développée pour promouvoir la création d'un répertoire franco-manitobain, mais le bilinguisme des francophones minoritaires constituait, en outre, un paradoxe difficile à promouvoir puisque « le recours à l'anglais, qui permet de faire apparaître le sujet minoritaire dans sa condition spécifique, est aussi le signe de sa disparition » (Leclerc, 2009 : 17). Comment accepter de se reconnaître dans ce sujet bilingue perçu comme emblème de perdition? Toutefois, avec l'affirmation nationaliste du Québec, qui va réduire le fait français au territoire du Québec, la langue ne sera plus perçue comme un agent d'unification du Canada français : « toute ambition sur le plan géolinguistique [...] est virtuellement interdite [aux] écrivains francophones hors Québec [et] la déterritorialisation du français amène une décrispation vis-à-vis de l'anglais » (Tessier, 2001 : 31).

Cette nouvelle attitude par rapport à leur bilinguisme incitera alors les auteurs franco-canadiens à l'explorer dans des œuvres qui font appel aux anglicismes et aux alternances de codes anglais-français, mais de façon prudente, de sorte que l'anglais n'occupe pas une place diégétique[2] qui ferait concurrence au français comme langue de la narration. Le recours à l'anglais dans les œuvres à caractère hétérolingue[3] prend des formes différentes selon l'éloignement par rapport au centre québécois et la densité de la communauté francophone dont il est question. Dans son étude comparée des éléments exogènes dans l'œuvre poétique du Franco-Ontarien Jean Marc Dalpé et dans celle de Louise Fiset, Ontarienne qui s'est établie à Winnipeg où elle a commencé à publier, Jules Tessier conclut : « Contrairement à Louise Fiset qui s'approprie en quelque sorte la langue autre, qui la fait sienne pour en insérer des passages dans ses poèmes, Dalpé utilise le procédé à des fins documentaires, comme outil, toujours, pour évoquer une société en situation de langue dominée » (Tessier, 2001 : 63). C'est aussi ce que met en relief l'étude des pièces de Dalpé, où les alternances codiques sont rares et n'ont pratiquement aucune valeur diégétique puisque l'information qu'elles livrent n'est pas essentielle pour faire avancer le récit (Ladouceur, 2010a : 188). Il faut dire que, pour les francophones de l'Ontario, si la proximité avec le centre de la francophonie canadienne procure des avantages certains, elle impose aussi des modèles difficiles à contourner (Ladouceur, 2010a : 188). Le marché théâtral québécois est très convoité et il est composé d'une forte majorité de francophones qui sont unilingues ou ont une connaissance très limitée de l'anglais et qui ne sont pas disposés à entendre sur scène autre chose qu'un anglais minimal et accessoire, c'est-à-dire un anglais qui ne mette pas en péril la suprématie du français comme langue de narration (Ladouceur, 2010b : 208).

Plus loin vers l'Ouest, l'exploration d'une identité bilingue se poursuit à travers une « bilingualisation de l'écriture » (Léveillé, 2005 : 26) littéraire et théâtrale, qui va s'afficher sur scène de façon très audacieuse avec la production de *Sex, Lies et les Franco-Manitobains* de Marc Prescott au Collège universitaire de Saint-Boniface en 1993. Comme le souligne Léveillé :

---

[2]   Selon la narratologie développée par Gérard Genette, la « diégésis » est le « récit pur » et l'univers diégétique est le « lieu du signifié » (1983 : 13).

[3]   Dans son ouvrage *Des langues qui résonnent : l'hétérolinguisme au XIXe siècle québécois*, Rainier Grutman (1997) propose d'utiliser le terme « hétérolinguisme » pour qualifier les manifestations littéraires du multilinguisme.

Pochades d'étudiants ou pas, *Sex, Lies et les Franco-Manitobains* fait partie des moments incontournables du théâtre du Manitoba. Rarement au cours des vingt ans qui ont suivi *Je m'en vais à Régina*, de Roger Auger, la dramaturgie n'avait osé aller aussi loin dans son utilisation du langage populaire et dans sa description de la société (2005 : 386).

Il est intéressant de noter ici que c'est dans le cadre d'un spectacle amateur produit dans un contexte étudiant que la parole aura pu s'éloigner d'une certaine correction linguistique pour investir les ressources de la langue vernaculaire et du bilinguisme de la jeune génération représentée dans la pièce.

Pas anglophone, pas francophone, bilingue!

D'entrée de jeu, l'intrigue fort habile de *Sex, Lies et les Franco-Manitobains* impose le recours au bilinguisme des personnages francophones de la pièce. Après avoir surpris et ligoté un premier cambrioleur francophone [Lui] qui s'est introduit dans son appartement, une jeune femme [Elle] est victime d'un second cambrioleur [Him], anglophone cette fois, qui la ligote à son tour. Comme ce dernier ne parle qu'anglais, les deux autres personnages doivent lui parler en anglais ou traduire pour lui les répliques qu'ils échangent en français ainsi que le contenu d'un journal intime rédigé en français, comme le montre cet extrait :

ELLE – Je trouve pas ça drôle, moi.

LUI – *She thinks it's pretty funny.*

ELLE – Non je trouve pas ça drôle. Pas du tout.

LUI – *Correction here. She doesn't think it's funny – she thinks it's hilarious.*

HIM – *It's a goddam riot! I'm gonna split a gut.* [Him rit.] *Man! Sorry, sorry if I don't speak French. I took a class once, but I forget everything, everything except:* [Avec un énorme accent.] Dje m'excuse, but dje ne parluh pas franzais.

LUI – *Not bad.*

ELLE – *It could use some work.*

LUI – *Maybe you could teach him.*

ELLE – Ta gueule! (Prescott, 2001 : 62)

Outre un bilinguisme affiché, la pièce donne à entendre une critique acerbe des construits identitaires, jugés désuets, qui ont cours en milieu minoritaire. Alors que l'enseignante, qui travaille dans le milieu protégé d'une école francophone, s'efforce de parler uniquement le français correct et dénué d'anglicismes que promeut une certaine élite franco-manitobaine, le cambrioleur qu'elle a assommé s'exprime dans un français vernaculaire cumulant les alternances de langues et les anglicismes. Représentatif d'un contexte minoritaire où le bilinguisme est une nécessité incontournable pour les francophones, Jacques revendique son hybridité linguistique et culturelle comme un gage d'authenticité, comme en témoigne l'échange suivant :

> ELLE – Je n'ai pas besoin de vivre au Québec pour vivre en français ! Je peux la vivre pleinement ma culture au Manitoba.
>
> LUI – *Bullshit!* Ça c'est de la *bullshit* pure et simple. Tu peux pas vivre en français au Manitoba. C'est mort. [...] Moé, je suis bilingue, pis tous les Franco-Manitobains que je connais sont bilingues (Prescott, 2001 : 48-51).

Dans une version remaniée de la pièce, qui a fait l'objet d'une production à Saint-Boniface et à Edmonton en 2009, Prescott va encore plus loin et ajoute : « Pis c'est ça que je suis : bilingue. Pas anglophone, pas francophone : BILINGUE » (2009a : 51). Cette affirmation a pour effet de revendiquer un bilinguisme perçu comme une composante essentielle de son identité dans un contexte où on ne peut être francophone qu'en étant bilingue. Plutôt qu'une menace pour le français, le bilinguisme en contexte minoritaire peut aussi se concevoir comme un outil de résistance puisqu'il est la condition *sine qua non* pour demeurer francophone (Ladouceur, 2010b : 208). C'est une question à laquelle Prescott est particulièrement sensible depuis son séjour à Montréal : « À l'École nationale de théâtre, Marc Prescott a dû confronter son identité franco-manitobaine : il se fait demander si son bilinguisme peut nuire à la qualité de son français, d'autant plus que certaines des expressions qu'il écrit ne sont pas comprises des Québécois » (*Culture francophone*, 2011). Peu lui en chaut puisqu'il écrira alors *L'année du Big-Mac*, une pièce produite à l'École nationale de théâtre en 1999 et qui « marquera à jamais "l'orientation textuelle" du jeune auteur. Jouée pour la première fois par les finissants de l'École, cette pièce bouscule la conception de la dramaturgie avec un style au parler cru, parfois "franglisé" au goût des jeunes franco-manitobains » (*Culture francophone*, 2011). Prescott poursuivra son exploration du bilinguisme avec des pièces comme *Big*, produite en 1998 au Théâtre du Nouvel-Ontario dans le cadre d'une soirée intitulée *Contes d'appartenance*, et *Bullshit*, créée en 2001 au Cercle Molière sous le titre *Poissons*.

Cette exploitation des compétences bilingues des francophones minoritaires coïncide avec la remise en question identitaire de jeunes qui cherchent à s'approprier leur bilinguisme et le réclament comme composante fondamentale de leur identité. L'étude menée par Diane Gérin-Lajoie en 1997 dans des écoles secondaires franco-ontariennes révèle que « la majorité des jeunes interrogés se percevaient comme possédant une identité bilingue » (2001 : 65), un concept qui se révèle beaucoup plus complexe et nuancé que l'ont fait voir des études antérieures. Selon Gérin-Lajoie, le concept d'identité bilingue n'est pas « un phénomène transitoire menant immanquablement à l'assimilation des jeunes au groupe anglophone majoritaire. Les parcours identitaires examinés démontrent plutôt un va-et-vient continuel d'une frontière linguistique à l'autre, ce qui nous amène à constater la présence d'un phénomène de mouvance » (p. 68). C'est la liberté de se mouvoir d'une langue à l'autre que revendique le concept d'identité bilingue, une liberté qui ouvre des perspectives très riches à la création en transgressant des frontières linguistiques qui se voulaient auparavant beaucoup moins poreuses.

Surtitres anglais

Une manifestation de cette porosité des univers linguistiques serait la popularité que connaissent les surtitres anglais dans les théâtres franco-canadiens depuis quelques années. Instaurée en 2005 au Théâtre français de Toronto, cette pratique a, par la suite, été reprise par quelques théâtres franco-ontariens. La Troupe du Jour de Saskatoon a emboîté le pas en 2007, suivie de l'UniThéâtre d'Edmonton et du Théâtre la Seizième de Vancouver en 2008. Il s'agit d'une initiative qui témoigne non seulement d'une ouverture envers la langue anglaise et la communauté anglophone avec laquelle on a tissé des liens, mais aussi d'une volonté d'exploiter les conditions propres au contexte dans lequel ces théâtres évoluent plutôt que d'en subir les contraintes. En ouvrant les productions francophones à un public anglophone nombreux, auquel ces théâtres n'avaient pas accès auparavant, cette stratégie accroît leur diffusion et leur rentabilité. Toutefois, ce ne sont pas tous les théâtres francophones à l'extérieur du Québec qui ont recours aux surtitres anglais. Parmi les 14 théâtres professionnels francophones hors Québec regroupés dans l'Association des théâtres francophones du Canada, il n'y a que les théâtres de l'Ouest, et quelques théâtres de l'Ontario, qui ont recours aux surtitres anglais. Les troupes francophones de l'Acadie, l'Escaouette et le Théâtre populaire d'Acadie, ainsi que le Cercle Molière n'y font pas appel dans leurs productions. Il faut comprendre que ces théâtres disposent d'une masse critique de spectateurs francophones suffisante pour ne pas avoir à rejoindre aussi un public anglophone.

Suivant le modèle des sous-titres utilisés au cinéma, les surtitres sont projetés sur un écran situé près de la scène ou intégré au décor. Cette technique permet à l'auditoire de recevoir le spectacle dans sa forme originale et d'avoir ainsi accès, dans leur intégralité, à des œuvres qui seraient autrement inintelligibles. En 2003, Linda Dewolf commentait ainsi la popularité du surtitrage dans les festivals internationaux de théâtre :

> Désireux de provoquer une confrontation stimulante entre les écritures dramatiques contemporaines étrangères et la dramaturgie d'expression française, les théâtres et les festivals proposent désormais un large éventail de textes d'une nouvelle génération d'auteurs accompagnés d'une traduction. Le surtitrage permet de faire connaître, à la fois aux professionnels du théâtre et au public, toute la variété des styles et des thèmes de l'écriture dramatique contemporaine (2003 : 102).

En contexte canadien, le surtitrage permet aux théâtres francophones d'ouvrir le spectacle à un vaste auditoire anglophone qui lui était auparavant inaccessible. On attire ainsi un public anglophone désireux de découvrir de nouveaux auteurs ou des textes qui ne sont pas présentés en anglais. Les francophones peuvent aussi inviter amis et conjoints anglophones à les accompagner au théâtre. L'emploi des surtitres permet aux francophones et aux francophiles qui n'utilisent pas fréquemment le français d'être exposés à la langue française tout en profitant d'un soutien en anglais pour faciliter la compréhension. La présence des surtitres suscite toutefois des critiques. On craint que cela encourage une certaine paresse linguistique chez les francophones et contribue à l'anglicisation déjà très accentuée dans les milieux francophones minoritaires. Sensibles à ces critiques, plusieurs théâtres n'offrent les surtitres que pour certaines représentations, laissant ainsi à ceux qui le désirent la possibilité d'assister à la pièce sans surtitres.

Traduction et surtitrage

Si les surtitres représentent un atout pour une production théâtrale dans la mesure où ils permettent de la présenter telle quelle à des auditoires variés, ils nécessitent toutefois un dispositif technique important et sont soumis à des contraintes de fidélité et d'économie très différentes de celles de la traduction conventionnelle. Cette dernière existe de façon autonome par rapport au texte source, ce qui lui permet d'en modifier la structure ou le contenu et de s'en éloigner considérablement pour viser une meilleure compréhension auprès du public cible. On ne peut prendre de telles libertés avec les surtitres : ils doivent coller de près au texte de départ, car les deux versions sont livrées simultanément sur scène. Ils doivent aussi s'intégrer au spectacle d'une façon qui soit compatible avec la scénographie et permette une lecture aisée. Enfin, l'équipement servant à la projection doit être disposé de manière à ce que le technicien puisse voir les surtitres et entendre les dialogues afin de s'assurer qu'ils soient simultanés. Dans cette optique, on aura demandé aux interprètes de ne pas déroger au texte, ce qui est toutefois imprévisible, car il arrive que la mémoire joue des tours.

Projetés pendant le spectacle, les surtitres transmettent l'information visuellement et n'interfèrent pas avec l'écoute du spectateur, ce qui lui permet d'entendre les dialogues et les accompagnements sonores dans leur version originale. Cependant, cette sollicitation visuelle peut causer une distraction et nuire à la réception du message, comme le souligne Marvin Carlson :

> *Supertitles, forcing spectators to shift their focus, even if momentarily, away from the stage, are much more actively disruptive, since they are directly competing with other stimuli to the visual channel, leaving unimpeded the auditory channel. [...] Thus in the spoken theatre the supertitle leaves open the reception channel it is designed to replace [aural] and blocks the major one not involved in the problem it seeks to solve [visual]*[4] (2006 : 197).

---

[4] Les surtitres, parce qu'ils obligent les spectateurs à détourner les yeux de la scène, ne serait-ce que momentanément, sont très perturbants, car ils sont en concurrence directe avec d'autres stimuli d'ordre visuel, sans toutefois encombrer la transmission auditive. [...] Dans le théâtre parlé, le surtitre laisse intouché le canal de transmission qu'il a pour fonction de remplacer [auditif] tout en bloquant le canal de transmission majeur qui n'est pas en cause dans le problème qu'il tente de résoudre [visuel]. (Nous traduisons.)

Cette remarque vaut pour un public qui ne comprend pas les dialogues livrés sur scène dans une langue étrangère, mais elle concerne moins le spectateur multilingue capable de saisir à la fois les messages transmis oralement par les interprètes et visuellement par les surtitres, donc susceptible de voyager de l'un à l'autre à son gré. C'est le cas des francophones de l'Ouest canadien, qui sont bilingues par nécessité et peuvent aisément comprendre les dialogues livrés en français et en anglais. Cette compétence langagière génère une contrainte particulière : afin de ne pas nuire à la communication auprès des spectateurs bilingues capables de comprendre les messages livrés dans les deux langues, les surtitres doivent demeurer très fidèles au texte de départ. Outre une équivalence sémantique, les surtitres doivent rechercher l'économie des moyens linguistiques retenus, éliminer l'information jugée non essentielle et privilégier une langue aisée et rapide à lire afin d'atteindre la plus grande efficacité, car « [l]'immédiateté de la communication théâtrale exige que le message transmis soit immédiatement compréhensible » (Ladouceur, 2005 : 56).

À titre d'exemple, comparons le texte original à la version traduite et surtitrée de la pièce d'Évelyne de la Chenelière *Bashir Lazhar*, créée au Théâtre d'Aujourd'hui en janvier 2007. Dans l'extrait suivant, un enseignant corrige au tableau la dictée donnée à ses étudiants et explique les erreurs auxquelles elle a donné lieu :

> « Mes onze cent francs devaient suffire… : » Devaient. Imparfait du verbe « devoir », à la troisième personne du pluriel : « a-i-e-n-t ». Vous avez tendance à mettre un « s » dès qu'il s'agit du pluriel. Pourtant, en conjugaison, cette règle ne s'applique pas. Un peu plus difficile : « Un ouvrage qui pût … : » non pas du verbe « puer » mais bien du verbe « pouvoir ». Silence. C'était une plaisanterie. Silence. La plaisanterie ne doit pas être un prétexte à abandonner le travail. … : « qui pût attirer ». « Attirer » est alors à l'infinitif, et sa terminaison est « e-r » et non « e » accent aigu. [… :] « … : Qui pût attirer » est donc le verbe pouvoir conjugué au subjonctif imparfait, donc avec un accent circonflexe sur le « u », mais je peux concevoir que vous ne maîtrisiez pas ce temps de verbe. C'était un petit piège. J'aime bien les petits pièges (de la Chenelière, 2003 : 56).

Dans la traduction de la pièce signée par Morwyn Brebner et produite au Tarragon Theatre de Toronto en novembre 2008, le même extrait se lit comme suit :

> *"My eleven hundred francs would have to last me three years." That's future conditional. Note the use of the auxiliary "would". A little more difficult: "A sphere of joy and silence in which --" No, not "witch" with a broom but "which" the non-*

restrictive pronoun. Quiet. That was a joke. Quiet. Jokes aren't an excuse to stop
working… After "which", there's a clause, separated by commas, then we return to "I
was building a tomb--" [...] "Tomb" of course has a silent "b". It was a little trap.
I like little traps very much (de la Chenelière, 2008a : 5).

Invitée à Edmonton par l'UniThéâtre, la production québécoise originale y fut présentée en octobre 2008, en français avec surtitres anglais, devant un public majoritairement composé de francophones bilingues et d'anglophones unilingues. Le surtitrage a été effectué par Shavaun Liss sous la supervision de Louise Ladouceur[5]. D'abord inspirée de la traduction faite par Brebner, la version surtitrée a dû être considérablement remaniée dans un souci de fidélité au message du texte source et de parcimonie dans la formulation du texte cible. Voici le même extrait dans la version surtitrée :

"My eleven hundred francs were supposed to last me…" That is the past tense.
Make sure you use the past tense of the third person plural.
You have a tendency to put an "s" at the end of a verb to make it plural.
But for verbs that rule doesn't apply.
A little more difficult: "A work touted to draw public attention to me."
Not trout as in the fish, but tout as in to praise.
Quiet. That was a joke. Jokes are not an excuse to stop working.
"Touted to draw …" This is an infinitive and does not require conjugation. [...]
To tout is a synonym of to acclaim, but I would not have expected you to master
such exacting vocabulary. It was a little trap. I like little traps very much
(de la Chenelière, 2008b : diapos 143-155).

Selon Yvonne Griesel, l'emploi des surtitres propose un nouveau modèle de transmission par la traduction puisqu'il s'adresse à trois types de destinataires : ceux qui comprennent uniquement la langue source du texte joué, ceux qui comprennent uniquement la langue cible des surtitres et ceux qui comprennent les deux : « *The peculiarity of theatre translation is that these three modes of communication must occur parallel to each other, that is, at the same time and place, and overtly. Thus, the target text is perceived differently[6]* » (2005 : 6). La réception de la pièce passe donc par des canaux de transmission différents selon les compétences linguistiques des spectateurs, ce qui agit sur l'interprétation dont elle fait

---

[5] Shavaun Liss et Louise Ladouceur ont aussi produit les surtitres anglais de sept autres spectacles présentés par l'UniThéâtre, de 2008 à 2011.

[6] La particularité de la traduction théâtrale réside dans le fait que ces trois types de communication ont lieu parallèlement, au même moment et au même endroit. Le texte cible est ainsi perçu différemment. (Nous traduisons.)

l'objet de part et d'autre. Cette divergence entraîne une multiplication des messages qui peut, à son tour, être mise à profit dans la création théâtrale en proposant des lectures différentes du même spectacle.

Surtitrage et multiplication des messages

D'abord employé pour reproduire en d'autres langues le message livré sur scène, le surtitrage ouvre aussi des perspectives nouvelles en création artistique. Il dépasse alors sa fonction première d'accompagnement par la traduction et devient un matériau intégré à la matrice originale du spectacle pour en multiplier les lectures possibles. Comme l'explique Marvin Carlson : « *the printed words of the supertitles may remain primarily an aid to understanding for a part of the audience, but for many will operate instead as simply another element in the multi-channelled reception experience offered by theatre*[7] » (2006 : 198-199). Ce fut le cas de *Sex, Lies et les Franco-Manitobains*, reprise seize ans après sa création à Saint-Boniface par la troupe Les Chiens de soleil, puis présentée pour la première fois avec surtitres anglais à Edmonton par le Théâtre au Pluriel du Campus Saint-Jean en novembre 2009.

À la différence des autres pièces habituellement unilingues présentées avec surtitres anglais à Edmonton, *Sex, Lies et les Franco-Manitobains* est une œuvre hétérolingue qui traite de bilinguisme et dont la structure même exploite les compétences bilingues des Franco-Manitobains. Non seulement on ne peut comprendre la pièce si on n'est pas soi-même bilingue, mais l'efficacité même des dialogues repose sur des équivoques, des quiproquos et des jeux de mots fondés sur une bonne connaissance des langues et des cultures d'expressions française et anglaise. Poursuivant l'exploration du bilinguisme entrepris dans la pièce, les surtitres anglais ont été intégrés au spectacle sur un mode parfois ludique qui contribuait à en amplifier la dimension hétérolingue et interculturelle. Chargés avant tout d'offrir une traduction anglaise des dialogues français, les surtitres transmettaient aussi parfois des messages indépendants de ceux qui étaient livrés sur scène. Non plus subordonnés aux dialogues, les surtitres ont alors acquis une valeur diégétique autonome au sein du spectacle.

---

[7]   Les mots imprimés des surtitres agissent surtout comme un outil facilitant la compréhension pour une partie de l'auditoire, mais pour plusieurs ils seront plutôt un autre élément parmi les nombreux canaux de communication et de réception participant à l'acte théâtral. (Nous traduisons.)

D'entrée de jeu, la traductrice était campée sur scène, d'où elle activait son ordinateur au vu et su de tout l'auditoire. Pendant la représentation, les interprètes étaient appelés à interagir avec elle et avec les surtitres. Ainsi, dans une réplique où un personnage énumère les noms des membres d'une famille fort nombreuse, l'interprète a pu compenser un trou de mémoire en jetant un coup d'œil aux surtitres anglais où apparaissait le nom recherché. Plus qu'un aide-mémoire, les surtitres pouvaient transmettre un jugement critique sur les messages qu'ils étaient chargés de traduire. Ainsi, lorsqu'un des personnages francophones hurle son exaspération avec une série de « Fuckduhduhfuckfuck-fuckfuck » (Prescott, 2001 : 42) criée sur un air bien connu de la série *Star Wars*, le surtitre affichait le message suivant : « ♪#◆※*✈%◆#✇☎&♞^☇@ ♭!🖥$✔!♫ » (Prescott, 2009b : surtitre 298). Les spectateurs étaient alors invités à interpréter cette traduction à leur façon, selon leurs propres références et préférences. On aura pu y voir un effet de censure, un jeu auquel se prête la traduction pour souligner l'aspect péjoratif du message ou une impossibilité d'en déchiffrer le sens réel. Quoi qu'il en soit, ce procédé de traduction avait une fonction essentiellement ludique, ce qu'ont souligné les rires des spectateurs, puisqu'il exprimait sur un mode comique autre chose que le message livré sur scène par l'interprète.

Par la suite, les surtitres sont devenus la voix de la traductrice s'adressant directement au public pour le rassurer sur la difficulté qu'il aurait pu éprouver à comprendre les propos du cambrioleur anglophone, dont l'auteur avait modifié la langue pour lui injecter un « rap slang » très accentué. Ces répliques étaient, en outre, livrées avec un accent prononcé qui les rendait difficiles à décoder pour les spectateurs non avertis. En voici un extrait issu de la version publiée en 2001 et de la version manuscrite révisée par l'auteur en 2009 :

HIM – *It's just way too funny! I thoughts I was fucked when I tripped the neighbor's alarm – especially when I hears the police sirens. So I makes like a hockey player and I gets the puck out of there. I jumps the fence into the back yard, and by then, the cops are pretty close, eh! Then I looks around and I sees that the window's busted, right? MegaBonai! I mean, I got a horseshoe stuck right up my arse! Shit! I got the whole fuckin' ranch!* (Prescott, 2001 : 61)

ʒⱭ

HIM – *That shit's whack! I thoughts I was fucked when I tripped the neighbor's alarm - especially when I hears the popo's comin'. So I makes like a hockey player and I gets the puck out of there, you know what I'm sayin'?. I jumps the fence into the back yard, and by then, the popos be closin' in! Then I scopes the place out, recon style and I sees that the window's busted. Foschizzle! I mean, I got a horseshoe stuck right up my ass! Hell! I got the wholefuckin' ranch!* (Prescott, 2009a : 61)

Parce qu'elles étaient originellement en anglais, ces répliques ne faisaient pas l'objet de surtitres. Cependant, après la première représentation, nous avons découvert qu'une partie de l'auditoire ne saisissait pas bien l'argot du cambrioleur anglophone. Il s'agit ici d'un écart générationnel surtout, car les jeunes anglophones ou bilingues semblaient à l'aise avec ce genre de langage, qui échappait toutefois aux plus âgés. Ayant pris conscience du problème, nous avons dû renoncer, par manque de temps, à produire des surtitres anglais qui auraient accompagné les répliques du cambrioleur anglophone et facilité ainsi leur compréhension. Toutefois, poursuivant la démarche ludique entreprise dans cette production, nous avons commenté la chose lors de la seconde représentation en adressant une mise en garde au public par l'entremise d'un surtitre projeté au début de l'extrait cité plus haut : « *If you don't understand what this guy is saying, don't worry – Neither does 50 % of the rest of the audience. (This message brought to you by your friendly neighbourhood supertitle)* » (Prescott, 2009b : surtitre 602). Les surtitres sont ainsi devenus la voix d'un personnage hors champ dont le discours se superposait aux dialogues de la pièce jouée sur scène.

À la lumière de cette expérimentation, on doit ajouter au modèle de Griesel, pour qui le surtitrage communique le même message de trois façons différentes selon que le spectateur est francophone, anglophone ou bilingue, le fait que les messages transmis peuvent aussi ne pas coïncider d'une langue à l'autre. Outrepassant alors leur fonction de traduction pour remplir une fonction créatrice, les surtitres génèrent un discours indépendant, non similaire à celui qui est livré sur scène. La multiplicité des messages rendue ainsi possible ajoute à la complexité de la communication théâtrale et en élargit le potentiel en mettant à profit des applications encore peu exploitées du surtitrage.

Conclusion

Façonnées par un hétérolinguisme que les jeunes francophones bilingues revendiquent comme composante identitaire essentielle, les langues vernaculaires des communautés francophones de l'Ouest canadien explorent une porosité des frontières linguistiques qui ouvre des perspectives très riches à la création théâtrale. Tout en exploitant le bilinguisme des Franco-Canadiens, le recours aux surtitres a d'abord servi à reproduire le message en anglais afin de rendre les productions théâtrales accessibles à un vaste public anglophone. Le surtitrage a donné lieu, par la suite, à des expérimentations qui lui ont conféré de nouvelles fonctions. Plutôt que de multiplier le même message, les surtitres ont été intégrés au spectacle sur un mode ludique afin de transmettre des messages multiples à des auditoires hétérogènes, qui les interprètent selon les compétences linguistiques et les préférences de chacun. Amplifiant ainsi les dimensions interculturelles du spectacle, ils fournissent un supplément de sens[8] qui permet de scruter les rapports entre les langues et les cultures. En ce sens, le surtitrage offre un terrain fertile à l'exploration des espaces où se définissent de nouvelles identités dans l'imbrication des langues et des cultures qui les composent[9].

BIBLIOGRAPHIE

AUGER, Roger (1976). *Je m'en vais à Régina*, Montréal, Leméac.

AUGER, Roger (2007). *Suite manitobaine*, Saint-Boniface, Les Éditions du Blé.

CARLSON, Marvin (2006). *Speaking in Tongues: Language at Play in the Theatre*, Ann Arbor, The University of Michigan Press.

Culture francophone, la vitalité culturelle du Canada français [site Web] (2011), [http://culturefrancophone.ca/teteatete/31_mgprescott/] (26 mai 2011).

DE LA CHENELIÈRE, Évelyne (2003). *Au bout du fil; Bashir Lazhar*, Paris, Éditions théâtrales.

DE LA CHENELIÈRE, Évelyne (2008a). *Bashir Lazhar*, trad. anglaise de Morwyn Brebner, version manuscrite fournie par la traductrice.

DE LA CHENELIÈRE, Évelyne (2008b). *Bashir Lazhar*, surtitres anglais de Shavaun Liss, sous la supervision de Louise Ladouceur, d'après la traduction de Morwyn Brebner.

DEWOLF, Linda (2003). « La place du surtitrage comme mode de traduction et vecteur d'échange culturel pour les arts de la scène », *Recherches théâtrales au Canada*, n° 24, vol. 1-2, p. 92-108.

GENETTE, Gérard (1983). *Nouveau discours du récit*, Paris, Seuil.

GÉRIN-LAJOIE, Diane (2001). « Identité bilingue et jeunes en milieu francophone minoritaire : un phénomène complexe », *Francophonies d'Amérique*, n° 12 (automne), p. 61-69.

GODBOUT, Jacques (1976). « Avant-propos », dans Roger Auger, *Je m'en vais à Régina*, Montréal, Leméac, p. IX-XI.

---

[8]   À cet effet, voir l'étude de Nicole Nolette (2008).

[9]   Cette recherche a été menée dans le cadre d'une subvention de l'Alliance de recherche université-communautés sur les identités francophones de l'Ouest canadien accordée par le Conseil de recherches en sciences humaines du Canada.

GRIESEL, Yvonne (2005). « Surtitles and Translation Towards an Integrative View of Theatre Translation », *MuTra 2005 - Challenges of Multidimensional Translation: Conference Proceedings*, Saarbrücken, [En ligne], [http://www.euroconferences.info/proceedings/2005_Proceedings/2005_proceedings.html] (le 26 juin, 2011).

GRUTMAN, Rainier (1997). *Des langues qui résonnent : l'hétérolinguisme au XIXᵉ siècle québécois*, Montréal, Fides.

HAREL, Simon (1989). *Le voleur de parcours : identité et cosmopolitisme dans la littérature québécoise contemporaine*, Montréal, Le Préambule.

LADOUCEUR, Louise (2005). *Making the Scene : la traduction du théâtre d'une langue officielle à l'autre au Canada*, Québec, Éditions Nota bene.

LADOUCEUR, Louise (2010a). « Unilinguisme, bilinguisme et esthétique interculturelle dans les dramaturgies francophones du Canada », *International Journal of Francophone Studies* , vol. 2, n° 13, p. 183-200.

LADOUCEUR, Louise (2010b). « La parole bilingue des minorités francophones de l'Ouest sur les scènes canadiennes », dans Patrice Brasseur et Madelena Gonzalez (dir.), *Authenticity and Legitimacy in Minority Theatre: Constructing Identity*, Cambridge Scholars Publishing, p. 197-212.

LECLERC, Catherine (2009). « L'Acadie s'éclate-t-elle à Moncton ? Notes sur le chiac et la distance habitée », dans Lucie Hotte et Guy Poirier (dir.), *Habiter la distance : études en marge de* La distance habitée, Sudbury, Prise de parole, p. 15-36.

LÉVEILLÉ, Roger (2005). *Parade, ou Les autres*, Saint-Boniface, Les Éditions du Blé.

NOLETTE, Nicole (2008). *Traduire la dualité linguistique de l'Ouest canadien pour la scène anglophone*, mémoire de maîtrise, Edmonton, Campus Saint-Jean, Université de l'Alberta.

PRESCOTT, Marc (2001). *Big; Bullshit; Sex, Lies et les Franco-Manitobains*, Saint-Boniface, Les Éditions du Blé.

PRESCOTT, Marc (2009a). *Sex, Lies et les Franco-Manitobains*, version révisée manuscrite produite au Collège universitaire de Saint-Boniface (28-31 octobre) et au Campus Saint-Jean, Université de l'Alberta (Edmonton) (5-6 novembre), p. 51.

PRESCOTT, Marc (2009b). *Sex, Lies et les Franco-Manitobains*, surtitres anglais de Shavaun Liss, sous la supervision de Louise Ladouceur, Théâtre au Pluriel, Campus Saint-Jean, Université de l'Alberta (Edmonton), 5-6 novembre.

RIVERS, Bryan (2007). « Roger Auger, fondateur du théâtre moderne franco-manitobain », dans Roger Auger, *Suite manitobaine*, Saint-Boniface, Les Éditions du Blé, p. 7-15.

TESSIER, Jules (2001). *Américanité et francité : essais critiques sur les littératures d'expression française en Amérique du Nord*, Ottawa, Le Nordir.

Parcours identitaires des minorités involontaires au Manitoba français : vers une éthique en matière de dialogue, de réciprocité et d'éducation interculturelle

Yves Labrèche
Université de Saint-Boniface
Nathalie Piquemal
Université du Manitoba

> Toute l'ethnographie se ramène, pour une part, à de la philosophie
> et une large portion du reste est de l'ordre de la confession.
> CLIFFORD GEERTZ[1]

DEPUIS SA FONDATION EN 2007, l'Alliance de recherche universités-communautés sur les identités francophones de l'Ouest canadien (ARUC-IFO) propose d'analyser les manières d'être et les parcours identitaires de communautés[2] francophones en milieu minoritaire en vue d'offrir à cette société composite le soutien nécessaire pour faire face aux transformations rapides qui caractérisent sa situation linguistique et culturelle. Ce programme d'alliance offre ainsi une multitude d'occasions de rapprochements entre les diverses composantes de la francophonie de l'Ouest canadien.

À l'instar de la société canadienne, cette francophonie est formée de nombreuses communautés et sous-ensembles variés sur les plans social, géographique et ethnique. Cette diversité peut être envisagée comme une richesse dans la mesure où la francophonie minoritaire parvient à penser son développement social, économique et culturel selon une démarche appréciative – un concept explicité par Pierre-Claude Élie (2007) –, à

---

[1]   Traduction de Jean-Jacques Simard (1988 : 77).

[2]   Si l'on s'en tient aux définitions courantes, il s'agit simplement de groupes sociaux « ayant des caractères, des intérêts communs » (*Le Petit Larousse,* 2008). Cependant, la question de l'articulation des appartenances communautaires dans les États modernes témoigne d'une grande complexité; limitons-nous, pour l'instant, à souligner le fait que certains principes d'organisation doivent garantir la cohésion sociale afin que les divers groupes d'appartenance ou communautés culturelles puissent cohabiter et communiquer (voir Morel, 2011).

mobiliser ses forces et à maintenir sa cohérence. Une grande mobilité et les changements liés à la mondialisation représentent, sans aucun doute, l'un des grands défis auquel doit faire face cette société, somme toute, relativement jeune, mais qui n'en demeure pas moins fortement ancrée dans ses traditions.

Dans cet article, nous proposons d'examiner comment l'ARUC-IFO a procédé à ce jour pour étudier cette francophonie en vue de lui offrir le soutien nécessaire pour consolider ses acquis, tout en poursuivant sa quête identitaire. Anthropologues de formation, mais ayant travaillé respectivement à des volets et suivant des axes de recherche distincts (volet *Patrimoine des Métis* / axe *Langue et culture* d'une part, et d'autre part, volet *Inclusion des nouveaux arrivants* / axe *Éducation*), nous avons choisi, dans le cadre de cet exercice de réflexion, de conjuguer nos efforts afin de porter un regard croisé[3] sur la situation des minorités involontaires[4] avec lesquelles nous avons échangé au cours des dernières années. Nous partagerons également quelques réflexions sur les modes d'intervention, les valeurs ainsi que les outils que nous préconisons (accompagnement / appui, justice sociale / réciprocité et empathie / dialogue interculturel[5]) en vue de favoriser l'inclusion, la réconciliation et la résilience des communautés avec lesquelles nous travaillons. Précisons donc, d'emblée, que cet article n'est pas le résultat d'une analyse de données, mais constitue une invitation à la réflexion. Plus exactement, il s'agit d'un essai sur la pertinence de l'éthique de l'interculturel dans l'appréhension équitable de deux groupes, les Métis et les réfugiés du Manitoba francophone, triplement minoritaires de par la langue, leur appartenance ethnique et un vécu d'injustice sociale.

---

[3]   Nous utiliserons une approche qui conjugue les apports de l'anthropologie et des sciences de l'éducation et, en ce sens, notre contribution revêt un caractère interdisciplinaire.

[4]   Voir John U. Ogbu et Herbert D. Simons (1988). Nous reprenons ici ce concept en l'utilisant de manière plus large par rapport à ces auteurs. Nous concevons ainsi que les minorités involontaires sont celles qui n'ont pas choisi leur destinée librement en raison du colonialisme, de la violence physique ou de tout autre facteur oppressif qui les ont repoussées vers les marges de la société ou encore forcées à l'exil (cas des Métis et des réfugiés, bien entendu, mais à des degrés divers et dans des contextes historiques et géographiques, par ailleurs, fort distincts).

[5]   Interculturel : « Mode particulier d'interactions et d'interrelations qui se produisent lorsque des cultures différentes entrent en contact ainsi que [...] l'ensemble des changements et des transformations qui en résultent » (Clanet, 1990 : 22).

Réflexions épistémologiques préliminaires

Les identités plurielles représentent un défi autant que de multiples occasions d'épanouissement pour les sociétés contemporaines. « La diversité, qu'elle concerne les groupes ou les individus, est une caractéristique inhérente à toute société. Ces différences identitaires, culturelles, religieuses, etc. nécessitent des capacités de compréhension, de communication et de coopération mutuelles qui soient porteuses d'enrichissement, sous peine de dégénérer sous forme de conflits, de violences et d'atteintes aux droits de l'Homme » (Meunier, 2007 : 5). Diverses formes d'accommodements doivent être négociées à la pièce ou collectivement, dans la sphère privée ou familiale, dans la communauté locale autant que dans la société considérée à l'échelle nationale, voire planétaire. Malgré un certain nombre de protections légales qui existent depuis le tout début de la Confédération canadienne et qui ont été renforcées, surtout depuis la *Loi sur les langues officielles* de 1969 et la *Charte canadienne des droits et libertés* en 1982, la situation des minorités linguistiques demeure précaire dans plusieurs provinces canadiennes où leur poids démographique demeure sous le seuil des 5 %. Cette situation a des ramifications qui dépassent largement le seul domaine d'intervention des linguistes, des géographes ou des juristes.

Pour faire face à cette situation, l'ARUC-IFO s'est formée à la suite d'une demande provenant des porte-paroles d'un organisme communautaire important représentant le milieu francophone du Manitoba, la Société franco-manitobaine. Plusieurs s'interrogeaient sur les changements rapides qui pouvaient être observés dans la composition du tissu ethnique de cette communauté. Les représentants de cet organisme s'adressèrent aux chercheurs de l'Université de Saint-Boniface afin de leur soumettre cette problématique et de vérifier dans quelle mesure des outils pouvaient être conçus dans le but de mieux saisir les enjeux liés aux transformations sociétales et de mieux orienter ses projets d'accommodement et de soutien envers ses diverses composantes. Cette initiative, qui avait germé au Manitoba, trouva un premier écho en Alberta et toucha également, mais dans une moindre mesure, la Saskatchewan et la Colombie-Britannique, des provinces où les minorités linguistiques connaissent des défis semblables. C'est ainsi que, depuis 2007, l'Alliance compte 28 chercheurs universitaires et près de 50 partenaires communautaires. Première ARUC de ce type, elle porte non seulement sur une immense étendue géographique, mais également sur une multitude de thématiques devant être abordées par des spécialistes témoignant d'une ouverture interdisciplinaire, d'un intérêt marqué pour la recherche-action, l'observation en situation et la mobilisation des connaissances. L'objectif du programme ne se limitait pas à embrasser la francophonie de l'Ouest dans son ensemble, mais visait aussi à prendre en compte certains de ses îlots constitutifs. Il s'agissait, entre autres, d'établir un diagnostic juste à partir d'échanges soutenus et sincères avec les membres ou les représentants des diverses composantes de cette communauté hétérogène, urbaine et rurale, et de s'intéresser au contexte scolaire tout en examinant les médias, les arts de la scène, la toponymie et le patrimoine culturel (voir, p. ex., Ladouceur et Liss dans ce numéro).

En dépit de l'engouement tout récent pour tout ce qui touche aux droits de la personne au Canada, ce pays a, pendant plus d'un siècle, bafoué ces mêmes droits en instaurant des politiques discriminatoires à l'égard de minorités involontaires comme les autochtones, d'où les grandes disparités qui existent de nos jours en ce qui a trait à la répartition de la richesse, à la santé et à l'éducation. Par ailleurs, même si le fait migratoire caractérise la formation de l'identité canadienne depuis ses plus lointaines origines, nul ne saurait ignorer comment le développement sans précédent des moyens de déplacement aéroportés depuis la Seconde Guerre mondiale et les politiques d'immigration des récentes décennies ont favorisé l'implantation de centaines de milliers de nouveaux arrivants chaque année. De plus, les statistiques montrent sans équivoque que le continent d'origine de la très grande majorité de cette nouvelle population ne se limite plus à l'Europe et qu'en fait, l'Asie et l'Afrique fournissent la plus grande proportion des nouveaux ressortissants. En d'autres termes, les défis linguistiques qui, parmi d'autres, attendent ces minorités venues d'ailleurs sont multiples, en particulier pour les réfugiés qui n'ont pas forcément eu la chance de se préparer à vivre en français ou en anglais.

En somme, comment pouvons-nous, à titre de société formée d'un noyau colonisateur d'origine européenne, accommoder des minorités, les autochtones, qui ont été plus ou moins chassées de leurs terres, marginalisées et dépossédées de leurs langues et de leurs cultures par nos prédécesseurs? Que pouvons-nous faire pour mieux accueillir et faciliter l'intégration d'autres minorités venues d'ailleurs, en particulier celles qui ont également été expulsées de leur pays à cause de conflits armés ou pour des raisons idéologiques? Le défi est d'autant plus colossal en situation minoritaire où les francophones eux-mêmes n'occupent pas forcément le haut du pavé.

Ce sont ces questions d'ordre éthique qui nous intéressent ici et nous renvoyons les lecteurs aux articles de type ethnographique ou analytique de ce numéro (p. ex., Labrèche) ou encore à d'autres publications (p. ex., Gagnon, 2010 ; Piquemal, Bahi et Bolivar, 2010) pour en savoir davantage au sujet des recherches particulières qui nous ont occupés dans le contexte de cette ARUC[6]. Par ailleurs, depuis mars 2011, nous avons travaillé conjointement à des projets de mobilisation des connaissances dans le cadre d'ateliers et de publications, qui nous ont permis de réfléchir au rôle que des éducateurs mieux préparés, grâce à des formations à l'interculturel, peuvent jouer auprès des minorités involontaires. Nous avons également constaté la nécessité de mettre sur pied des programmes plus développés en ce qui a trait à la sensibilisation de l'ensemble du personnel œuvrant au sein des établissements scolaires et universitaires. De même, ne serait-il pas pertinent de poursuivre des interventions auprès d'organismes publics, parapublics et privés qui demeurent, malgré certaines améliorations, peu accueillants envers les autochtones, les minorités visibles et les minorités involontaires, comme l'ont proposé Rudy Ambtman et ses collaborateurs (2010) ?

Approche théorique spécifique

Il convient de répéter que notre réflexion sur les minorités involontaires jette un regard croisé sur les domaines épistémologiques de l'anthropologie et des sciences de l'éducation. Pour ce faire, nous nous appuyons sur la notion théorique d'interculturalité, avec, comme terrain de réflexion de prédilection, la dimension éthique qui l'entoure.

À propos d'interculturalité, Olivier Meunier nous rappelle que « [l]e préfixe "inter" du terme "interculturel" sous-entend une relation ou plus

---

[6]   Retenons simplement pour l'instant que Yves Labrèche, aidé de quelques étudiants dont trois doctorants, Anne-Sophie Letessier, Emmanuel Michaux et Joanna Seraphim, a travaillé principalement avec Denis Gagnon, également anthropologue, dans le cadre de recherches sur l'identité et la transmission du patrimoine métis, alors que Nathalie Piquemal, assistée de Bathélemy Bolivar, un autre doctorant, a surtout collaboré avec Boniface Bahi, lui aussi anthropologue, dans la conduite de recherches ethnographiques en éducation auprès des nouveaux arrivants.

précisément ce qui relève de l'altérité. L'interculturel prend en compte les interactions entre des individus ou des groupes d'appartenance, c'est-à-dire la confrontation identitaire. Il ne correspond pas à une réalité objective, mais à un rapport intersubjectif qui s'inscrit dans un espace et une temporalité donnés » (2007 : 6). C'est donc l'interculturalité et la sagesse pratique qui en découle qui peuvent mieux orienter la communauté dans ses aspirations, incluant son projet de coexistence harmonieuse entre les identités culturelles qui la caractérisent.

Carmel Camilleri admet qu'il y a une dimension éthique au concept d'interculturel, dans le sens où « il n'est pas légitime de privilégier une culture par rapport aux autres, chacun a moralement droit au maintien de la sienne [...] » (1993 : 44). Ou, en d'autres termes, « la condition de base de la réalisation de l'interculturel est d'amener à considérer toutes les cultures comme légitimes, assurant ainsi la reconnaissance et le sentiment de dignité des sujets [...] » (p. 45). Si le relativisme culturel permet de comprendre la cohérence d'une culture autre que la sienne, il n'en reste pas moins qu'il faut éviter les travers d'un relativisme moral extrême et savoir juger des instances universelles portant sur les droits de la personne. L'éthique de l'interculturel vers laquelle tend notre réflexion comprend donc une dimension relative, ou situationnelle, dont la cohérence s'explique en partie par le contexte, et une dimension universelle, dont les cohérences respectives des cultures en question ne s'excluent pas mutuellement, mais s'articulent autour de principes absolus de droits, de dignité et de respect de l'humanité au sens kantien du terme. Autrement dit, *Je* respecte *l'Autre* en tant qu'il est différent, et dans sa rencontre avec l'Autre, chacun agit de sorte à se concevoir et à concevoir l'Autre comme une fin et non un moyen. Or, l'histoire le montre, ce sont souvent des conflits d'intérêts qui régissent les rapports interculturels. La démarche éthique de l'interculturel consiste, dans un premier temps, à reconnaître la légitimité d'une culture et, dans un deuxième temps, à accepter sa transformation : « [...] assurer le respect des cultures, mais dans le cadre d'un système d'attitudes **autorisant leur dépassement** » (Camilleri, 1993 : 50 ; le gras est de l'auteur).

Dans le domaine spécifique de l'éducation, Zacharie Zachariev (2006) articule la dualité universaliste et particulariste de l'interculturel autour d'une éthique de dialogue mettant en valeur à la fois le particularisme, considéré comme un droit fondamental d'une société, et les droits de la personne, conçus comme un impératif catégorique de chaque société. Ces considérations théoriques sont à la base de notre réflexion.

Diversité culturelle et marginalité des francophones du Manitoba

Dans un article intitulé « La francophonie plurielle au Manitoba », la sociolinguiste Anne-Sophie Marchand (2004) souligne non seulement la diversité des parlers français du Manitoba, mais également les forces assimilatrices qui ont transformé radicalement le paysage linguistique de cette province au cours du siècle dernier. En effet, de majoritaires au moment de la fondation du Manitoba, les Franco-Manitobains ne représentent plus qu'environ 4 % de la population de cette province au tournant du millénaire, et moins de la moitié de cette minorité utilise le français à la maison. Au recensement suivant, celui de 2006, la situation n'aurait guère changé, mais il pourrait s'agir d'une stabilité toute passagère (Statistique Canada, 2006c). Force est donc de reconnaître que, depuis un siècle, les francophones ont été marginalisés, mais en même temps, à l'instar de Marchand, nous sommes étonnés de constater la résilience et la vitalité qui caractérisent cette communauté, et ce, en dépit de l'environnement totalement dominé par l'anglais avec lequel elle doit composer. Or cette constatation ne touche pas uniquement le fait linguistique mais l'ensemble du paysage culturel, ce que nous allons illustrer en faisant référence aux Métis francophones, que nous accompagnons depuis notre arrivée au Manitoba en 2005 et, de manière plus assidue, au cours des cinq années de notre ARUC.

Les Métis francophones

En 2006, la population métisse du Manitoba comprenait entre 65 335 et 71 810 personnes, qui représentaient entre 5,8 % et 6,3 % de la population totale de cette province (Statistique Canada, 2006a, 2006b). De ce nombre, 38 970 individus ou près de 60 % des Métis vivaient à Winnipeg. Il demeure cependant difficile de déterminer le nombre de Métis francophones. Dans sa thèse, Miguel Albert Joseph Vielfaure (2010 : 188) estime qu'ils étaient 8 195 en 2006, en s'appuyant sur une diversité de sources dont l'une, publiée par le gouvernement provincial, qui soutient qu'en 2000, 11 % des Métis du Manitoba affichaient le français comme langue maternelle, même si, dans les faits, seulement 3,5 % du total ou 1 600 personnes utilisaient le français à la maison.

En dépit de leur petit nombre et des difficultés vécues par les Métis francophones depuis la résistance de 1869-1870 et la « rébellion » de 1885, cette communauté est remarquable par sa vitalité et sa résilience. Les Métis célèbrent et commémorent divers aspects de leur héritage culturel lors de manifestions publiques. Ces démarches renforcent leur identité culturelle en conjuguant de manière originale et singulière des éléments puisés dans leurs traditions autochtones et canadiennes-françaises. Les Métis se réapproprient leur patrimoine, réclament que les faits soient rétablis et que la « véritable histoire » vienne remplacer, dans les manuels scolaires ou dans tout autre outil didactique, les versions antérieures qui étaient généralement teintées de préjugés défavorables à l'égard de leurs ancêtres (Labrèche et Letessier, 2010).

Dans le cadre de notre ARUC, les Métis francophones ont identifié les éléments de leur héritage culturel qu'ils estiment importants de transmettre aux générations montantes pour la revitalisation de leurs traditions[7]. Nous avons également pu constater leur engagement dans la préservation des sites et des paysages d'intérêt historique et commémoratif. Si les Métis interviewés considèrent la langue comme une des composantes majeures de leur patrimoine culturel, par contre, certains d'entre eux sont plutôt pessimistes lorsqu'ils songent au peu qui en subsiste ou encore à l'usage qui pourrait en être fait[8]. Le mitchif français serait peut-être voué à la disparition malgré les efforts de revalorisation. En effet, mises à part Saint-Laurent et Saint-Ambroise (Manitoba), rares sont les communautés où le nombre de locuteurs permet d'entendre ou de parler cette langue.

L'étude des données d'entrevues et la fréquentation de la communauté métisse nous amènent à réfléchir davantage au rôle des sages[9], de la

---

[7]   Pour tout ce qui touche les protocoles et les méthodes de recherche, voir Labrèche (2010a) ou, encore, l'article de Labrèche dans ce numéro.

[8]   Pour en savoir plus sur la diversité et le statut des langues métisses, voir Denis Gagnon et Suzanne Gagné (2007) et Robert A. Papen (2009).

[9]   Le terme « aîné », qui est la traduction littérale d'*Elder*, sert souvent à désigner les personnes d'ascendance autochtone qui ont une vaste expérience et sont généralement reconnues par leur communauté comme les dépositaires des traditions ancestrales. Nous préférons cependant le terme « sage » qui est plus inclusif, car il permet de prendre en considération des personnes n'ayant pas atteint le grand âge, mais qui sont compétentes, reconnues et consultées par leur communauté en raison de leurs

famille et de la communauté sur le plan de la transmission des savoirs et de la réconciliation identitaire. En effet, une partie du travail que nous poursuivons et qui découle directement de nos recherches consiste à transposer des contenus et à proposer des approches pédagogiques s'inspirant des perspectives et des sensibilités métisses pour éclairer et mieux outiller les enseignants et les muséologues. Ceux-ci seront ainsi plus en mesure de reprendre le flambeau et de poursuivre le travail commencé sous forme de collaboration dans le cadre de cette ARUC : proposer des activités culturelles pour éveiller la curiosité et rapprocher les communautés, qu'il s'agisse des communautés scolaires, familiales, culturelles ou autres ; inciter les élèves, les parents et les futurs enseignants à participer à des célébrations métisses ; et avoir recours aux technologies de l'information pour préserver le patrimoine culturel et faciliter sa transmission pour mieux intéresser les jeunes apprenants (p. ex., itinéraires bonifiés grâce à l'utilisation de lecteurs de type GPS, permettant le positionnement géographique précis pour découvrir des « géo-caches » placées en des lieux portant l'empreinte de l'histoire des Métis). Enfin, le patrimoine familial demeure une des grandes richesses de l'héritage socioculturel des Métis francophones et représente un thème récurrent dans notre corpus d'entrevues ; il pourra sans doute devenir un axe de recherche significatif lors de prochains travaux (voir Labrèche et Letessier, 2010).

Les réfugiés francophones

La population immigrante du Manitoba comptait, en 2006, 151 230 personnes, soit plus de 13 % de sa population, dont 31 190 nouveaux arrivants s'étant établis dans cette province entre 2001 et 2006 (Statistique Canada, 2010). Cette population vit principalement à Winnipeg (121 250 au total). Entre 2004 et 2006, le Manitoba accueillait chaque année plus de 1 000 réfugiés, dont 1 241 en 2006, ce qui représente 3,8 % des réfugiés au Canada au cours de cette année (Travail et Immigration Manitoba, 2007). De ce nombre, il demeure cependant difficile de préciser ceux qui s'intégreront à la communauté francophone.

---

connaissances et de leur sagesse pratique. Ce terme qui a été proposé par l'un de nos informateurs est également utilisé en milieu universitaire ainsi que dans les entreprises.

Issus d'un projet migratoire modulé par l'insécurité, la violence et la précarité des droits de la personne, les réfugiés constituent une minorité culturelle, ethnique et linguistique qui vient s'insérer dans le paysage socioculturel et linguistique des communautés francophones de l'Ouest canadien. Depuis une dizaine d'années au moins, les provinces de l'Ouest canadien connaissent une affluence marquée de nouveaux arrivants francophones, dont certains proviennent de la catégorie d'immigration dite « économique » et d'autres de la catégorie dite « humanitaire. » Qu'ils soient d'origine européenne (France, Belgique), ou d'origine africaine (République démocratique du Congo, Somalie, Djibouti, Rwanda, Burundi, Côte d'Ivoire, Sénégal ou Mali), ou plus récemment d'origine haïtienne, ces immigrants représentent un apport démographique significatif à une population francophone minoritaire vieillissante et en déclin face à la puissance assimilatrice de l'anglais (Denton, 2005). Certains immigrants répondent aux besoins de l'économie canadienne (ils seront ainsi recrutés par les entrepreneurs de la catégorie économique), alors que les réfugiés s'inscrivent plutôt dans une volonté humanitaire et un souci de justice sociale (ils trouvent au Canada un asile salutaire qui permet aux familles de s'établir en toute sécurité avec, comme point d'ancrage, une scolarité assurée pour leurs enfants). Si ce constat ne saurait se réduire à une simple dichotomie, force est de constater que la tangente qui sépare les immigrants économiques des immigrants humanitaires les sépare bien souvent selon des facteurs d'(ini)équité (Piquemal, Bahi et Bolivar, 2010). Ainsi, minoritaires de par la langue, les réfugiés le sont souvent aussi de par leur appartenance ethnique. Un vécu doublement minoritaire (ethnique et linguistique) crée indéniablement des difficultés d'intégration supplémentaires (Madibbo, 2008), malgré une résilience quasi à toute épreuve, même pour les plus jeunes (Bahi et Piquemal, à paraître). Ainsi, choc culturel, traumatismes de guerre, non-reconnaissance des diplômes, interruptions scolaires, discrimination ponctuent et ralentissent le processus d'intégration des réfugiés et leur adaptation au contexte canadien.

Il est évident que ces difficultés d'intégration se jouent tant au niveau du politique et des structures sociales qu'au niveau de l'interpersonnel, en l'occurrence l'interculturel, qui met en jeu le Moi et l'Autre. Qu'en est-il, en effet, de la communauté d'accueil face au changement du paysage social ? De tradition plutôt homogène, la communauté francophone de l'Ouest canadien est amenée à se voir et à se définir autrement, pour, en principe et on l'espère, vivre mieux ensemble tout en étant différents.

C'est pourquoi nous proposons dans la prochaine section une réflexion critique sur le multiculturalisme, puisque ce concept permet l'expression culturelle de l'Autre sans permettre pour autant sa pleine participation sociale et politique de façon équitable, ou sans vraiment nécessiter un engagement de l'hôte (Piquemal et Bolivar, 2009) au-delà d'une simple tolérance des différences. Dans ces conditions, tolérer l'Autre, n'est-ce pas simplement un moyen de maintenir le *statu quo*?

Mondialisation, multiculturalisme et interculturalisme

Bien que le développement des technologies de l'information puisse permettre aux cultures locales de s'exprimer à l'échelle nationale, voire internationale, il appert que la mondialisation des communications pose des défis aux minorités linguistiques en ce qu'elle annonce une ère d'uniformisation des pratiques culturelles largement dominées par l'anglais. En effet, la libéralisation des échanges économiques à l'échelle planétaire a non seulement entraîné dans sa suite les habitudes de consommation de masse et de prêt-à-jeter, causant ainsi des problèmes environnementaux sans précédent, mais en outre ce sont également les arts et la culture qui sont devenus des industries où domine l'éphémère, source de renouvellement incessant qui vient brouiller la transmission des signes et des symboles traditionnels. Des mesures ont été prises par des organismes internationaux soucieux de préserver les patrimoines matériels et immatériels de l'humanité, mais cette culture muséologique et sacralisée, consommée grâce à des services de type tourisme culturel, sert-elle les intérêts des porteurs de ces cultures? Par ailleurs, la préservation des traditions à tout prix ne représente-t-elle pas une camisole de force pour les jeunes qui aspirent à un monde sans frontières et qui valorisent la langue des économies triomphantes?

Le multiculturalisme est une politique autant qu'une situation de fait au Canada (Doytcheva, 2005). Les francophones, plus particulièrement les Québécois, ont d'abord résisté à ce concept et aux politiques qui lui étaient rattachées, car ils pressentaient que le gouvernement fédéral, avec ses politiques d'immigration mises en place au cours des années 1970, allait tenter de noyer le fait français et de se débarrasser ainsi du problème de l'indépendance du Québec. Bien que de l'eau ait coulé sous les ponts depuis cette résistance, il n'en reste pas moins que de nombreux chercheurs québécois ont conservé l'habitude d'utiliser le terme « interculturel », en partie pour se démarquer du modèle anglo-canadien. Dans le contexte hors Québec, les recherches suggèrent l'existence d'une faille, ou tout au moins d'un glissement, entre l'intention politique d'un multiculturalisme pluraliste et le fait interculturel tel qu'il est vécu au quotidien (Piquemal et Bolivar, 2009 ; Levine-Rasky, 2006 ; Tyler *et al.,* 2008 ; Ouattara et Tranchant, 2006) : « Le premier est abstrait, clair, général et parfois dé-contextualisé, le second est concret, individuel, complexe et particulier » (Piquemal et Bolivar, 2009 : 248-249). Plus précisément, le politique s'engage à créer des emplois alors qu'un nombre symptomatique d'immigrants doublement, voire triplement minoritaires (voir ci-dessus), vit une situation de chômage liée à la non-reconnaissance des diplômes et à la discrimination (Piquemal et Bolivar, 2009 ; Levine-Rasky, 2006). Ce fossé entre l'idéologie et l'intégration concrète de l'immigrant se manifeste dans toutes les sphères sociales et, notamment, dans la sphère de l'éducation (James, 2004 ; Nieto, 2004).

Ainsi, tel que nous le suggérions dans notre réflexion théorique préliminaire, notre regard croisé entre anthropologie et sciences de l'éducation se pose et se repose sur la notion d'interculturel, non seulement parce que celle-ci met l'accent sur l'interaction[10] entre les membres de communautés distinctes plutôt que sur la multiplicité des cultures, mais aussi parce qu'elle permet d'envisager des stratégies et des approches visant à encourager le dialogue et la compréhension mutuelle entre les diverses cultures. En d'autres termes, l'interculturel responsabilise autant le Moi que l'Autre, évitant ainsi le vice éthique que représente la tension entre la normalisation et l'invisibilité du majoritaire et l'altérisation[11] et l'aliénation du minoritaire.

Dans le domaine de l'éducation à la diversité, Olivier Meunier précise : « Dans un contexte multiculturel, les approches interculturelles en éducation, qui recouvrent de nombreuses thématiques, comme l'apprentissage du "vivre ensemble" ou la citoyenneté démocratique, sont

---

[10]   Notre approche se situe ainsi dans le prolongement des nouvelles études sur les relations entre porteurs de cultures distinctes et le métissage culturel qui dénotent « une nouvelle tentative de recentrage du regard sur les interactions et les appropriations réciproques » (Turgeon, 2003 : 21).

[11]   L'altérisation (*othering,* en anglais) correspond à un processus de catégorisation de l'Autre à travers un rapport de domination ou de discrimination et sous le signe de la stigmatisation (voir Beaulieu-Guérette, 2010, et Delphy, 2008).

à la base de l'acquisition et de l'apprentissage de la capacité à nouer des relations harmonieuses dans un cadre pacifique » (2007 : 5). Mais que recouvre la notion de « vivre ensemble » ? Dans les dernières pages de cette étude, nous proposons une réflexion sur l'éthique de l'être ensemble dans la différence en tant que dépassement de la gestion unilatérale de l'Autre, pour reconnaître la nécessité d'un véritable engagement réciproque et dialogique du Moi et de l'Autre.

Éthique, réciprocité et éducation interculturelle

Une réflexion sur l'éthique relationnelle interculturelle (Piquemal, 2004) articulée autour des quatre principes de différence, de respect, de réciprocité et d'empathie, nous a permis, dans nos travaux conjoints d'anthropologie et d'éducation, de nous pencher, dans un premier temps, sur les travers de l'expression « gestion de la diversité culturelle » et, dans un deuxième temps, sur les voies vers la compétence interculturelle (voir Moisset, 2011 ; Ouellet et Cohen, 2002 ; Toussaint, 2010 ; Toussaint et Fortin, 1997).

Lorsque l'on parle de diversité culturelle en éducation, on entend souvent l'expression « la gestion de la diversité culturelle. » Cette expression nous a semblé problématique dans la mesure où on court le risque de l'assimiler à la gestion de l'Autre (p. ex., l'immigrant), laissant alors l'Hôte (p. ex., la communauté d'accueil) déresponsabilisé, avec la possibilité de rester invisible et de jouer un rôle passif. N'est-il pas commun d'entendre des enseignants déclarer : « J'ai des élèves ethniques dans ma classe » ? Que cachent cette formulation et le choix de ces mots si ce n'est une altérisation de l'Autre par rapport au groupe dominant, qui devient alors invisible (les élèves d'origine caucasienne n'ont-ils pas eux aussi une ethnicité) ? Le problème éthique qui menace alors l'équilibre de la relation interculturelle provient du fait que lorsqu'on se rend invisible, on se normalise et on risque de ne pas avoir conscience du « privilège blanc » (plus communément connu en anglais sous le nom de *White Privilege*, selon Peggy McIntosh (1989)), c'est-à-dire des avantages conférés à un individu du simple fait de son appartenance ethnique majoritaire (caucasienne) : « On m'a appris à voir le racisme uniquement dans des actes individuels méchants, et pas dans des systèmes conférant une prédominance sur un groupe », déclare McIntosh (2005). Une telle attitude entraîne un certain nombre de croyances d'ordre quasi mythique, dont celle selon laquelle ces avantages constituent des droits obtenus grâce au seul mérite de son dur labeur (Schick et St. Denis, 2003). Malheureusement, on le sait trop bien, les inégalités d'embauche liées à la discrimination raciale existent encore.

Au-delà du mythe du mérite, se profilent d'autres clichés aussi erronés que dangereux : le mythe de l'égalité (« nous sommes tous humains, donc nous sommes tous égaux »), mythe selon lequel on rend l'ethnicité (et les inégalités qui s'y rattachent souvent) invisible au profit de la culture (ce qui souligne les différences, certes, mais sans souci d'équité) ; et les mythes de l'innocence et de la bienfaisance, selon lesquels le fait d'être innocent ou même de faire un don déresponsabiliserait et désengagerait le Moi envers l'Autre (Schick et St. Denis, 2003 ; Piquemal et Keller, 2012). Parce que ces croyances sont communément partagées par bon nombre d'entre nous (McIntosh, 1989) ainsi que par les élèves et les enseignants (Schick et St. Denis, 2003 ; Solomon *et al.*, 2005), il nous a paru essentiel de nous pencher sur le lien entre nos travaux de recherche sur les questions d'intégration et d'identité des Métis et des réfugiés dans l'Ouest canadien, minorités francophones avec lesquelles nous travaillons. La question qui se pose à nous, en tant que professeurs-chercheurs engagés dans un travail de partenariat avec les communautés métisses, immigrantes, scolaires et autres, est la suivante : comment encourager ces diverses communautés à participer à un dialogue fondé sur une éthique de réciprocité et d'engagement, en vue de réfléchir aux façons de mieux vivre la relation interculturelle ?

Mobilisation des connaissances

L'étude conduite avec les élèves touchés par les guerres, les familles immigrantes et le corps enseignant a donné naissance à de nombreux dialogues communautaires qui se sont déroulés lors de sessions de développement professionnel et, de façon plus notable, dans le cadre d'un forum communautaire intitulé *Inclusion scolaire des élèves immigrants en milieu francophone minoritaire : défis et meilleures pratiques* (Bolivar, Piquemal et Bahi, 2010). À ce forum, nous avons invité les différents acteurs du milieu de l'intégration scolaire des immigrants, à savoir les parents, les élèves, les enseignants, les administrateurs scolaires, les universitaires, les fonctionnaires de l'éducation, les élus et les organismes communautaires. La motivation principale de ce forum était la création d'un espace interculturel, dialogique et équitable, en vue de partager les défis et d'identifier les meilleures pratiques. Il est évident qu'un tel espace peut permettre de démanteler préjugés et malentendus tout en facilitant la construction de nouveaux paramètres à une meilleure relation interculturelle. Citons, par exemple, les témoignages émouvants des parents et des élèves qui parlaient d'un vécu peu familier aux gens de la communauté d'accueil. Ces témoignages, exprimés certes non sans heurts, mais aussi avec élégance et dignité, ne peuvent que susciter l'empathie de celui qui accueille et son désir de mieux comprendre pour mieux aider. Citons aussi l'humilité et la sincérité des témoignages des enseignants sur leur travail quotidien dans un paysage social si diversifié qu'il présente autant de richesses que de défis. Malgré certaines divergences, tous ces regards croisés convergent vers un idéal commun : mieux vivre ensemble dans la différence et l'égalité.

De leur côté, les Métis francophones ont participé à une table ronde dans le contexte d'un Institut d'été (Faculté d'éducation de l'Université de Saint-Boniface en 2010) sur le développement durable et les perspectives autochtones en éducation. Ils ont sensibilisé les enseignants et les directeurs d'école à la préservation et à la mise en valeur du patrimoine naturel et culturel selon leurs propres perspectives, bien ancrées dans leurs traditions (voir Labrèche, ce volume). Cette table ronde a ensuite mené à la visite d'un site en bordure de la rivière Seine, où les Métis ont expliqué aux éducateurs présents qu'ils négociaient présentement le droit d'utilisation du terrain lors de fêtes communautaires, tout en participant à des activités de reboisement en collaboration avec un autre organisme soucieux de préserver l'environnement.

Nous achevons notre regard croisé entre anthropologie et éducation par la sensibilisation des élèves et des enseignants à la nécessité de se considérer eux-mêmes responsables de l'équilibre éthique de la relation interculturelle. Nous croyons, en effet, que l'utilisation des connaissances acquises dans le cadre de nos recherches et l'initiation à la sagesse pratique doivent commencer en salle de classe. Les savoirs sur les minorités francophones peuvent contribuer à la prospérité et à la qualité de vie de ces communautés, et il est entendu que nous comptons participer de manière importante à la mise en valeur des connaissances dans ce domaine en formant des étudiants universitaires qui, une fois diplômés, deviendront à leur tour des agents de transmission des connaissances.

Nous avons montré ailleurs (voir Labrèche et Piquemal, 2011) comment les anthropologues, à titre de professeurs-chercheurs universitaires, peuvent travailler à sensibiliser les futurs enseignants et enseignantes aux compétences interculturelles nécessaires afin de rendre le milieu scolaire plus inclusif et équitable et les contenus thématiques plus attrayants pour les élèves autochtones et les enfants/adolescents issus d'autres minorités involontaires. Nos expériences conjuguées au sein des facultés d'éducation de trois universités au Manitoba, où nous avons enseigné en anglais et en français, et nos travaux dans le cadre de l'ARUC-IFO nous ont permis d'offrir à de futurs enseignants autochtones, non autochtones et nouveaux arrivants, l'opportunité de bien connaître les traditions, les perspectives et les stratégies d'apprentissage autochtones de même que le vécu et le parcours scolaire des enfants réfugiés qui ont connu la guerre.

Nous avons également invité nos étudiants universitaires à réfléchir à la question des privilèges associés au fait de faire partie du monde des Blancs, tout en prenant en compte le mandat de justice sociale adopté par notre système scolaire (Solomon *et al.*, 2005). En fait, nous pourrions certainement trouver le moyen d'appliquer ces principes à d'autres contextes d'apprentissage et, plus particulièrement, au milieu urbain, où les autochtones et les nouveaux arrivants composent une partie importante de la population (voir Ambtman *et al.*, 2010). En effet, est-il besoin de rappeler que l'ethnocentrisme demeure prédominant dans certains milieux de travail et même d'enseignement et que les relations ne se font pas entre les cultures, mais bien entre les porteurs de ces cultures (voir Camilleri, 1988)?

Conclusion

S'il est vrai que la relation interculturelle passe par la connaissance de soi et la reconnaissance de l'autre, il n'en reste pas moins qu'elle présuppose aussi un certain glissement identitaire. En effet, en quelques décennies, le milieu francophone du Manitoba est devenu extrêmement diversifié sur les plans social, ethnique et culturel. Bien entendu, les communautés francophones n'ont jamais été parfaitement homogènes, et l'exclusion a certainement joué un rôle important, notamment à l'égard des Métis et autour de « l'affaire Riel ». Cependant, le développement de l'identité culturelle de l'immigrant et, plus particulièrement, d'un réfugié est certainement marqué d'un plus grand nombre d'embûches que celui de l'individu qui est ancré dans sa communauté depuis des générations. Cependant, la communauté d'accueil, francophone et minoritaire, présente également des vulnérabilités que l'on ne saurait ignorer. Force est de constater que, si réciprocité il y a, cela signifie effectivement que la communauté d'accueil est elle-même amenée à se redéfinir. Comme nous l'avons suggéré, la démarche appréciative pourrait permettre que le changement se fasse en collaboration. La volonté de se redéfinir par rapport à l'autre dans un processus équitable d'acculturation (Piquemal et Bolivar, 2009 ; Piquemal, Bahi et Bolivar, 2010 ; Piquemal et Keller, à paraître) est évidemment un projet de société autant qu'un projet humain et nécessite des réflexions au niveau microsociétal et macropolitique.

Au terme de ce parcours, nous réitérons qu'il ne s'agissait pas ici de confondre les identités respectives des Métis et des réfugiés, mais plutôt de faire ressortir ce qui est commun à leurs trajectoires respectives. En milieu francophone, il est presque assuré que les routes des minorités involontaires se croiseront, et une meilleure connaissance des défis propres à chacune d'elles ainsi que l'engagement à la réciprocité profiteront à tout le monde.

BIBLIOGRAPHIE

AMBTMAN, Rudy, *et al.* (2010). « Promoting System-Wide Cultural Competence for Serving Aboriginal Families and Children in a Midsized Canadian City », *Journal of Ethnic and Cultural Diversity in Social Work*, vol. 19, n° 3 (août), p. 235-251.

BAHI, Boniface, et Nathalie PIQUEMAL (à paraître). « Dépossession socio-économique, linguistique et résilience : horizons de mobilité sociale chez les élèves immigrants, réfugiés au Manitoba », *Revue canadienne de recherche sociale = Canadian Journal for Social Research*.

BEAULIEU-GUÉRETTE, Émilie (2010). *Étrangers derrière les barreaux : la prison dans le dispositif de mise à l'écart des étrangers indésirables en France*, mémoire de Master 2, Paris, École des hautes études en sciences sociales.

BOLIVAR, Bathélemy, Nathalie PIQUEMAL et Boniface BAHI (2010). *Inclusion scolaire des élèves immigrants en milieu francophone minoritaire : défis et meilleures pratiques,* forum communautaire, Winnipeg, Université de Saint-Boniface, 29 mai.

CAMILLERI, Carmel (1988). « La culture, d'hier à demain », *Anthropologie et sociétés*, vol. 12, n° 1, p. 13-27.

CAMILLERI, Carmel (1993). « Les conditions structurelles de l'interculturel », *Revue française de pédagogie*, n° 103 (avril-mai-juin), p. 43-50.

CLANET, Claude (1990). *L'interculturel : introduction aux approches interculturelles en éducation et en sciences humaines*, Toulouse, Presses universitaires du Mirail.

DELPHY, Christine (2008). « Les Uns *derrière* les Autres », *Classer, dominer : qui sont les « autres »?*, Paris, Éditions La Fabrique, p. 7-52.

DENTON, Thomas (2005). « Overcoming Barriers and Challenges to Immigrants: the Manitoba Model = Surmonter les obstacles et relever les défis de l'immigration : le modèle du Manitoba », dans Hélène Destrempes et Joe Ruggeri (dir.), *Rendez-vous immigration 2004 : enjeux et défis de l'immigration au Nouveau-Brunswick = Immigration in New Brunswick Issues and Challenges*, Fredericton, Policy Studies Centre, University of New Brunswick, p. 455-488.

DOYTCHEVA, Milena (2005). *Le multiculturalisme*, Paris, Éditions La Découverte.

ÉLIE, Pierre-Claude (2007). *La démarche appréciative : une approche positive du changement pour bâtir la capacité des gens à collaborer et innover*, Verdun (QC), Émergence Solutions inc.

EVANS, Mike (2004). « Ethics, Anonymity, and Authorship in Community Centred Research or Anonymity and the Island Cache », *Pimatisiwin: A Journal of Aboriginal and Indigenous Community Health*, vol. 2, n° 1 (printemps), p. 59-75.

GAGNON, Denis (2010). « Le contexte social et historique des revendications identitaires des jeunes Métis francophones du Manitoba », dans Annie Pilote et Sílvio Marcus de Souza Correa (dir.), *L'identité des jeunes en contexte minoritaire*, Québec, Les Presses de l'Université Laval, p. 99-118.

GAGNON, Denis, et Suzanne GAGNÉ (2007). « L'étude des langues métisses et les programmes de revitalisation du mitchif : un état de la situation », *Recherches amérindiennes au Québec*, vol. 37, n°s 2-3, p. 77-87.

GOUVERNEMENT DU CANADA (2005). *Énoncé de politique des trois Conseils : éthique de la recherche avec des êtres humains*, Institut de recherche en santé du Canada, Conseil de recherches en sciences naturelles et en génie du Canada et Conseil de recherches en sciences humaines du Canada, Ottawa, Secrétariat interagences en éthique de la recherche, [En ligne], [http://www.pre.ethics.gc.ca/francais/policystatement/policystatement.cfm].

JAMES, Carl (2004). « Assimilation to Accommodation: Immigrants and the Changing Patterns of Schooling », *Education Canada*, vol. 44, n° 4, p. 43-45.

LABRÈCHE, Yves (2010a). « Méthodes et approches anthropologiques au service des communautés métisses francophones du Manitoba », texte inédit, préparé en vue d'une table ronde intitulée « Les Métis francophones du Canada et l'authenticité culturelle : un premier regard anthropologique », Montréal, Université Concordia, 1er juin.

LABRÈCHE, Yves (2010b). « Name and Self-Representation Among the Labrador Inuit-Métis and the Manitoba Francophone Métis: Towards an Ethics of Reconciliation? », communication présentée dans le cadre d'une séance intitulée « Intellectual Property and Ethics regarding Access to Data and Report», 17ᵗʰ Inuit Studies Conference: *The Inuit and the Aboriginal World*, Val-d'Or, Université du Québec en Abitibi-Témiscamingue, 28-30 octobre.

LABRÈCHE, Yves, et Anne-Sophie LETESSIER (2010). « Accompagner et traduire : réclamation identitaire, commémoration et vitalité culturelle chez les Métis francophones du Manitoba », communication présentée dans le cadre du colloque du CEFCO, Edmonton, Campus Saint-Jean, Université de l'Alberta, 24-25 septembre.

LABRÈCHE Yves, et Nathalie PIQUEMAL (2011). « Cultural Proficiency and Cross-Cultural Education », communication présentée dans le cadre du symposium *Anthropology in Education: Canadian Cases*, Panel 2: « Decolonizing First Nations Education », lors du congrès de l'Association canadienne d'anthropologie, Fredericton (NB), mai.

LABRÈCHE, Yves, et C. Blake RUDKOWSKI (2007). « *Métis Identity and Land Use along the Churchill River (Labrador) 1836-2006 and Modeling a Land Use Study for the Red River (Manitoba)*, 5th Canadian River Heritage Conference, Winnipeg, Manitoba, [En ligne], [http://www.riverswest.ca/pdf/abstracts/Yves%20Lebrèche%20and%20 Clarice%20Blake%20Rudkowski.pdf].

LEVIN, Ben (2008). « In Canada: How Much Diversity in Our Schools? », *Phi Delta Kappan*, vol. 89, n° 5 (janvier), p. 394-395.

LEVINE-RASKY, Cynthia (2006). « Discontinuities of multiculturalism », *Canadian Ethnic Studies*, vol. 38, n° 3, p. 87-104.

MADIBBO, Amal (2008). « The Integration of Black Francophone Immigrant Youth in Ontario: Challenges and Possibilities », *Canadian Issues = Thèmes canadiens*, printemps, p. 45-49.

MARCHAND, Anne-Sophie (2004). « La francophonie plurielle au Manitoba », *Franco-phonies d'Amérique*, n° 17 (printemps), p. 147-159.

McINTOSH, Peggy (1989). « White Privilege: Unpacking the Invisible Knapsack », *Peace and Freedom*, juillet-août, [n. p.].

McINTOSH, Peggy (2005). « Privilège blanc : déballer le havresac invisible », trad. en français de « White Privilege: Unpacking the Invisible Knapsack », par Edith Rubinstein, dans *Mouvement contre le racisme, l'antisémitisme et la xénophobie*, [En ligne], [http://www.mrax.be/spip.php?article270].

MEUNIER, Olivier (2007). *Approches interculturelles en éducation : étude comparative internationale*, Lyon, Institut national de recherche pédagogique, Service de veille scientifique et technologique, [En ligne], [www.inrp.fr].

MOISSET, Jean-Joseph (2011). « L'éducation interculturelle et la gestion scolaire : un modèle d'analyse », dans Jules Rocque (dir.), *La direction d'école et le leadership pédagogique en milieu francophone minoritaire*, Winnipeg, Presses universitaires de Saint-Boniface, p. 177-189.

MOREL, Stéphanie (2011). « Communauté », dans *Universalis : ressource documentaire pour l'enseignement*, [En ligne], [www.universalis-edu.com].

NIETO, Sonia (2004). *Affirming Diversity: The Sociopolitical Context of Multicultural Education*, 4ᵉ éd., New York, Allyn & Bacon.

OGBU, John U., et Herbert D. SIMONS (1998). « Voluntary and Involuntary Minorities: A Cultural-Ecological Theory of School Performance with Some Implications for Education », *Anthropology and Education Quarterly*, vol. 29, n° 2 (juin), p. 155-188.

OUATTARA, Ibrahim, et Carole C. TRANCHANT (2006). « Multiculturalisme cosmopolite et multiculturalisme pluraliste », *Canadian Ethnic Studies Journal*, vol. 38, n° 3 (automne), p. 105-118.

OUELLET, Fernand, et Élizabeth G. COHEN (2002). *Les défis du pluralisme en éducation : essais sur la formation interculturelle*, Québec, Les Presses de l'Université Laval ; Paris, L'Harmattan.

PAPEN, Robert A. (2009). « La question des langues des Mitchifs : un dédale sans issue ? », dans Denis Gagnon, Denis Combet et Lise Gaboury-Diallo (dir.), *Histoires et identités métisses : hommage à Gabriel Dumont = Métis Histories and Identities: A Tribute to Gabriel Dumont*, Winnipeg, Presses universitaires de Saint-Boniface, p. 253-276.

PIQUEMAL, Nathalie (2004). « Relational Ethics in Cross-Cultural Teaching: Teacher as Researcher », *Canadian Journal of Educational Administration and Policy*, vol. 32 (juillet), [n. p], [En ligne], [http://www.umanitoba.ca/publications/cjeap/articles/noma/ relationalethics.piquemal.html].

PIQUEMAL, Nathalie, Boniface BAHI et Bathélemy BOLIVAR (2010). « Nouveaux arrivants humanitaires et économiques au Manitoba francophone : entre défis et succès social », *Revue canadienne de recherche sociale*, vol. 3, n° 1, p. 41-51.

PIQUEMAL, Nathalie, et Bathélemy BOLIVAR (2009). « Discontinuités culturelles et linguistiques : portraits d'immigrants francophones en milieu minoritaire », *Journal of International Migration and Integration*, vol. 10, n° 3 (août), p. 245-264.

PIQUEMAL, Nathalie, Bathélemy BOLIVAR et Boniface BAHI (2009). « Nouveaux arrivants et enseignement en milieu franco-manitobain : défis et dynamiques », *Cahiers francocanadiens de l'Ouest*, vol. 21, nᵒˢ 1-2, p. 329-355.

PIQUEMAL, Nathalie, et T. KELLER (2012). « Nouveaux arrivants francophones minoritaires, accueil et intégration : impenser et repenser le rapport Autre / Hôte », dans Pamela V. Sing et Estelle Dansereau (dir.), « *Impenser » la francophonie : recherches, renouvellement, diversité, identité...*, actes du 22ᵉ colloque du Centre d'études francocanadiennes de l'Ouest, Campus Saint-Jean, Université de l'Alberta, p. 369-380.

SCHICK, Carol, et Verna ST. DENIS (2003). « What Makes Anti-Racist Pedagogy in Teacher Education Difficult? Three Popular Ideological Assumptions », *The Alberta Journal of Educational Research*, vol. 49, n° 1 (printemps), p. 55-69.

SIMARD, Jean-Jacques (1988). « L'anthropologie et son casse-tête », *Anthropologie et sociétés*, vol. 12, n° 1, p. 77-102.

SOLOMON, R. Patrick, *et al.* (2005). « The Discourse of Denial: How White Teacher Candidates Construct Race, Racism and "White Privilege" », *Race Ethnicity and Education*, vol. 8, n° 2 (juillet), p. 147-169.

STATISTIQUE CANADA (2006a). *Ascendance autochtone (10), sexe (3) et groupes d'âge (12) pour la population, pour le Canada, les provinces, les territoires, les régions métropolitaines de recensement et les agglomérations de recensement, Recensement de 2006 – Données-échantillon (20 %)*, [En ligne], [http://www12.statcan.gc.ca/census-recensement/2006/dp-pd/tbt/Rp-fra.cfm?TABID=1&LANG=F&APATH=3&DETAIL=0&DIM=0&FL=A&FREE=0&GC=0&GK=0&GRP=1&PID=89147&PRID=0&PTYPE=88971,97154&S=0&SHOWALL=0&SUB=0&Temporal=2006&THEME=73&VID=0&VNAMEE=&VNAMEF=] (10 septembre 2011).

STATISTIQUE CANADA (2006b). *Profil de la population autochtone de 2006*, [En ligne], [http://ceps.statcan.ca/census-recensement/2006/dp-pd/prof/92-594/details/page.cfm?Lang=F&Geo1=PR&Code1=46&Geo2=PR&Code2=01&Data=Count&SearchText=Manitoba&SearchType=Begins&SearchPR=01&B1=All&GeoLevel=PR&GeoCode=46] (10 septembre 2011).

STATISTIQUE CANADA (2006c). *Profils des communautés de 2006 : Manitoba et Canada*, [En ligne], [http://www12.statcan.gc.ca/census-recensement/2006/dp-pd/prof/92-591/details/Page.cfm?Lang=F&Geo1=PR&Code1=46&Geo2=PR&Code2=01&Data=Count&SearchText=Manitoba&SearchType=Begins&SearchPR=01&B1=All&GeoLevel=PR&GeoCode=46].

STATISTIQUE CANADA (2010). *Population selon le statut d'immigrant et la période d'immigration, chiffres de 2006, pour le Canada, les provinces et les territoires, et les régions métropolitaines de recensement et les agglomérations de recensement – Données-échantillon (20 %)*, [En ligne], [http://www12.statcan.ca/census-recensement/2006/dp-pd/hlt/97-557/T403-fra.cfm?Lang=F&T=403&GH=6&GF=46&G5=0&SC=1&S=0&O=A] (17 septembre 2011).

TOUSSAINT, Pierre (dir.) (2010). *La diversité ethnoculturelle en éducation : enjeux et défis pour l'école québécoise*, Québec, Presses de l'Université du Québec.

TOUSSAINT, Pierre, et Régent FORTIN (dir.) (1997). *Gérer la diversité en éducation : problématiques, conceptualisation et pratiques*, Montréal, Éditions Logiques.

TRAVAIL ET IMMIGRATION MANITOBA (2007). *Données factuelles sur l'immigration au Manitoba : rapport statistique de 2006*, [En ligne], [http://www2.immigratemanitoba.com/asset_library/en/resources/pdf/statsum2006.fr.pdf] (5 décembre 2011).

TURGEON, Laurier (2003). *Patrimoines métissés : contextes coloniaux et postcoloniaux*, Québec, Les Presses de l'Université Laval ; Paris, Éditions de la Maison des sciences de l'homme.

TYLER, Kenneth M., *et al.* (2008). « Cultural Discontinuity: Toward a Quantitative Investigation of a Major Hypothesis in Education », *Educational Researcher*, vol. 37, n° 5 (juin), p. 280-297.

VIELFAURE, Miguel Albert Joseph (2010). *Les Métis francophones manitobains : une exploration d'une population en évolution*, thèse de maîtrise, Winnipeg, Université du Manitoba.

ZACHARIEV, Zacharie (2006). « Éducation, dialogue interculturel et société de l'information », *International Review of Education*, vol. 52, n° 5 (septembre), p. 424-442.

Recensions

Denis Saint-Jacques et Lucie Robert (dir.), *La vie littéraire au Québec*, t. VI : *1919-1933 : le nationaliste, l'individualiste et le marchand*, Québec, Les Presses de l'Université Laval, 2010, 764 p.

La vie littéraire québécoise subit plusieurs transformations majeures durant la période que couvre ce tome VI de *La vie littéraire au Québec : le nationaliste, l'individualiste et le marchand,* dirigé par Denis Saint-Jacques et Lucie Robert. Les forces en présence héritent, bien entendu, de la période précédente, qui a vu l'affrontement des régionalistes et des exotiques dans un combat inégal entre les forces nationalistes, extrêmement bien organisées sur un territoire relativement vaste, et les modernes, dont les institutions, centrées à Montréal, disparaissent ou se métamorphosent rapidement, à l'image de la revue d'avant-garde *Le Nigog* qui ne paraît que pendant un an et s'éteint ensuite. Néanmoins, certains acquis modernistes perdurent, au premier chef desquels le déplacement du pôle littéraire dominant de Québec, où nichait l'école patriotique, vers Montréal, lieu des expérimentations nouvelles et, surtout, de la fameuse École littéraire de Montréal, ayant pour têtes d'affiche le poète Émile Nelligan et le critique Louis Dantin (pseudonyme : Eugène Seers). Les suites de l'opposition entre régionalistes et exotiques prennent en ce sens un nouveau visage, puisque, comme l'écrivent les auteurs, « cette période s'annonce donc comme celle des interactions entre trois types de meneurs dans les domaines idéologiques, esthétiques et économiques : le nationaliste, l'individualiste et le marchand, dont Lionel Groulx, Louis Dantin et Albert Lévesque donnent des exemples représentatifs » (p. 4).

En ce qui concerne les influences étrangères, la France et le clergé continuent de dominer le champ littéraire, en même temps que s'annonce la puissance d'un nouveau joueur que sont les États-Unis d'Amérique, dont la croissance ne se dément pas, malgré la crise économique de 1929, qui laisse des séquelles profondes dans les relations québéco-américaines, notamment dans la brisure des contacts continus avec la population migrante des tisserands du pouvoir (les Canadiens français attirés par les perspectives d'emploi et de fortune dans les filatures américaines), de plus en plus laissée à elle-même et en proie à une assimilation linguistique fulgurante. Cet épisode ravive d'ailleurs les velléités politiques de colonisation du Témiscamingue et de l'Abitibi, dont l'Église se fait aussi le relais, se servant de la crise pour donner une impulsion nouvelle au discours de la survivance et pour chanter les vertus de la culture de la terre. Néanmoins, sans être accréditée par les instances officielles, la culture américaine fait une entrée massive dans la culture québécoise par les moyens technologiques nouveaux que sont la radio et le cinéma, dont les *majors* américains possèdent la quasi-totalité des moyens de distribution. C'est aussi le moment d'affirmation de la chanson québécoise, avec plusieurs signatures originales, dont celle, notable, de La Bolduc, très active dans ses tournées sur tout le territoire québécois jusqu'à son accident de voiture en 1937. On note de même un léger décrochage de l'actualité littéraire française : « Peu importe l'aspect sous lequel sont envisagées les relations avec le champ littéraire français, les Canadiens français semblent de moins en moins suivre l'évolution de la métropole vers la modernité, même en ce qui touche à la renaissance littéraire catholique » (p. 19). Pour que l'influence de Jacques Maritain et de ce mouvement clérical et bientôt personnaliste se fasse réellement sentir au Québec, il faut en effet attendre la revue *La Relève*, à laquelle participera notamment le poète Hector de Saint-Denys Garneau. Mais en attendant, le théâtre professionnel et semi-professionnel s'organise peu à peu, tandis que la presse à grand tirage fait circuler les éternels almanachs et les grands quotidiens comme *La Presse* ou *La Patrie* et que le roman devient progressivement le genre dominant, supplantant lentement mais sûrement la prose d'idées.

Par ordre d'importance, les lieux de l'activité littéraire sont donc répartis au Québec entre Montréal, Québec, Sherbrooke et Trois-Rivières. Si la Société des poètes canadiens-français se constitue à Québec dès 1923, c'est malgré tout le pôle montréalais avec, par exemple, les groupes du Cercle Crémazie (1927-1931) et des Jeunes-Canada (1932-1938), qui devient, en effet, incontournable durant cette période, aussi bien en ce qui concerne la culture francophone, anglophone ou juive, même si on note déjà, vers le milieu des années 1930, un déplacement des centres d'intérêts financiers vers Toronto. Les Cantons de l'Est voient aussi fleurir une école littéraire sous l'impulsion du poète Alfred DesRochers, le

Mouvement littéraire des Cantons de l'Est (1925-1934), qui donnera lieu à la génération littéraire que l'on appellera « les individualistes de 1925 », mettant en pièces les régionalistes cléricaux. De son côté, Trois-Rivières accueille plusieurs activités culturelles, notamment cinématographiques avec Albert Tessier, qui prend la caméra pour donner naissance au documentaire québécois malgré les réticences de l'Église. Une génération littéraire nouvelle prend ainsi le relais de l'ancienne, avec des auteurs qui ont souvent été formés en France et à l'étranger grâce à des programmes d'échanges culturels et étudiants allant croissant avec le siècle. On sait, par exemple, tout ce que le milieu des arts visuels québécois tirera du séjour de Paul-Émile Borduas en France dans les années 1920. On peut donc dire, en tout et pour tout, qu'un paradoxe se noue durant cette période, puisque

> sur le plan esthétique, la domination du régionalisme va de pair avec la volonté de développer des « arts canadiens ». Toutefois, si très peu d'artistes s'aventurent du côté des avant-gardes contemporaines, européennes ou américaines, tous ne font pas fi pour autant des diverses formes de la modernité culturelle, ce qui génère une grande variété de tendances. Émergent ainsi, chez un Marc-Aurèle Fortin aussi bien que chez un Léo-Pol Morin, des thèmes du régionalisme marqués au sceau de la modernité (p. 55).

De cette façon, la nécessité de regrouper les forces nationales fait en sorte que même les avancées modernistes trouvent des thèmes régionalistes, à l'image de ce que sera bientôt en passe de devenir le roman du terroir chez Ringuet (Philippe Panneton), dès 1938, avec *Trente Arpents*.

Si la période est dominée sur le plan politique par les libéraux d'Alexandre Taschereau, elle l'est sur le plan idéologique par la figure de Lionel Groulx, intellectuel actif au sein notamment de *L'Action française* (1917-1928). Celui-ci est le promoteur de l'idée, défendue par le fondateur du *Devoir*[1], voulant que la langue française soit la gardienne de la foi catholique, ce qui confère au peuple canadien-français une mission sans ambiguïté en terre d'Amérique. L'influence historique de ce corps idéologique se fera longtemps sentir au Québec, soulignant de cette manière l'importance capitale de cette période de l'entre-deux-guerres dans l'histoire contemporaine du Québec. Ce tome VI du projet de *La*

---

[1]   Voir Henri Bourassa, *La langue, gardienne de la foi*, Montréal, Bibliothèque de l'Action française, 1918.

vie littéraire au Québec montre donc avec efficacité la complexité de la période, et les sources iconographiques à l'appui donnent un aspect très vivant à la présentation générale.

Étienne Beaulieu,
Université du Manitoba

Aurélio Ayala et Françoise Le Jeune, *Les rébellions canadiennes de 1837 et 1838 vues de Paris,* **Québec, Les Presses de l'Université Laval, 2011, 218 p.**

Dans cet ouvrage, Aurélio Ayala et Françoise Le Jeune analysent les réactions françaises face aux rébellions canadiennes de 1837 et 1838. Reconnaissant d'emblée que la question est demeurée marginale en France, ni le gouvernement de Louis-Philippe ni les grands intellectuels de l'époque ne s'y étant intéressés, les auteurs nous offrent, dans les faits, une analyse de la couverture très minime donnée aux rébellions canadiennes dans quatre journaux français : *Le Journal des Débats* (orléaniste), *La Presse* (commerciale et plus indépendante), *Le Siècle* (réformiste) et *Le National* (républicain).

Les trois premiers chapitres sont essentiellement contextuels. Le premier met en lumière le peu de connaissances des Français par rapport au Canada dans les années 1830. Les auteurs y résument alors les propos tenus par Alexis de Tocqueville, Gustave de Beaumont, Michel Chevalier, Francis de Castelnau et Isidore Lebrun à l'égard des colonies canadiennes. Si le chapitre est intéressant, il contribue peu à la démonstration principale. Il est ainsi permis de se demander si son contenu n'aurait pas dû être résumé en quelques phrases dans l'introduction, ce qui aurait sans doute contribué à la cohérence de l'ouvrage. Le deuxième chapitre, plus descriptif qu'analytique, remplit deux fonctions. Il présente d'abord les contours de la presse française de l'époque ainsi que les quatre journaux à l'étude (format, orientation idéologique, contenu...). Il explique ensuite que la couverture donnée aux rébellions canadiennes par la presse française était inspirée, en grande partie, des articles publiés dans la presse britannique et, dans une moindre mesure, américaine. Le troisième chapitre situe la crise canadienne et l'analyse que la presse en a faite dans le cadre de la rivalité franco-britannique et de la situation américaine de la colonie. Il se termine par la discussion des vues, assez négatives, qu'avait Édouard de Pontois, ambassadeur de France à Washington, par rapport aux patriotes et à leur admiration des institutions américaines. Si cette dernière section est fort instructive, elle s'arrime plutôt mal au reste du chapitre.

Les auteurs analysent finalement les réactions de *La Presse,* du *Siècle* et du *National* face aux rébellions canadiennes dans le quatrième et dernier chapitre. Il est alors assez curieux de noter la disparition du *Journal des Débats* de l'analyse. Si les auteurs la justifient en disant que ce journal n'a jamais véritablement commenté la crise canadienne, ils forcent le lecteur à se demander pourquoi il a été présenté dans les chapitres précédents s'il n'a jamais vraiment réagi aux rébellions. Quoi qu'il en soit, les auteurs concluent en disant que les trois journaux mentionnés plus haut ont analysé les soulèvements canadiens à l'aune de leurs propres valeurs, projetant sur eux leurs principes politiques. Ils s'en sont donc servis pour promouvoir leur programme politique, eu égard à la nature de la crise canadienne comme telle. *La Presse* a ainsi offert l'analyse la plus conservatrice des rébellions, la plus critique face aux rebelles et à Louis-Joseph Papineau. De son côté, *Le Siècle* a donné à la lutte des patriotes un caractère plutôt libéral et universel en 1837, plus national et identitaire en 1838, se rapprochant alors de l'analyse du *National.* Des trois journaux étudiés, c'est finalement *Le National* qui a offert la meilleure couverture des rébellions canadiennes ainsi que l'interprétation la plus radicale, républicaine et révolutionnaire, les associant aux autres soulèvements républicains et nationaux.

L'ouvrage est certes intéressant, mais il ressemble encore trop à un mémoire de maîtrise. Compte tenu du peu de réactions françaises face aux soulèvements de 1837-1838, on peut même se demander si le sujet méritait que les auteurs y consacrent un ouvrage entier. Un solide article aurait peut-être été plus approprié. Si la thèse de l'ouvrage, à savoir que les journaux partisans ont analysé les rébellions canadiennes en fonction de leur orientation idéologique, est démontrée de manière convaincante, elle n'est guère surprenante. N'était-ce pas ce que la presse partisane du XIXe siècle faisait généralement? Parallèlement, si les auteurs nous offrent une analyse bien documentée de la couverture donnée aux rébellions par chacun des journaux, il est dommage qu'ils ne les aient pas abordés et traités de la même manière. Par exemple, l'analyse « empirique » utilisée pour analyser *Le Journal des Débats* et *Le National* dans le deuxième chapitre diffère grandement de celle plus « analytique » utilisée pour *Le Siècle* et

La Presse. Cette différence est malheureuse puisqu'on ne peut comparer que des choses comparables. En outre, bien que les auteurs emploient les concepts de nationalisme, patriotisme, libéralisme, radicalisme, démocratie, révolution et américanité de manière cohérente tout au long de l'ouvrage, ils auraient eu intérêt à les définir plus précisément afin d'éviter un certain flou analytique.

Enfin, il est regrettable que le travail d'édition ait été quelque peu négligé. Les répétitions sont nombreuses et agaçantes, tout comme les erreurs orthographiques. Et c'est sans compter les quelques erreurs historiques. Ainsi, seuls cinq patriotes furent pendus le 15 février 1838, et non 12 (p. 7). Deux avaient été pendus le 21 décembre 1838 ; les cinq autres, le 18 janvier suivant. Le *Seventh Report on Grievances* du Haut-Canada date d'avril 1835, non de juillet 1837 (p. 7). C'est l'historien Maurice Séguin qui a interprété les rébellions sous l'angle national, et non Robert Séguin (p. 9). Lord Russell n'était ni premier ministre ni ministre responsable des colonies lors des deux rébellions (p. 91, 129, 130). Lord Melbourne était premier ministre, et lord Glenelg était secrétaire au Colonial Office. Russell était, quant à lui, leader du gouvernement à la Chambre des communes et Home Secretary en 1837-1838. Ce n'est qu'en septembre 1839 qu'il obtient la responsabilité des colonies. Enfin, la Proclamation royale d'octobre 1763 ne faisait aucune référence explicite au serment du Test. L'imposition de ce serment a plutôt fait l'objet d'instructions supplémentaires envoyées au gouverneur James Murray en date du 7 décembre 1763 (p. 182).

Malgré ses limites, l'ouvrage contient plusieurs renseignements pertinents et utiles. Il s'ajoute ainsi à la longue liste d'études publiées récemment au sujet des rébellions de 1837-1838.

Michel Ducharme
Université de la Colombie-Britannique

Renée Blanchet et Georges Aubin, *Lettres de femmes au XIXᵉ siècle*, Québec, Éditions du Septentrion, 2009, 288 p.

Nous devons plusieurs remarquables éditions de correspondances à Renée Blanchet et Georges Aubin. Ces deux chercheurs ont publié, entre autres, de nombreux volumes de la correspondance de Louis-Joseph Papineau et les correspondances respectives de Julie Papineau, Rosalie Papineau-Dessaulles et Louis-Hippolyte La Fontaine. Lors de leurs recherches aux

Archives nationales du Québec, ils ont découvert une quantité d'autres lettres intéressantes qui méritaient une plus grande diffusion. Ce volume nous présente plusieurs de celles-ci. Ce sont des lettres de femmes, certaines issues de grandes familles québécoises (les Marchand, Papineau, Tarieu de Lanaudière, Cherrier, etc.), mais plusieurs de milieux variés. Parmi ces dernières, on retrouve des femmes de marchands, de notaires, d'agriculteurs, de voyageurs et des jeunes filles récemment sorties du couvent. Les cent cinquante lettres présentées s'échelonnent sur tout le XIXᵉ siècle, de 1800 à 1891. Elles sont divisées en six sections thématiques qui reflètent les préoccupations principales des femmes de l'époque : la famille, les affaires, la politique, l'amour et l'amitié, l'éducation et les voyages.

Le lecteur retiendra des anecdotes piquantes. Certaines sont tragiques, comme l'histoire du « jeune Grenier » qui se pend dans sa chambre après avoir lu une lettre le concernant que son père avait adressée à sa mère (lettre 38). Deux lettres (27 et 87) et une notice biographique (Ainsse, Françoise) esquissent l'histoire d'une femme abandonnée avec ses quatre enfants par son mari. D'autres sont plus légères, comme celle de Cécile Pasteur (lettre 121), qui annonce à une amie qu'elle a congédié son amant et a dû « essuy[er] bien des reproches de [s]on frère et surtout de [sa] maman, qui aurait bien voulu [la] marier avec lui parce qu'il est riche ». Il y a encore celle de Rosalie Cherrier (lettre 135) qui écrit à ses deux fils, étudiants au Séminaire de Québec, de ne pas se disputer (« si deux frères ne savent pas vivre en bonne intelligence, que ne feront pas des étrangers ? ») et qui leur envoie une liste des vêtements qu'ils devraient apporter dans leurs bagages lors de leurs prochaines vacances, y compris « deux paires de culottes corde-rois ».

Ces lettres nous permettent aussi de mieux comprendre le style épistolaire des Canadiennes françaises au XIXᵉ siècle. Certaines formules reviennent sous leurs plumes. Elles disent souvent qu'elles sont « affectionnées » et qu'elles aiment et embrassent leurs correspondantes « de tout [leur] cœur ». Parfois, d'autres se joignent à elles « pour [se] dire mille choses ». Dans la section « affaires », les lettres ont un ton informel qui pourrait surprendre un lecteur contemporain. L'organisation chronologique des lettres permet toutefois de voir une évolution dans ce style. Il semble que ce n'est qu'à la fin du XIXᵉ siècle que les femmes acquièrent un statut qui rend possible l'écriture d'une lettre d'affaires sérieuse, dénuée d'allusions à la famille ou aux mondanités.

On aimerait bien pouvoir suivre les trajectoires de certaines de ces femmes. Le volume compte onze lettres de Joséphine Marchand et six de Victoire Papineau, mais la plupart des correspondantes sont représentées par une ou deux lettres seulement. C'est souvent trop peu et cela laisse le lecteur sur sa faim. Heureusement, cet intéressant volume est muni d'un impressionnant appareil scientifique qui permettra aux chercheurs curieux de pousser plus loin leurs investigations. La provenance de chaque lettre est indiquée, des notices biographiques sont incluses à la fin du volume pour toutes les correspondantes identifiées et des notes à la fin de chaque section identifient les personnes mentionnées dans les lettres. L'introduction au volume explique le choix des lettres retenues et comprend, en outre, cinq tableaux qui offrent un aperçu d'ensemble du corpus. La bibliographie contient de nombreuses références à d'autres ouvrages (plusieurs étant des éditions récentes de sources primaires), qui offriraient d'autres pistes de lecture à ceux qui s'intéressent à la vie des femmes au Québec au XIXᵉ siècle.

Blanchet et Aubin ont privilégié une organisation thématique pour ce volume mais notent que les thèmes ne sont pas exclusifs puisque certaines lettres qui traitent de plusieurs sujets pourraient figurer dans une section thématique aussi bien que dans une autre. Le volume aurait pu être organisé de plusieurs façons. Une lecture chronologique des lettres, par exemple, aurait mis en évidence l'évolution du style épistolaire et des préoccupations féminines. Le regroupement des lettres d'une correspondante ou de correspondantes d'un même réseau aurait permis au lecteur de suivre quelques personnalités et de mieux comprendre les relations que ces femmes entretenaient entre elles. Une publication numérique faciliterait ces différents types de lecture. Pour les lecteurs qui voudraient aborder les lettres contenues dans le livre selon d'autres organisations, il est possible d'acheter un exemplaire du livre en version numérique (voir : http://vitrine.entrepotnumerique.com/publications/2249-lettres-de-femmes-au-xixe-siecle). Il est certes bien agréable de tenir un volume entre ses mains, mais l'avantage de lire ce livre en format de document multiplateforme, ou PDF, est qu'il est alors possible d'y chercher des mots ou des phrases, ce qui rend d'autres lectures possibles. Cette initiative des Éditions du Septentrion est donc à applaudir. Une publication en CD-ROM ou sur un site Web avec hyperliens et des images des lettres originales aurait représenté un pas de plus dans cette direction et aurait certes été justifiée pour un volume de cette sorte. *Lettres de femmes au XIXᵉ siècle* intéressera non seulement un public de chercheurs et d'étudiants, mais aussi des lecteurs amateurs de l'histoire du Bas-Canada et de l'histoire des femmes au XIXᵉ siècle.

Margot Irvine
Université de Guelph

Marcel J. Rheault, *La rivalité universitaire Québec-Montréal revisitée 150 ans plus tard*, Québec, Éditions du Septentrion, 2011, 274 p.

Marcel J. Rheault, médecin et professeur retraité d'histoire de la médecine à l'Université de Montréal, revisite la question universitaire Québec-Montréal 150 après les faits et 50 ans après la thèse de doctorat en histoire d'André Lavallée, publiée sous le titre *Québec contre Montréal : la querelle universitaire, 1876-1891* (Montréal, Les Presses de l'Université de Montréal, 1974). En raison de sa formation, l'auteur analyse avec une grande précision la formation médicale à Montréal, qui est au cœur de la « question universitaire ».

Ce livre est le récit de la lente et difficile naissance de l'Université de Montréal. Celle-ci s'étale de la création de l'Université Laval en 1852 à 1920, date où la succursale de l'Université Laval à Montréal devient l'Université de Montréal. Dans ces trois quarts de siècle de débats et de combats pour une université indépendante à Montréal, que de querelles entre Elzéar-Alexandre Taschereau, recteur de Laval puis archevêque de Québec, et Ignace Bourget, évêque de Montréal, entre libéraux et ultramontains, entre protestants et catholiques, entre « rouges » et conservateurs, entre francophones et anglophones, entre Montréal et Québec ! Cette lutte épique, qu'on a appelée « la question universitaire », s'ouvre donc en 1852, prend de l'ampleur en 1862, atteint son zénith entre 1876 et 1883 et ne s'atténue qu'en 1890, pour trouver sa conclusion en 1920.

Dès le début, en 1852, Mᵍʳ Bourget voulait une université francophone et catholique sous la supervision des évêques du Québec, mais Laval est créée comme université diocésaine, sous l'autorité du seul archevêque de Québec. En 1843, l'École de médecine et de chirurgie de Montréal ouvre ses portes et signe une entente avec les Hospitalières pour permettre aux étudiants d'avoir accès à l'Hôtel-Dieu. La fondation du Collège des médecins et chirurgiens du Bas-Canada en 1847 rend obligatoire l'affiliation de toute école de médecine à une université.

Lors de la création de la succursale de l'Université Laval à Montréal par décision de Rome en 1876, Laval crée à son tour à Montréal une faculté de médecine, qui ouvre ses portes en 1879. Nous avons donc deux écoles de médecine rivales. La nouvelle faculté est à la recherche d'un hôpital, car les Hospitalières ne voulaient pas admettre les étudiants de celle-ci afin de respecter les ententes signées avec l'École de médecine et de chirurgie de Montréal.

En 1862, Rome refusait la création d'une université française et catholique à Montréal. Cette année-là, l'École de médecine et de chirurgie demande son affiliation à Laval, mais elle essuie un refus. L'École de médecine trouve une affiliation à l'Université méthodiste Victoria de Cobourg, en Ontario, et cette affiliation durera de 1866 à 1890. Un nouveau décret de la Congrégation de la Propagande romaine réitère, en 1865, qu'il n'est pas opportun d'établir une université à Montréal.

Mgr Bourget mène, en 1872, une nouvelle offensive en faveur d'une université à Montréal à l'intention des Jésuites en déléguant Mgr Joseph Désautels à Rome, d'une part, et en faisant campagne auprès de la Législature du Québec, d'autre part. Il essuie un refus de la part des deux instances. Pourtant, à partir de 1874, Rome accorde un établissement universitaire à Montréal. Par la bulle *Inter varias sollicitudines* (1876), le Vatican refuse une université indépendante à Montréal, mais permet la création d'une succursale de l'Université Laval à Montréal avec quatre facultés : théologie, droit, médecine et arts. De son côté, l'Université Laval devient une université pontificale soumise, dorénavant, à l'autorité de tous les évêques du Québec.

Rome envoie en 1877 un délégué apostolique, Mgr Conroy, pour faire rapport sur la question du libéralisme politique et la discorde du clergé au Québec. La querelle Québec-Montréal continue en ce qui a trait aux deux institutions de formation en médecine avec le refus répété de Laval d'accorder son affiliation à l'École de médecine et de chirurgie. Un nouveau délégué apostolique du Vatican, dom Smeulders, vient, en 1883-1884, faire enquête sur les problèmes religieux du Québec et rechercher une solution à la question universitaire.

En 1889, la bulle *Jam Dudum* accorde une grande autonomie à la succursale Laval à Montréal, de même qu'un statut particulier aux Jésuites et à leurs collèges. Le vice-recteur de Laval à Montréal sera choisi par les évêques de la province ecclésiastique de Montréal, car Mgr Édouard-

Charles Fabre, qui a succédé à Bourget comme évêque, avait été élevé au rang d'archevêque en 1886. Par suite de ce nouveau statut, on assiste enfin, en 1890, à la fusion des deux écoles de formation en médecine à Montréal. En 1892, toujours avec la permission de Rome, un projet de loi est présenté à la Législature du Québec pour remplacer le Syndicat financier de la succursale de Laval à Montréal par la Corporation des administrateurs de l'Université Laval à Montréal. Cette Corporation est formée de l'archevêque de Montréal, du vice-recteur de la succursale, du supérieur du Séminaire de Saint-Sulpice, des doyens des facultés de théologie, de droit, de médecine et des arts et de deux délégués des diplômés de droit et de médecine. La dépendance de la succursale de Montréal envers l'Université Laval de Québec est réduite à la seule approbation des diplômes. Il faut souligner que l'aide financière du Séminaire de Saint-Sulpice se révèle capitale pour le fonctionnement de la succursale montréalaise, maintenant autonome.

Marcel Rheault a exploité, de façon extensive et intelligente, les archives des institutions concernées par la question universitaire. Signalons au passage quelques incorrections. L'auteur donne du monseigneur à Taschereau dès le début de la décennie 1860. Or l'abbé Taschereau, recteur de Laval, ne devient archevêque de Québec qu'en 1870. Il fait mention (p. 33) de Mgr Taché, supérieur du Séminaire de Sainte-Thérèse : il aurait fallu lire l'abbé Stanislas Tassé. On y lit (p. 223) que l'abbé Jean-Baptiste Proulx écrit au chanoine Bruchési « récemment nommé recteur de la nouvelle université », mais Bruchési était plutôt vice-recteur intérimaire de l'Université Laval de Montréal.

Marcel Rheault nous décrit avec verve les nombreuses interventions ·de Rome dans les affaires québécoises, de même que tous les allers et retours des nombreux acteurs, ecclésiastiques et laïques, qui allaient à Rome défendre des positions ou proposer des solutions à la question universitaire. Ce livre se lit comme un roman. Il est tout de même curieux d'y retrouver les 249 pages découpées en 56 chapitres. Cette organisation de l'information, qui n'est pas habituelle dans une étude d'histoire, donne au livre une allure de récit historique.

Marcel Lajeunesse
Université de Montréal

Gabriel Dumont, *Souvenirs de résistance d'un immortel de l'Ouest*, présentation et notes de Denis Combet et Ismène Toussaint, Québec, Les Éditions Cornac, 2009, 407 p.

En 2006, on a célébré le centième anniversaire de la mort de Gabriel Dumont, chef militaire des Métis des Territoires du Nord-Ouest. Pour souligner cette occasion, un important colloque fut organisé au Collège universitaire de Saint-Boniface (Colloque *Gabriel Dumont : histoires et identités métisses*, 2006) dont les actes furent publiés sous la direction de Denis Gagnon, Denis Combet et Lise Gaboury-Diallo (2009). De plus, en 2009, Denis Combet et Ismène Toussaint présentèrent au grand public un ensemble de récits de vie rapportés par Dumont, des témoignages de combattants des plus importantes escarmouches et batailles de la Résistance métisse de 1885 ainsi que la retranscription de discours de Dumont, des correspondances variées, soit de Dumont lui-même, soit d'autres personnes intimement liées aux événements de 1885, impliquant l'intéressé de diverses manières.

L'ouvrage est organisé comme suit : la première partie relate des récits de vie rapportés par Gabriel Dumont lui-même en 1902 et 1903. Ce sont des textes oraux réunis et transcrits par un rédacteur anonyme, titrés « Mémoires dictés par Gabriel Dumont » et « Récit de Gabriel Dumont ». Cet auteur devait connaître à la fois le français mitchif, dialecte que Dumont utilisait couramment, et le français de référence. Ces deux textes racontent sa vie avant et pendant la période de la Résistance des Métis des Territoires du Nord-Ouest (1884-1885) et s'attardent surtout aux événements et aux escarmouches du Lac-aux-Canards (Duck Lake), de l'Anse-aux-Poissons (Fish Creek) et de Batoche. Suivent des témoignages de divers combattants à l'une ou l'autre de ces batailles (entre autres, les témoignages de Patrice Fleury, Édouard Dumont, Jean Caron, Isidore Dumas, Emmanuel Champagne, Moïse Ouellette, etc.). L'ensemble de ces récits nous plongent directement dans l'action et, même s'ils se répètent quelque peu, ils nous donnent des points de vue différents de ces événements, tout en proposant une image « nouvelle » de Louis Riel.

La deuxième partie du volume commence par ce que les présentateurs intitulent « Souvenirs de résistance de Gabriel Dumont »; mais ceux-ci représentent, en réalité, un extrait de *La vérité sur la question métisse au Nord-Ouest*, rédigé par Adolphe Ouimet et Benjamin-Antoine Testard de Montigny en 1889. L'extrait est un récit des événements de 1885 tel que Dumont l'avait dicté devant six témoins québécois à Montréal. Suivent alors des articles de journaux qui relatent le succès tout relatif de la série de conférences que Dumont avait prononcées au Québec en 1888. L'avant-dernière section offre les textes de la correspondance que Gabriel Dumont entretenait avec plusieurs personnalités politiques et religieuses de l'époque, entre autres, Honoré Mercier, premier ministre du Québec, Raymond Préfontaine, député de Chambly au Parlement, le cardinal Taschereau, archevêque de Québec, ainsi que d'autres lettres pertinentes de certains personnages importants de la Résistance, comme celles d'Alex Pierre Fisher, secrétaire du Comité des Métis de Batoche, à Sir Wilfrid Laurier, alors chef du Parti libéral du Canada. La dernière section contient un certain nombre d'articles de journaux québécois d'époque portant sur Gabriel Dumont et les événements de 1885.

Tous ces textes sont accompagnés d'un nombre impressionnant de notes de la part des présentateurs : il y en a 474 au total et elles représentent plus de 70 pages du livre! Néanmoins, ces notes permettent au lecteur peu instruit sur l'histoire des Métis de l'Ouest canadien de comprendre les enjeux, les tractations, les intrigues, les injustices et maints menus détails culturels et historiques de cette période importante de l'histoire de l'Ouest canadien. L'ouvrage se termine par une impressionnante bibliographie d'une vingtaine de pages qui fournit les références d'à peu près tout ce qui a été écrit sur Gabriel Dumont et sur la Résistance des Métis du Nord-Ouest jusqu'à présent.

Après les fleurs, le pot... Même si, en général, la facture de cet ouvrage est excellente, nous y avons trouvé un certain nombre de coquilles, d'erreurs et quelques lacunes. Nous déplorons, par exemple, le fait qu'aucune carte n'ait illustré ni les lieux de bataille ni les Territoires du Nord-Ouest de l'époque. Ces cartes auraient sûrement permis aux lecteurs moins avertis de mieux comprendre et de suivre les événements. Certaines notes sont mal placées. Ainsi, on trouve une note 33 à la page 20, qui fait suite à la note 27. La note 33 se trouve à nouveau à la page 23, cette-fois-ci bien placée. C'est également le cas de la note 86, qui se trouve autant à la page 48 qu'à la page 50. La note 190 de la page 82 n'est pas indiquée, et aux pages 82-83, la note 192 est répétée deux fois.

Même si les présentateurs témoignent d'une connaissance appro-fondie de la culture métisse (Ismène Toussaint étant elle-même métisse), ils tombent à au moins une occasion dans un piège lexical. Ainsi, à la note 121 (p. 61), ils expliquent que le terme *bluff* « est un mot anglais désignant une butte ou une colline ». C'est tout à fait vrai, mais en français mitchif, ce terme renvoie plutôt à un bosquet, un petit bois. La preuve en est que dans plusieurs extraits de l'ouvrage, par exemple, aux pages 67 et suivantes, où on lit : « Gabriel place ses gens dans le *bluff* [...] Il descend de son cheval, qu'il attache dans un *bluff*, et avec un petit Sauvage cri il s'en va, rampant de *bluff* en *bluff* à la découverte de l'ennemi [...] », la préposition *dans* ne devrait pas être possible si un *bluff* était effectivement une colline. Notons en passant que si la plupart des anglicismes typiques du parler mitchif ont été relevés et expliqués, le terme *malle* – « courrier » – (de l'anglais *mail*) de l'expression « porteur de malle de Qu'Appelle » (p. 92) n'est pas expliqué. Le lecteur non avisé pourrait facilement y perdre son latin !

Ajoutons finalement quelques ouvrages que Combet et Toussaint n'ont pas inclus dans leur bibliographie. Il s'agit premièrement du roman de gare de la plume de Joseph Edmund Collins, publié en 1885. Ce texte a longtemps été considéré comme une « biographie » de Louis Riel, alors qu'il n'en est rien. Les deux autres sont des œuvres mineures : le roman d'Alfred Silver (1990) et la « biographie de Louis Riel en bande dessinée » de Chester Brown (2004).

Un dernier mot : nous félicitons les présentateurs pour leur magnifique travail. Les textes qu'ils ont réunis permettent à tous ceux qui s'intéressent à l'histoire des Métis de mieux comprendre celle-ci et, pour cette raison, nous leur en savons gré.

BIBLIOGRAPHIE

BROWN, Chester (2004). *Louis Riel, l'insurgé*, Tournai (Belgique), Casterman, coll. « Écriture ». Traduction française de *Louis Riel: A comic-strip biography*, Montréal, Drawn & Quarterly, 2003.

COLLINS, Joseph Edmund (1885). *The Story of Louis Riel, the rebel chief*, Toronto, Rose Publishers and co. (2ᵉ éd., J. S. Robertson & Bros., Toronto et Whitby, 1885 ; réédité par Coles, Toronto, 1970).

GAGNON, Denis, Denis COMBET et Lise GABOURY-DIALLO (dir.) (2009). *Histoires et identités métisses : hommage à Gabriel Dumont = Métis Stories and Identities: A Tribute to Gabriel Dumont*, Winnipeg, Presses universitaires de Saint-Boniface.

SILVER, Alfred (1990). *Lord of the Plains: The story of Gabriel Dumont, his wife Madeleine, and the Great Northwest Rebellion*, New York, Ballantine Books.

Robert A. Papen
Université du Québec à Montréal

Résumés / Abstracts

Jules Rocque

Les sites Internet des conseils scolaires francophones canadiens en milieu minoritaire : ressources indispensables pour les couples mixtes (interlinguistiques / interculturels)

L'article présente les résultats d'une cueillette de données virtuelles (2008 et 2010) à partir d'un échantillon de sites Internet de la Fédération nationale des conseils scolaires francophones (FNCSF). À la lumière de la transformation du profil de la clientèle qui fréquente les écoles de langue française en milieu francophone minoritaire (63 % provenant de couples mixtes ayant l'anglais comme langue de fonctionnement), l'étude cherche à voir quelle place occupe la langue anglaise dans les sites Internet et, plus particulièrement, quel type d'information est disponible pour les parents qui ne parlent pas le français. Malgré une certaine amélioration dans l'information disponible en anglais, l'auteur propose des recommandations qui pourraient améliorer la communication entre les autorités scolaires et leur clientèle.

This paper is based on data collected (2008 and 2010) from a sample of websites developed by the Fédération nationale des conseils scolaires francophones (FNCSF). Given the recent shifts in the student population attending Francophone minority schools (63% of the students coming from mixed marriages regularly speak English at home), our study assesses the place given to English in school board websites, and more precisely, the nature of the information provided to non-French speaking parents. Although an increase in the amount of information available in English can be noted, a number of recommendations are made to further improve communication between education authorities and the school community.

Gestny EWART **et Janelle** DE ROCQUIGNY

L'impact des programmes de littératie préscolaire offerts dans les communautés franco-manitobaines en contexte linguistique minoritaire

Étant donné l'importance de la littératie préscolaire et le rôle de l'environnement francophone dans le développement des compétences langagières en français des enfants en milieu minoritaire, le but de cette recherche est de déterminer si les programmes de littératie préscolaire ont un effet positif sur les pratiques de littératie chez les parents et les enfants qui y ont participé. Plus spécifiquement, cette recherche vise à décrire le profil démolinguistique des parents participants, y compris certaines caractéristiques personnelles des parents, leurs habitudes langagières avec leurs enfants et leur motivation à suivre un programme de littératie préscolaire. Elle a aussi pour objectif de déterminer l'impact de la participation des enfants et des parents sur les activités de littératie familiale et de sonder le niveau de satisfaction des parents et des animatrices quant au déroulement des programmes. Les données recueillies au moyen des questionnaires révèlent une population très engagée qui désire augmenter les occasions de contact avec la communauté francophone et renforcer les pratiques de littératie auprès de leurs enfants. Les retombées des programmes sont très positives pour les parents et les enfants.

Given the importance of preschool literacy and the role played by the child's Francophone minority environment in the development of language competence, this paper aims to assess the positive effects of preschool literacy on both parents and children. More specifically, the demolinguistic profile of parent participants, including a number of personal characteristics, the children's language habits and their motivation in enrolling in a preschool literacy program will be examined. This study also seeks to determine the impact of child and parent participation on family literacy activities, as well as the level of satisfaction among the program leaders and the children's parents. The data collected indicate a high level of engagement among the population and a desire to create links with the Francophone community while strengthening the children's literacy skills. Overall, the program has been very positive for parents and children.

Laurie Carlson Berg

Un regard critique sur les initiatives d'éducation inclusive des élèves immigrants en milieu scolaire fransaskois

En prenant comme cadre d'analyse les formes d'éducation qui s'opposent à l'oppression, le présent article propose une analyse des initiatives d'inclusion dans trois communautés scolaires fransaskoises. Trois directeurs d'école ont été interviewés afin de connaître leurs points de vue sur la population étudiante changeante. Les transcriptions des entretiens ont été analysées sur le plan du discours et sur le plan des catégories d'éducation qui s'opposent à l'oppression. D'abord, seront décrites les initiatives d'inclusion dans les écoles participantes, puis la consultation qui a été effectuée par la chercheure. L'article se conclura par des recommandations sur la façon dont les écoles pourraient élargir leurs initiatives actuelles afin de miser davantage sur des pédagogies critiques.

Borrowing from the anti-oppression education theory, this paper examines inclusion programs in three Saskatchewan Francophone school communities. Interviews were conducted with three school principals to assess their perspectives on a changing student population. Using a critical framework, the transcriptions are analysed both at the level of discourse and anti-oppression education categories. Following a description of the inclusion initiatives taken by participating schools and the subsequent interviews conducted by the researcher, the paper proposes ways to further develop current programs by focusing on critical pedagogies.

Léonard P. Rivard et Luc N. Martin

Le rapport de recherche : un méga-outil pour « nourrir » l'enseignement des sciences

Le rapport de recherche est le genre de texte dominant de la communauté scientifique. Cependant, tous les enseignants de sciences ne connaissent pas nécessairement ses particularités. Le but de cet article est d'aider ces derniers en examinant les différentes parties qui constituent les rapports de recherche publiés dans les revues savantes. Au cours de l'analyse, nous commenterons les idées que l'auteur développe dans chaque partie (le fond) ainsi que les éléments linguistiques auxquels il a recours (la forme). Nous émettrons finalement des recommandations à l'intention des enseignants qui aimeraient transposer les idées présentées lorsqu'ils exploitent le rapport de laboratoire pour développer davantage l'écrit chez leurs élèves.

The research report is the dominant scientific textual genre. However, not all science teachers are aware of its particularities. This paper aims to support teachers by examining each part of the research report with examples found in scientific journals. Both the development of each section of the report (the content) and the linguistic elements at play (the form) will be reviewed. Further recommendations will be made to assist those teachers who would like to apply the ideas discussed here to the lab report as a way to further develop the students' writing skills.

Sandrine HALLION, **France** MARTINEAU, **Davy** BIGOT, **Moses** NYONGWA, **Robert A.** PAPEN, **Douglas** WALKER

Les communautés francophones de l'Ouest canadien : de la constitution des corpus de français parlé aux perspectives de revitalisation

La recherche sur les variétés de français parlées dans l'Ouest canadien a connu ces dernières années un essor lent mais certain. Il reste que bien des aspects de ces parlers français sont encore méconnus et qu'il est nécessaire de poursuivre les travaux de collecte, de description et d'analyse afin de donner un portrait linguistique actualisé des communautés francophones de ces régions du Canada. C'est le principal objectif que s'est fixé l'équipe de six chercheurs qui aborde, selon différents points de vue, la question des particularités des variétés de français de l'Ouest canadien et des communautés où elles sont en usage. En procédant d'est en ouest (Manitoba, Saskatchewan, Alberta), le tour d'horizon des recherches et des réalisations en cours proposé dans cet article se veut essentiellement descriptif et se situe donc, souvent mais pas uniquement, en amont de l'analyse. Il ne néglige pourtant pas les aspects réflexifs qui accompagnent nécessairement la prise en main d'un corpus oral déjà constitué ou l'élaboration d'un nouveau corpus. Les corpus présentés ici offrent de nombreuses perspectives d'analyse qui s'arriment à d'autres projets en cours de grande envergure (PFC, *Le français à la mesure d'un continent*) dont la finalité commune est l'enrichissement des connaissances sur les variétés de français de la francophonie.

In recent years, a significant amount of research has been done on the varieties of spoken French in Western Canada. Much remains to be done, nonetheless, and it is important to continue to collect, describe and analyze data, as we seek to present an accurate portrait of the Francophone communities in Western Canada. This has been the principal objective of this team of six researchers working on the particularities of each variety of Western Canadian French and on each community where the language is spoken. Moving from East to West (Manitoba, Saskatchewan, Alberta) and serving as a foundation for further research, this paper offers a descriptive survey of current research activities in the field and suggests ways to reflect on the interpretation of both existing and newly-collected spoken language corpuses. The variety of corpuses presented here allows for further analysis in connection with other large-scale projects (PFC – Le français à la mesure d'un continent), in an effort to enrich our knowledge of the many varieties of French in the Francophone world.

Yves LABRÈCHE

Préservation, célébration et utilisation des ressources naturelles et culturelles chez les Métis francophones du Manitoba

L'auteur présente tout d'abord un aperçu des démarches ethnographiques entreprises dans le contexte d'un partenariat avec la communauté métisse francophone du Manitoba. Ces recherches portent sur les rapports complexes qui se sont tissés entre la mémoire, l'identité et le paysage nommé, marqué et parcouru. Dans cet article, les propos recueillis au cours d'entrevues serviront de base à l'étude de pratiques traditionnelles toujours vivantes : chasse, pêche, cueillette et alimentation. La préservation du patrimoine naturel et culturel selon les perspectives, les témoignages et les interventions des Métis en milieux urbain et rural fait également l'objet d'une attention particulière. Les résultats de ces recherches de type ethno-géographique révèlent des savoir-faire et des manières d'être fidèles aux traditions ancestrales, qui sauront inspirer les jeunes ainsi que les prochaines générations. Enfin, les lecteurs sont conviés à une réflexion au sujet d'activités et de célébrations proposées par la communauté métisse et d'une intervention d'inspiration autochtone qui a été organisée en vue de créer un rapprochement entre les milieux universitaire, scolaire et communautaire.

This paper is the result of ethnographic work done in partnership with the Francophone Metis communities in Manitoba. The complex interrelation between memory, identity and named, marked and travelled landscapes are explored. Transcriptions from a number of interviews help us understand the survival of traditional practices among these communities, such as hunting, fishing, harvesting, and food preparation. The need to preserve their natural and cultural heritage is central to all Metis, whether living in urban or rural areas. The results of our ethno-geographic research illustrate a successful and inspiring transmission of traditional knowledge and practices among generations. In conclusion, the paper invites all readers to reflect upon the activities and celebrations proposed by the Metis community, including an indigenous-based forum that brought together participants from the university, the education sector, and the larger community.

Louise Ladouceur **et Shavaun** Liss

Identité bilingue et surtitres ludiques dans les théâtres francophones de l'Ouest canadien

Les théâtres francophones de l'Ouest explorent des esthétiques dont la nouveauté tient à la spécificité des contextes dans lesquels ils sont ancrés. Ainsi, après avoir suscité la méfiance, les manifestations du bilinguisme des francophones minoritaires ont été de plus en plus fréquentes sur les scènes théâtrales de l'Ouest, où on va maintenant jusqu'à revendiquer une identité bilingue. Conçue comme un phénomène de mouvance entre les langues et les cultures, cette identité bilingue invite à transgresser des frontières qui se voulaient auparavant plus étanches. Dans cette optique, l'emploi de surtitres anglais dans les théâtres francophones de l'Ouest et l'expérimentation ludique dont ils font l'objet façonnent de nouvelles esthétiques représentatives d'une réalité où le bilinguisme et l'interculturalité sont des composantes essentielles de l'identité francophone.

For Western Canada's Francophone theatre companies, esthetic concerns are anchored in new and specific contexts. Looked upon with suspicion at first, recent experiments with the level of bilingualism prevalent among Francophone minority speakers have been more frequent in Western Canadian theatres, leading to a reclaimed bilingual identity. While the shift between languages and cultures is a well-known phenomenon, the new bilingual identity is an

invitation to transgress borders that had remained impermeable until now.
The ludic function of surtitles in Western Canadian Francophone theatres
reveals not only a new esthetic experimentation but also the awareness that
bilingualism and interculturality are essential components of the Franco-
phone identity.

Yves Labrèche **et** Nathalie Piquemal

Parcours identitaires des minorités involontaires au Manitoba français : vers une éthique en matière de dialogue, de réciprocité et d'éducation interculturelle

Dans cet article, nous prendrons un certain recul par rapport aux données concrètes colligées dans le contexte de nos diverses interventions (entrevues, entretiens, observation participante, forums et tables rondes communautaires) en milieu francophone minoritaire et, plus précisément, auprès des Métis francophones d'une part et, d'autre part, auprès de familles réfugiées. Nous proposons ainsi une réflexion afin de trouver des zones d'aménagement favorables à la réciprocité, au dialogue et à la résilience des minorités involontaires. Ce décloisonnement et ces rapprochements pourront d'abord surprendre, mais le lecteur découvrira toute la pertinence de réfléchir au « vivre ensemble » dans le contexte des flux migratoires et de la mouvance identitaire qui affectent, entre autres, les collectivités francophones de l'Ouest canadien. Nous traiterons d'interculturel et d'éthique, là où se rejoignent nos axes et intérêts de recherche (éducation, langue et culture) et les valeurs que nous défendons. Nous insisterons sur le mariage « recherche et enseignement » dans la mesure où il permet une meilleure mobilisation des connaissances en agissant à la source, en sensibilisant tôt les citoyens de demain, qui comprendront mieux que les générations précédentes la diversité ethnoculturelle ainsi que les enjeux et les défis qui lui sont associés. Ne seront-ils pas ainsi plus en mesure d'agir avec pertinence grâce à des compétences interculturelles et des pratiques d'accommodement auxquelles ils auront été exposés dès le plus jeune âge?

In this paper, we wish to revisit the concrete data that we collected through
several past research programs (interviews, informal talks, participant
observation, community forums and roundtables) within the Francophone
minority and particular groups of Francophone Metis and refugee families.
Our aim is to consider the establishment of positive reciprocity arrangements
leading to a positive dialogue among different communities, and to reflect
upon the resilience of involuntary minorities. While the search for a more open

and barrier-free environment may be surprising at first, the need to develop strategies leading to an increased "togetherness" within Western Canada's Francophone communities, as they are affected by significant migratory flows and fluctuating identities, will clearly emerge. Our research (in education, language and culture) is shaped by intercultural and ethical concerns. We insist on the strong ties between research and teaching in order to ensure better knowledge mobilisation and create, among the leaders of tomorrow, an increased understanding of the challenges posed by ethnocultural diversity. It is hoped that the new generation of students will be able to act based on the relevance of new intercultural competences and practices of accommodation.

Notices biobibliographiques

Étienne Beaulieu s'intéresse à l'histoire et à la théorie de la prose dans la littérature française moderne, dans la culture québécoise contemporaine et dans le processus de création littéraire. Spécialiste de la période du tournant des Lumières et du romantisme, il a fait paraître, en plus d'une trentaine d'articles publiés dans différentes revues en Allemagne, en France et au Québec, un ouvrage portant sur *La fatigue romanesque de Joseph Joubert (1754-1824)* (Les Presses de l'Université Laval, 2008) et un essai sur le cinéma québécois intitulé *Sang et lumière : la communauté du sacré dans le cinéma québécois* (L'Instant même, 2007). Il est par ailleurs cofondateur des cahiers littéraires *Contre-jour*.

Davy Bigot est professeur adjoint au Département d'études françaises de l'Université Concordia et titulaire d'un doctorat en linguistique de l'Université du Québec à Montréal. Il s'intéresse au problème de la norme grammaticale en français québécois oral et au français parlé dans les provinces situées à l'ouest du Québec. Il dirige deux projets de recherche. Le premier, financé par le FQRSC, s'intitule *De la description aux représentations en français laurentien*; le second, subventionné par le CRFM, s'intitule *Le français parlé des jeunes adultes de Casselman (ON) : aspects phonologiques*. Il est également cochercheur dans le cadre du projet *Étude de la variation du français dans l'Ouest canadien et des pratiques, attitudes et représentations linguistiques en contexte minoritaire* de l'Alliance de recherche universités-communautés sur les identités francophones de l'Ouest canadien, subventionné par le CRSH.

Laurie Carlson Berg est professeure titulaire à la Faculté des sciences de l'éducation de l'Université de Regina. Ses recherches et son enseignement portent sur l'inclusion en milieu scolaire dans un contexte de minorité linguistique. Ses travaux actuels explorent les expériences des immigrants francophones. Ils visent à développer et à mettre en place des pratiques scolaires inclusives et valorisantes relativement aux contributions de chaque membre d'une communauté d'apprentissage. Il s'agit de parvenir à la constitution d'un système scolaire francophone efficace et reflétant l'enrichissement social et culturel, mutuel, présent dans la nouvelle communauté francophone.

Janelle DE ROCQUIGNY est étudiante au niveau de la maîtrise en santé communautaire à l'Université du Manitoba. Elle a obtenu un baccalauréat en sciences à l'Université de Saint-Boniface (alors Collège universitaire de Saint-Boniface) en 2005 et un baccalauréat ès arts spécialisé en psychologie à l'Université du Manitoba en 2008. Sa thèse de maîtrise est une étude populationnelle portant sur le développement de la petite enfance en milieu minoritaire franco-manitobain. Ses projets récents à titre d'assistante de recherche incluent l'état de santé des francophones du Manitoba ainsi que les services de santé et les services sociaux en français dans cette province. À l'heure actuelle, elle occupe le poste de coordonnatrice de recherche pour le *Projet transdisciplinaire en santé communautaire* à l'Université de Saint-Boniface.

Michel DUCHARME est professeur agrégé au Département d'histoire de l'Université de la Colombie-Britannique. Ses recherches portent sur l'histoire politique et intellectuelle du Canada au XIXᵉ siècle. Il est l'auteur de l'ouvrage intitulé *Le concept de liberté au Canada à l'époque des Révolutions atlantiques, 1776-1838* (McGill-Queen's University Press, 2010). Il a également codirigé l'ouvrage *Liberalism and Hegemony: Debating the Canadian Liberal Revolution* (University of Toronto Press, 2009).

Gestny EWART est professeure agrégée à l'Université de Saint-Boniface. Elle s'intéresse à la formation des enseignants et des enseignantes, à l'apprentissage de la lecture en milieu minoritaire francophone et à la méthodologie de l'immersion française.

Sandrine HALLION est professeure agrégée et enseigne la linguistique française au Département d'études françaises, de langues et littératures de l'Université de Saint-Boniface à Winnipeg. Ses travaux portent en particulier sur la description et la comparaison des variétés du français parlé au Canada, surtout dans l'Ouest. Elle a publié plusieurs articles sur cette problématique, notamment « Similarités morphosyntaxiques des parlers français de l'Ouest canadien » (*Revue canadienne de linguistique appliquée*, vol. 9, nº 2 (2006), p. 111-131) et, en collaboration avec Raymond

Mougeon, Robert Papen et Davy Bigot, « Convergence vs divergence : variantes morphologiques de la première personne de l'auxiliaire *aller* dans les variétés de français laurentien du Canada », paru en 2010 dans C. Leblanc, F. Martineau et Y. Frenette (dir.), *Vues sur les français d'ici* (Les Presses de l'Université Laval).

Margot IRVINE est professeure agrégée à l'Université de Guelph. Elle est l'auteure de *Pour suivre un époux : les récits de voyages des couples au XIXᵉ siècle* (Nota bene, 2008) ainsi que d'articles parus dans les revues *Nineteenth-Century French Studies* et *@nalyses*. Elle est rédactrice en chef (avec Eliane Lousada et Frédérique Arroyas) de la revue *Synergies Canada*. Sa recherche porte sur les rapports entre les femmes et l'institution littéraire.

Yves LABRÈCHE est coordonnateur du programme de maîtrise ès arts en études canadiennes et chargé de cours à l'Université de Saint-Boniface. Il est également coordonnateur de l'Alliance de recherche universités-communautés sur les identités francophones de l'Ouest canadien et cochercheur du volet métis de cette alliance. Il travaille présentement avec les Métis du Manitoba. Ses recherches antérieures lui ont permis de contribuer à la connaissance des cultures autochtones de l'Arctique et du Labrador. Il a publié des textes dans *Études/Inuit Studies*, *Recherches amérindiennes au Québec*, *Journal canadien d'archéologie* et *Thèmes canadiens*.

Louise LADOUCEUR est professeure titulaire à l'Université de l'Alberta, où elle dirige le Théâtre au Pluriel, et rédactrice en chef de la revue *L'Annuaire théâtral*. Ses recherches et ses publications portent sur la traduction théâtrale, la dramaturgie francophone du Canada, plus spécialement celle de l'Ouest, et le bilinguisme au théâtre. Son livre *Dramatic Licence: Translating Theatre from One Official Language to The Other in Canada* a paru en 2012 aux Presses de l'Université de l'Alberta. Elle est coauteure d'un ouvrage intitulé *Plus d'un siècle sur scène : histoire du théâtre francophone en Alberta de 1887 à 2008,* qui paraîtra aussi en 2012.

Marcel LAJEUNESSE est professeur associé à l'École de bibliothéconomie et des sciences de l'information de l'Université de Montréal, où il a été professeur de 1970 à 2006. Il fut le directeur de cette École de 1987 à 1994 et vice-doyen de la Faculté des arts et des sciences de 1994 à 2002. Il a publié de nombreux articles dans les domaines de l'histoire du livre et des bibliothèques. Il est l'auteur des ouvrages suivants : *Les Sulpiciens et la vie culturelle à Montréal au XIXᵉ siècle* (Fides, 1982), *Législations et politiques archivistiques dans le monde* (Documentor, 1993) et *Lecture publique et culture au Québec, XIXᵉ-XXᵉ siècles* (Presses de l'Université du Québec, 2004).

Carol J. Léonard est professeur agrégé à l'Université de l'Alberta. Il s'intéresse notamment à l'onomastique critique, et ses recherches ont pour sujet la toponymie française des provinces des Prairies canadiennes. Président de la Société canadienne d'onomastique/Canadian Society for the Study of Names et auteur de plusieurs articles en toponymie, il a signé, entre autres, le premier répertoire consacré à la toponymie française dans l'Ouest canadien, répertoire dont la rédaction a nécessité plus de vingt années de recherche. Il a pour titre *Mémoire des noms de lieux d'origine et d'influence françaises en Saskatchewan* (Éditions GID, 2010).

Shavaun Liss vient de terminer sa maîtrise en Études canadiennes au Campus Saint-Jean de l'Université de l'Alberta sous la direction de Louise Ladouceur. Son mémoire s'intitule *Le surtitrage anglais du théâtre francophone de l'Ouest canadien : application et expérimentation*. Elle a effectué le surtitrage anglais de neuf pièces présentées à l'UniThéâtre et au Théâtre au Pluriel à Edmonton ainsi qu'au Théâtre du Nouvel-Ontario, à Sudbury. Ses champs d'intérêt incluent le surtitrage, le théâtre franco-canadien de l'Ouest et la traduction.

Luc N. Martin, originaire de France, vit au Canada depuis 2009. Titulaire d'un baccalauréat en éducation de l'Université de Saint Boniface où il travaille comme assistant de recherche, il s'intéresse à l'apprentissage de la littératie et au thème de l'éducation pour un avenir viable.

France Martineau est professeure titulaire au Département de français de l'Université d'Ottawa, membre de la Société royale du Canada, titulaire de la chaire *Langue, identité et migration en Amérique française* et directrice du laboratoire Polyphonies du français (www.polyphonies. uottawa.ca). Son champ d'expertise est la langue française, son histoire passée et actuelle, dans sa dimension internationale et canadienne, et les enjeux sociaux qui sont liés au développement du français dans des contextes multiculturels. Elle dirige actuellement un projet international sur l'histoire du français et des communautés francophones en Amérique du Nord (www.continent.uottawa.ca). Elle collabore également à des projets pour la préservation du patrimoine culturel francophone. Elle est auteure et coauteure de plusieurs livres, chapitres de livres et articles, notamment *Incursion dans le Détroit,* avec Marcel Bénéteau (Les Presses de l'Université Laval, 2010), et *L'introuvable unité du français,* avec Serge Lusignan, Yves Charles Morin et Paul Cohen (Les Presses de l'Université Laval, 2012).

Moses Nyongwa est titulaire d'un doctorat en linguistique. L'interrelation entre la morphologie et la syntaxe constitue son domaine de spécialisation. Il enseigne la traduction à l'Université de Saint-Boniface. Ses publications récentes portent sur la traductologie, l'apport des nouveaux arrivants dans la francophonie de l'Ouest canadien et sur le français, langue de la mondialisation. Son principal champ d'intérêt est la formation à distance, essentiellement par Internet, où se développent une nouvelle pédagogie et une expertise prisée actuellement partout dans le monde.

Robert A. Papen est professeur titulaire retraité du Département de linguistique de l'Université du Québec à Montréal, dont il a été le directeur (1990-1994) et auquel il est encore affilié à titre de professeur associé. Sociolinguiste de formation, il s'est toujours intéressé au contact des langues. Dès le début de sa carrière universitaire, ses recherches et ses publications ont surtout porté sur le patrimoine linguistique des Mitchifs de l'Ouest canadien : le français mitchif et la langue mixte franco-crie (le mitchif), mais également sur le cadien de la Louisiane, le chiac de Moncton, le français du Minnesota et du Dakota-du-Nord et, plus récemment, sur le parler français de la Saskatchewan. Depuis quelques années, il s'intéresse à la question de la norme du français au Québec.

Nathalie Piquemal est professeure agrégée en éducation interculturelle à l'Université du Manitoba. Elle est spécialisée dans la recherche sur les phénomènes de discontinuité culturelle et d'acculturation chez les élèves autochtones et les élèves immigrants, notamment ceux touchés par les guerres. Ses travaux portent aussi sur les attitudes et les expériences des enseignants face à la diversité culturelle. Les questions de justice sociale, d'équité et d'éthique sont au cœur de sa recherche.

Léonard P. Rivard est professeur émérite de l'Université de Saint-Boniface et directeur de l'Alliance de recherche universités-communautés sur les identités francophones de l'Ouest canadien (ARUC-IFO). Il s'intéresse au rôle de la langue dans l'enseignement et l'apprentissage des sciences de la nature. Il a publié plus de soixante articles dans différentes revues savantes aux États-Unis, en Europe et au Canada.

Jules ROCQUE enseigne au deuxième cycle en administration scolaire à l'Université de Saint-Boniface. Il œuvre en éducation depuis plus de vingt-cinq ans et possède une vaste expérience en administration grâce aux postes qu'il a occupés en immersion française, en anglais, auprès des Inuits à la Terre de Baffin, et en français, au Manitoba et en Alberta. Ses projets de recherche portent sur l'éducation, la gestion scolaire en milieu francophone minoritaire et le leadership en éducation. Il a publié dans diverses revues professionnelles et scientifiques et présenté ses travaux dans le cadre de congrès nationaux et internationaux, notamment en Belgique, en Hongrie, en France et aux États-Unis. Il a dirigé l'ouvrage intitulé *La direction d'école et le leadership pédagogique en milieu francophone minoritaire : considérations théoriques pour une pratique éclairée* (Presses de l'Université de Saint-Boniface, 2011).

Douglas WALKER est professeur émérite de français et de linguistique de l'Université de Calgary, où il a également occupé différents postes administratifs, notamment celui de vice-président associé à la recherche. Ses recherches portent sur la linguistique française et, plus généralement, sur les langues romanes. Il s'intéresse actuellement à la phonologie et à la morphologie du français laurentien. Auteur de plusieurs ouvrages (*An Introduction to Old French Morphophonology, Dictionnaire inverse de l'ancien français, The Pronunciation of Canadian French, French Sound Structure*), il a également publié plus de 120 articles et comptes rendus. Membre du comité éditorial du *Journal of French Language Studies* et de *Folia Linguistica*, président de l'Association canadienne de linguistique de 1994 à 1996, il est également récipiendaire de plusieurs bourses et de nombreuses subventions de recherche.

POLITIQUE ÉDITORIALE

Francophonies d'Amérique est une revue pluridisplinaire dans le domaine des sciences humaines et des sciences sociales. Elle paraît deux fois l'an. La direction de la revue favorise non seulement la représentation équitable des diverses disciplines, mais elle encourage également les croisements disciplinaires. L'Ontario, l'Acadie, l'Ouest canadien, les États-Unis et les Antilles (Haïti, Martinique, Guadeloupe) y sont représentés. Le Québec peut aussi y être conçu comme un objet d'étude dans son histoire et sa présence continentales. Les diverses facettes de la vie française dans ces régions font l'objet d'analyses et d'études à la fois savantes et accessibles à un public qui s'intéresse aux « parlants français » en Amérique du Nord. On y retrouve aussi des comptes rendus et une bibliographie des publications récentes en langue française issues de ces collectivités. La direction de la revue privilégie la représentation des régions tant par les textes que par les auteurs et encourage les études comparatives et les perspectives d'ensemble. *Francophonies d'Amérique* vise à refléter un secteur de recherche en pleine croissance et constitue ainsi une source de renseignements des plus utiles pour quiconque s'intéresse à la francophonie nord-américaine dans toute sa vitalité.

Procédure d'évaluation des articles

Tous les articles soumis à la revue, y compris les textes sollicités par la direction, les membres du conseil d'administration ou du comité de rédaction, doivent faire l'objet d'une évaluation par au moins deux personnes compétentes. La revue fera appel le plus souvent possible aux membres du comité de rédaction pour assurer l'évaluation des textes. La sollicitation d'un article ou d'un compte rendu n'en signifie donc pas l'acceptation automatique.

Francophonies d'Amérique ne publie que des articles inédits, c'est-à-dire qui n'ont fait l'objet d'aucune publication antérieure, sous quelque forme que ce soit, incluant le site Web de l'auteur, celui du centre de recherche ou celui de l'institution à laquelle il est rattaché.

Numéros thématiques – textes choisis de colloques

Francophonies d'Amérique accueille volontiers des articles provenant de colloques portant sur des sujets pertinents. Un seul numéro par année est normalement consacré à ce type de publication.

La préparation des textes est confiée au responsable du numéro thématique. Tous les articles doivent être remis en un seul dossier, en format Word. La présentation du numéro par le responsable scientifique et les notices biobibliographiques (100 mots) des collaborateurs et des collaboratrices ainsi que les résumés (en français et en anglais) des articles (100 mots) doivent être compris dans le dossier remis à la direction de la revue. Les textes doivent être conformes aux normes et au protocole de rédaction de la revue.

Les manuscrits doivent faire l'objet d'une évaluation normale par les pairs.

En consultation avec les coordonnateurs des différents dossiers, la direction de *Francophonies d'Amérique* est responsable du choix final des articles, et elle avisera les auteurs de sa décision.

Nombre de pages

Les numéros de *Francophonies d'Amérique* comptent au maximum 200 pages, incluant la table des matières, l'introduction, les articles, les comptes rendus, les notices biobibliographiques et les pages se rapportant à la revue.

Longueur des articles

Les textes soumis pour publication comptent entre 15 et 20 pages, à interligne double. Les tableaux, les graphiques et les illustrations doivent être limités à l'essentiel; chaque numéro comprend au maximum 26 tableaux et illustrations.

Présentation des articles

La revue utilise le système de renvoi à l'intérieur du texte, suivi d'une bibliographie des ouvrages cités. Les notes doivent être réduites au minimum, et seules celles qui sont essentielles à la cohésion et à la compréhension de l'article seront publiées. De même, la revue ne publiera que la bibliographie des ouvrages cités.

Présentation des comptes rendus

Les comptes rendus comprennent la référence complète de l'ouvrage recensé en guise de titre, suivie du nom de l'auteur du compte rendu ainsi que ses coordonnées complètes. Nombre de mots : entre 1 000 et 1 200.

Protocole de rédaction

Le protocole de rédaction est disponible dans le site Web de la revue, à l'adresse suivante : [http://www.crccf.uottawa.ca/francophonies_ amerique/protocole.pdf].

Accès libre aux articles

Deux ans après la parution de son article en format imprimé et électronique dans le portail Érudit, l'auteur qui le désire pourra diffuser librement son article après en avoir obtenu l'autorisation de *Francophonies d'Amérique* et en s'assurant que la source de l'article est clairement indiquée.

ABONNEMENT À

MENS

Revue d'histoire intellectuelle et culturelle

La revue *Mens* est vouée à l'étude de l'histoire intellectuelle et culturelle de l'Amérique française. Elle paraît sur une base semestrielle, les printemps et automne de chaque année. Pour s'abonner, il suffit de remplir ce bon et de l'envoyer avec son paiement à l'adresse suivante :

Revue *Mens*
CRCCF
Université d'Ottawa
Pavillon Morisset
65, rue Université, pièce 040
Ottawa (On) K1N 6N5

Nom, Prénom / Institution

Adresse

Ville   Province / État   Code postal

Courriel   Téléphone

Pour les abonnements à la version numérique, les institutions, les consortiums et les agences d'abonnements doivent communiquer avec Érudit :
Tél. : 514 343-6111, poste 5500
Courriel : erudit-abonnements@umontreal.ca

Type d'abonnement (Tarif + 5 % de TPS pour le Canada)

- ☐ Étudiant (20 + 1 = 21 $)
- ☐ Étudiant – 2 ans (35 + 1,75= 36,75 $)
- ☐ Régulier (25 + 1,25 = 26,25 $)
- ☐ Régulier – 2 ans (45 + 2,25 = 47,25 $)
- ☐ Institution (35 + 1,75 = 36,75 $)
- ☐ Soutien (50 $ ou autre ____$)
- ☐ Régulier – étranger (40 $ USD)
- ☐ Institution – étranger (45 $ USD)

Paiement par chèque libellé à l'ordre de
Revue *Mens*

☐ Cochez pour obtenir un reçu

N° d'enregistrement TPS : R119278877

Bureau des abonnements
CRCCF

Université d'Ottawa
65, rue Université, pièce 040
Ottawa (Ontario) K1N 6N5
CANADA

Att. Martin Roy
Roy.Martin@uottawa.ca

ABONNEMENT À LA VERSION IMPRIMÉE | NUMÉROS 33 ET 34

Canada (TPS comprise)			**À l'étranger** (frais d'envoi compris)		
Étudiant/ retraité	☐	30 $	Étudiant/ retraité	☐	40 $ CAN
Individu	☐	40 $	Individu	☐	55 $ CAN
Institution	☐	110 $	Institution	☐	140 $ CAN

TARIFS À L'UNITÉ | Numéro désiré _____

Canada (TPS comprise)			**À l'étranger** (frais d'envoi compris)		
Étudiant/ retraité	☐	20 $	Étudiant/ retraité	☐	28 $ CAN
Individu	☐	25 $	Individu	☐	33 $ CAN
Institution	☐	60 $	Institution	☐	70 $ CAN

Nom :   Prénom :

Organisme :

Adresse :   Ville :

Province :   Code postal :

Téléphone :   Courriel :

Veuillez retourner une copie de ce formulaire d'abonnement et votre chèque libellé au nom de l'Université d'Ottawa à l'adresse suivante :

Martin Roy
Centre de recherche en civilisation canadienne-française
Université d'Ottawa
65, rue Université, pièce 040
Ottawa (Ontario) K1N 6N5

ABONNEMENT À LA VERSION NUMÉRIQUE

Pour les abonnements à la version numérique, les institutions, les consortiums et les agences d'abonnements doivent communiquer avec Érudit :
Tél. : 514 343-6111, poste 5500 | erudit-abonnements@umontreal.ca